뷰티풀라이프 88

❶

뷰티풀라이프 88

❶

초판 1쇄 인쇄일 2015년 6월 16일
초판 1쇄 발행일 2015년 6월 20일

지은이 권오득
펴낸이 양옥매
책임편집 육성수
디자인 이윤경
교 정 조준경

펴낸곳 도서출판 책과나무
출판등록 제2012-000376
주소 서울특별시 마포구 월드컵북로 44길 37 천지빌딩 3층
대표전화 02.372.1537 **팩스** 02.372.1538
이메일 booknamu2007@naver.com
홈페이지 www.booknamu.com
ISBN 979-11-5776-056-5(04810)
ISBN 979-11-5776-055-8(세트)

이 도서의 국립중앙도서관 출판시도서목록(CIP)은 서지정보유통지원 시스템
홈페이지(http://seoji.nl.go.kr)와 국가자료공동목록시스템
(http://www.nl.go.kr/kolisnet)에서 이용하실 수 있습니다.
(CIP제어번호 : CIP2015016458)

뷰티풀라이프 88

❶

Beautiful
Life 88

권오득 지음°

책과나무

Prologue

　두 권으로 나누어 출간되는 〈뷰티풀 라이프 88〉은 저의 두 번째 책입니다. 전문 작가가 쓴 글이 아니라 다소 매끄럽지 않은 부분이 있음에도 불구하고, 어떤 인문사회학 서적보다도 재미있고 철학 서적보다 잔잔하면서도 깊은 여운을 느낄 수 있는 책이라 자부합니다. 각기 다른 다섯 개의 파트로 구성된 이 책에는, 책의 제목처럼 총 88개의 주제가 담겨 있습니다.

　먼저 1권인 이 책은 총 세 장으로 구성되어 있으며, 아름다운 삶, 아름다운 외모, 아름다운 감정의 주제를 담고 있습니다. 따라서 아름다운 삶 속에서 아름다운 외모를 가꾸며 아름다운 감정을 느끼고자 하는 사람에게 이 책이 와 닿을 것입니다.

이 책에는 망각의 저편에 묻어두고 싶었던 제 삶의 가슴 아픈 기억의 편린들을 진솔하게 담았습니다. 저는 할 수 있는 한 속살을 헤치고 그 깊고 어두운 곳까지 보려 했으며, 그 밑바닥에서 다시 일어서고자 했습니다. 이것이 한순간의 마주침에 그치는 것이 아니라 독자들과 경험을 공유함으로써 제 자신의 의지를 더욱 굳건히 하고 싶었습니다.

제가 기억의 저편에 감추고 묻어두고 싶었던 경마 중독의 경험을 드러낸 것은 중독된 삶에서 벗어나고자 하는 사람들에게 작은 힘이라도 보탬이 되고 싶었기 때문입니다. 저는 희망합니다. 독자들이 책을 읽는 동안에는 잔잔한 울림과 입가에 웃음이 돌고, 책을 덮고 나면 삶에 대한 즐거움과 사랑이 더욱 확장되기를······.

제가 '팔팔(88)'이란 말에 집착하는 것은 처녀작인 〈부패의 팔팔법칙〉에 대한 애착 때문입니다. 〈부패의 팔팔법칙〉은 즐거움이나 재미가 빠진 윤리경영은 공허한 외침이나 껍데기들끼리의 잔치라 생각되어, 세상에서 가장 재미있는 윤리 도서를 내고자 하는 욕심에서 출간한 책입니다.

자비로 출간한 이 책은 전국에 있는 각 기관의 윤리경영 담당자에게 나누어 주고 내가 몸담고 있는 회사의 신입직원 교재와 한 중견기업체 주문에 충당하고 난 뒤에는 세상에 나와 보지도 못한 채, 지금도 100여 권은 우리 집 한편에 얌전히 쌓여 있습니다. 공간만 차지하고 있는 책을 빨리 갖다 버리라는 아내의 불평은 무시하였지만, 미안한 마음까지 지울 순 없었습니다.

하지만 이번엔 책의 내용이 독자들의 공감을 얻을 수 있다는 자신감이 있기에, 다소 파격적인 방법으로 책을 판매하고자 합니다. 최초 출간일로부터 6개월 이내에 이 책을 구입한 모든 독자에게 약속합니다. 책을 구입하여 읽어 보신 후 책값이 아깝다고 생각되는 분들은 책 구입을 확인할 수 있는 '카드이용대금청구서(책 구입 영수증은 안 됨)'를 스캔하여 이메일(odkwon0179@naver.com)로 보내 주시면, 책값을 100% 환불해 드리겠습니다.

이 책의 내용은 전반적으로 조금 왼쪽으로 치우쳐 있습니다. 왼쪽, 오른쪽이란 표현보다는 빈자와 사회경제적 약자의 입장과 시선에서 쓰인 책이라고 하는 것이 맞을 것 같습니다. 개인적으로 지금의 사회가 무게중심이 오른쪽으로 가 있기에 정의롭고 공정한 세상을 향해 가기 위해선 지금보다 좀 더 빈자와 사회경제적 약자들 쪽으로 다가가야 한다고 생각합니다.

따라서 지금의 세상을 안정적으로 유지하고자 하는 사회 · 경제적 지배계층이 이 책의 내용을 불편하게 느끼기보다는 세상을 보는 색다른 시선으로 이해했으면 하는 바람입니다. 그리고 좀 더 왼쪽으로 걸어가 균형 잡힌 세상을 만들고자 하는 사람들에게는 어느 정도의 공감대를 공유할 수 있을 것으로 기대합니다.

Contents

프롤로그 .05

Part 1.

아름다운 삶

1. 우리 집 샛별이 .012
2. 온 세상을 밝히는 아름다운 배려, 매직워드 .018
3. 앉아서 오줌 누는 남자 .024
4. 욕망보다 낭만과 추억이 있는 삶이 아름답다 .030
5. 제2의 인생을 시작하고 싶다면 독수리처럼 .042
6. 중용의 아름다움, 낙이불음(樂而不淫)의 삶 .056
7. 빠져나올 수 없는 늪, 도박 중독 .064
8. 자신의 신화를 만들어 가는 사람이 아름답다 .083
9. 구름에 달 가듯, 나그네의 삶 .091
10. 순간을 영원으로 만드는 비밀 .100
11. 진정한 자유를 찾아가는 길 .106
12. 라면 인생과 이별하기 .117
13. 날마다 새로운 삶을 꿈꾸며 .122
14. 반전의 미학 .130

15. 버리고 비우는 삶이 아름답다 .137
16. 부끄러움을 잃어버린 시대의 자화상 .142
17. Give and happiness .148
18. 손 안의 행복을 발견하는 어린 왕자처럼 .154
19. 자연과의 조화로운 삶이 아름답다 .167
20. 지혜의 눈으로 세상 바라보기 .175
21. 타는 목마름의 삶에서 무지개를 보다 .180
22. 매 순간을 전성기로 만드는 비결, 푸르른 젊음 .191
23. 군중 속의 고독을 즐기는 삶 .200

Part 2.

아름다운 외모

24. 당신이 닮고 싶은 몸매는? .210
25. 달리기, 고통에서 즐거움으로의 질주 .217
26. 시선과 마음을 사로잡는 얼굴이 아름답다 .225
27. 진정한 아름다움을 위한 스타일링의 시작 .232
28. 몸 전체가 즐거워지는 감동, 웃음 .237
29. 고운 주름이 아름답다 .245
30. 따뜻한 눈빛이 아름다운 이유 .249
31. 인격을 담는 그릇, 목소리 .254
32. 열정적으로 춤추는 사람이 아름답다 .260
33. 탄탄한 몸, 마음의 건강을 이어 주는 다리 .264

Part 3.

아름다운 감정

34. 함께 있을 때 기분 좋은 사랑 .272
35. 내 아들 우철이 .277
36. 감정의 일곱 빛깔 무지개, 희로애락애오욕 .283
37. 그리움과 기다림이 있는 삶이 아름답다 .291
38. 돌멩이와 날카로운 칼날을
    빵과 떡으로 만드는 힘, 공감 .297
39. 나쁜 남자와 나쁜 놈, 그 오묘한 차이 .311
40. 사람 냄새가 아름답다 .321
41. 유쾌 · 상쾌 · 통쾌한 기분으로 사는 삶 .328
42. 감정표현의 황금률 .336
43. 열린 마음이 아름답다 .346
44. 친절의 힘 .352
45. 푸른 감성으로 주위를 푸르게 물들이는 사람 .357

아름다운 삶

Part 1.

우리 집 샛별이

샛별이는 우리 집에서 키우는 애완견의 이름이다. '샛별'이란 이름은 아들이 다니는 학교가 샛별중학교이고, 처음 동물병원에서 데려왔을 때 몸은 작지만 눈만큼은 밤하늘의 샛별처럼 크고 반짝반짝해서 붙인 이름이다.

7년 전 외아들인 우철이가 외로울까 봐 애완견을 키우는 것이 좋겠다는 생각에 아내와 함께 동물병원에 갔었다. 그곳에는 새끼 말티즈 세 마리가 있었는데, 선뜻 결심이 서지 않아 그냥 집으로 발걸음을 옮겼다.

그리고 다음 날 다시 그 동물병원에 갔는데, 세 마리 중에서 두 마리는 팔려나가고 그중 제일 부실하고 비실비실한 한 마리만 남아 있었다. 샛별 같은 눈망울을 반짝이며 우리를 올려다보는 그 새끼 강아지를 차마 외면할 수 없었다. 그것이 샛별이와의 인연이 되었다.

강아지에게도 감정이 있다고 생각해 샛별이의 마음에 상처를 주고 싶지 않아 장난으로라도 때리지 않고, 밥을 줄 때도 꼭 밥그릇에 담아 주거나 손으로 집어 입에 넣어 주며, 아프면 아내나 아들과 마찬가지로 병원에 데려갔다. 잠도 안방에서 우리들과 함께 잔다. 애완견이라기보다는 우리 가족인 셈이다.

가끔은 이놈도 자기가 사람인 줄 착각하는 것 같다. 우리 어머니는 집에 오실 때마다 "강아지는 왜 키우냐? 냄새나고 집안도 지저분해지고, 이것저것 돈도 많이 들어가는데……."라고 하신다. 그러면서도 어머니는 동네 근처 공원으로 샛별이와 산책을 나가면 사람들한테 "강아지가 예쁘다"는 말을 많이 듣는다고 좋아하신다.

견공에게도 삼강오륜이 있다고 한다. 즉, 제 새끼를 핥는 것은 '부자유친'이요, 주인을 향해 짖지 않는 것은 '군신유의'다. 일정한 때에만 교접하니 '부부유별'이요, 작은 개가 큰 개에게 덤비질 않으니 '장유유서'다. 하나가 짖으면 죄다 따라 짖는 것은 '붕우유신'이다. 이런 우스갯소리가 나올 정도로 개는 인간과 밀접하다.

우리 집 강아지 '샛별이'는 습관적으로 배를 다 드러내고 내 앞에서 벌떡 눕는다. 누우면 배를 쓰다듬으면서 자기를 귀여워해 준다는 것을 알고서 하고 행동이지만, 그 모습이 정말 사랑스럽다. 샛별이는 내가 옷을 입으면 밖으로 나가는 줄 알고 내 눈치를 한번 본 후에 현관문 앞으로 가서 쪼그리고 앉아 있다. 그런 모습이 귀여워 결국엔 밖에 데리고 나와 함께 산을 뛰었다.

처음에는 귓병도 없어진 것 같고 다리도 튼튼해질 것으로 생각했으나, 한번 심하게 앓고 난 다음부터는 다리를 조금 절뚝거리기에 산에는 데리고 가지 않았다. 그 뒤에도 샛별이의 건강상태는 지속적으로 나빠져, 다섯 살 때부터는 다리에 이상이 생겨 한쪽 뒷다리를 절뚝거렸다. 그런데 수술비와 입원비를 합쳐서 120만 원이 든다고 해서 수술을 미루고 있었다.

그러던 어느 가을날, 샛별이가 다섯 살 하고도 6개월이 지난 무렵이었다. 갑자기 밥도 안 먹고 움직이지도 않고 가만히 누워서 간간히 죽어 가는 신음 소리만 내는 게 아닌가! 덜컥 무서운 생각에, 얼른 병원에 데려가서 치료를 받았는데도 소용이 없었다.

비쩍 말라 가는 샛별이를 보면서 이러다가 '샛별이가 죽겠구나.'라는 생각에 미치자, 샛별이를 데리고 2차 병원으로 갔다. 병원에서 정밀검사를 했는데, 병명이 '부신피질기능저하증(에디슨병)'이란다. 정밀검사비와 약값으로 80만 원을 지불했다.

친절한 수의사는 샛별이가 죽을 때까지 약을 먹어야 한다는 설명을 덧붙였다. 80만 원은 감당이 되었지만, 샛별이 다리 수술비용과 함께 지속적으로 부담해야 할 약값을 생각하니, '샛별이를 안락사 시키든

가, 뭔가 방법을 찾아야겠다.'는 생각이 들었다.

　병원에 갔다 온 지 일주일 정도 지나자, 샛별이는 예전처럼 밥도 잘 먹고 큰 눈을 껌벅거리면서 활기차게 꼬리를 흔들어 댔다. 기쁜 마음에 샛별이를 꼭 끌어안은 아내의 눈에 동그랗게 눈물이 맺혔다. 그리고는 샛별이의 눈을 마주치며, "샛별아, 다시 건강해져서 정말 기쁘다."라고 말했다. 이 말을 알아들은 건지, 샛별이는 꼬리를 더욱 힘차게 흔들었다. 그 모습을 바라보던 아들도 샛별이를 품에 안고 말없이 행복한 미소를 지어 보였다.

　샛별이는 내 얼굴을 쳐다보더니, 부드러운 혓바닥으로 내 얼굴을 핥았다. 우리 식구들은 절대로 자기를 버리지 않을 것이라는 무한한 신뢰와 애정을 담아. 며칠 전 샛별이와 이별을 맞이할 생각을 했던 나는, 부끄러움에 그만 눈시울이 뜨거워졌다.

　그날 저녁, 나는 아내와 함께 샛별이의 다리 수술에 대해 상의했다. 결국 수술에 대한 불안감과 함께 돈이 많이 드는 일이라, 지금까지 수술은 하지 않고 약만 꾸준히 먹이고 있다.

　어느 토요일 아침, 버스를 탈 때였다. 주말 아침임에도 불구하고 버스 안은 조금 붐볐다. 그런데 수내역에서 하차를 할 때, 사람들이 험한 소리를 내뱉으면서 내리는 소리가 들렸다. 무슨 일인가 싶어 자세히 살펴보니, 30대로 보이는 젊은 아가씨가 문 쪽에서 사람들이 내리는 것을 가로막고 있었다.

자리에 앉아 있던 나는 크게 신경 쓰지 않고 눈길을 돌렸다. 그런데 그 순간, 그 아가씨의 다리가 눈에 들어왔다. 안타깝게도 다리를 절고 있었기 때문이다. 그 아가씨가 내리는 사람들에게 밀쳐지는 모습이 조금 안쓰러웠는데, 사람들이 다 내리고 난 뒤 마지막으로 절뚝거리는 다리로 내리려는 순간에 야속하게도 버스 문이 닫히고 말았다.

나는 그 순간, 버스가 들썩이고 타잔이 꼬리를 내릴 정도의 큰 목소리로 "아저씨, 아직 다 안 내렸어요."라고 우렁차게 소리쳤다. 그렇게 버스 문이 다시 열렸고, 그 젊은 아가씨는 안전하게 내릴 수 있었다.

나는 평상시에 지나칠 정도로 다른 사람의 일에 무관심하고 간섭을 하지 않는다. 하지만 이날만큼은 예외였다. 대체 왜 그런 걸까? 지나고 나서 곰곰이 생각해 보니, 아마 걸을 때 뒷다리를 저는 우리 샛별이 때문일지도 모른다는 생각이 들었다.

갓난아이가 버려지는 세상에서는 동물들도 버려질 수밖에 없고, 동물들이 버려지는 사회는 아이들도 버려지는 사회가 될 수밖에 없다. 동물을 사랑하지 않는 인간은 인간을 사랑할 수 없다. 따라서 동물이 행복한 나라는 인간이 행복한 나라라고 할 수 있다. 인간과 동물이 서로 함께 어울리면서 웃고 뒹구는 세상이야말로 인간이 꿈꾸는 가장 아름다운 세상의 한 모습이 아닐까.

이러한 인식이 그리 높지 않은 우리나라에서 개를 버리면 그 주인이 처벌받는 법이 만들어지기를 기대하는 것은 어려운 일일 것이다. 그래서 서민(단국대 의대교수) 씨는 한겨레 칼럼에서 개를 기르지 말자고 말한다. 당장 심심하다고, 애들이 원한다는 이유로 개를 키워서는 안 된다는 것이다. "사람과의 관계에서 상처를 받았다는 게 개를 키울 이유는 되지 못한다."며, "개를 자신에 준할 만큼 키울 마음이 있다면, 그리고 그 마음이 변치 않을 자신이 있는 극소수만 개를 입양하라."고 충고한다.

덧붙여 TV에서 본 내용을 소개하며 글을 맺는다. "유기견 보호소 근처에 차가 한 대 서고 한 남자가 문을 열고 개를 내려놓는다. 차가 출발하자, 개는 죽을힘을 다해서 따라간다. 그 개는 주인이 왜 자신을 버리고 가는지 이해하지 못했을 것이다. 필경 자신을 다시 데리러 올 거라고 생각하며 그 자리를 떠나지 않을지도 모른다. 한 가지 확실한 건 죽을 때까지 그 개가 주인을 원망하지 않을 거라는 것, 그래 바로 개다."

지금 샛별이는 다리를 쩔뚝거려 공원 산책은 자제하고 있지만, 그래도 아직까지 건강하게 우리와 함께 살고 있다. 먼 훗날 샛별이가 수명을 다하여 죽을 때까지, 우리 식구가 샛별이를 버리는 일은 결코 없을 것이다. 아내와 아들처럼 나 역시 샛별이와의 인연을 소중하고 고맙게 생각한다.

온 세상을 밝히는 아름다운 배려, 매직워드

가정에서, 학교에서, 사회에서 우리는 타인의 가슴에 수없이 못질을 한다. '못난 놈', '못된 놈', '못마땅한 놈', '모자란 놈', '못생긴 놈', '모진 놈'이라고 남을 모욕하고 조롱하면서 말이다.

일상의 만남에서 "즐거웠습니다.", "아닙니다. 제가 더 즐거웠습니다."라는 따뜻한 말의 오고감, 식당에서 "반찬 좀 더 주세요."라는 말보다는 "반찬 더 드릴까요?"라는 더욱 따뜻한 정의 오고감. 당신은 누구와 만나고, 어느 식당에 가고 싶은가? 이것이 바로 '매직워드'다.

매직워드가 만드는 매직월드에 사는 당신은 이미 천사의 친구다. 직장 앞에서 차에서 내려 걸어가는 엄마를 향해 차창 밖으로 손을 내밀며 '엄마, 사랑해요!'라고 외치는 아이의 따뜻한 음성이 가슴에 잔잔한 여운을 남긴다.

나는 동두천 미 제2사단에서 카투사병으로 군을 제대하고 난 후, 건장한 이미지를 과시하기 위해 야상(군용잠바)을 입고 아르바이트를 하러 갔다. 엄마한테는 돈 벌어서 내 용돈은 알아서 쓰겠다고 호기 있게 말하고 나서 처음 시작한 일이 '치약상자 나르기'였다. 8시간 동안 치약상자를 나르고는 파김치가 되어 집에 돌아와서 바로 쓰러져 잤다.

문제는 다음 날 아침이었다. 밥숟가락조차 들기 힘든 것이었다. 힘겹게 식사를 하고 다시 치약상자 나르는 아르바이트를 했다. 점심식사 때 오늘 아침에 밥숟가락을 드는 게 힘들었다고 말하자, 같이 일하는 아저씨들이 며칠 지나면 적응이 되어 괜찮다고 했다. 하지만 이틀을 일하고 맞이한 아침식사 때는 밥숟가락을 드는 게 힘든 정도가 아니라, 아예 들 수도 없는 지경이 되었다.

나는 결국 일하러 가지 않았고, 창피한 마음에 이틀 일한 품삯을 받으러 가지도 못했다. 어머니에게는 "일한 돈도 받지 못하는 바보 같은 놈", "미련 곰탱이", "어리석은 놈"이라는 말을 들으면서도 말이다. 그때 어머니는 "괜찮니?"라는 위로와 격려의 말보다 돈을 받아 오라는 말만 되풀이했다. 화가 나기보다는 아무리 생각해도 창피하고 내 자신이 한심했다.

또 다른 이야기다. 아버지가 돌아가신 후, 어머니는 무척이나 힘들어하셨다. 한국전쟁이 끝나고 어수선한 시기에 초등학교를 중퇴한 어머니와 전쟁고아였던 아버지는 몸으로 벌어먹는 삶에서 벗어나지 못했기에, 아들이 공기업에서 펜을 잡고 일하게 된 것을 무척 자랑스럽게 여기셨다.

1남 2녀의 장남인 나는 밑으로 두 살, 일곱 살 터울의 두 여동생이 있었지만, 남아선호사상이 뿌리 깊이 박혀 있던 부모님들은 좋은 옷, 먹을 것, 공부하는 것 등을 포함한 모든 일에 여동생이 아닌 나를 먼저 챙기셨다.

사랑을 받기만 하고 줄 줄을 몰랐던 나는 결혼 전에는 더했고, 결혼을 한 후에도 두 여동생들에게는 물론 부모님께도 한 달 내내 전화 한 통 하지 않을 만큼 무심했다. 아버지가 돌아가시고, 아버지에 대한 그리움에 외로움으로 힘든 나날을 보내는 어머니에게도 여전히 난 가까이하기엔 먼 이방인 같은 아들이었다.

지금은 본사가 대구로 이전하였지만, 예전에는 본사가 분당에 위치해 있었다. 그 무렵, 동료직원과 안 좋은 일이 있어 야탑에서 친구와 제법 거나하게 술을 마신 후에 집으로 향하는 버스를 타고 가는데, 한 통의 전화가 걸려왔다. 막냇동생이었다.

버스 안의 따뜻한 온기 때문에 술기운이 온몸을 타고 돌아 비몽사몽한 상태에서 힘겹게 갖다 댄 전화기에서는 아예 작정한 듯한 격한 동생의 말이 흘러나왔다. "오빠는 엄마한테 너무 무심하고 잘못하고 있다,"는 내용으로, 꽤 오랫동안 따발총처럼 퍼부어 댔다. 가뜩이나 우울했던 나는 그동안 나에게 품은 분노에 가까운 서운한 감정을 봇물처럼 쏟아내는 막내의 말을 멍한 상태에서 한참동안 듣기만 했다.

어느 순간 가슴 깊은 곳에서 시작된 눈물이 목구멍을 지나 흐려진 시야를 타고 뺨으로 주르륵 흘러내렸다. 머릿속이 하얗고 멍한 상태였지만, 뿌연 시야를 넘어 나와 동생들을 위해 많은 것을 희생하신 아버지와 어머니를 외롭고 쓸쓸하게 만든, 지난날의 잘못을 바로잡기에는 너무 멀리 와 버린 나의 환영이 우두커니 서 있었다. 머지않아 지금 누군가의 남편이자, 누군가의 아버지로 불리는 나도 분명 그렇게 쓸쓸해질 것이다.

그런 일이 있고 난 뒤, 나는 돌아가신 아버지와 함께 살았던 집에서 더 이상 살기 싫다며 막내 집 근처에 따로 원룸을 얻어 살고 있던 어머니에게 달마다 용돈을 넣어 드렸다. 그리고 일주일에 한 번 이상은 전화를 하면서 살갑게 대하려고 노력하였다.

그로부터 얼마나 지났을까. 버스 안에서 막냇동생의 전화를 받았던 기억도 아련해질 무렵, 가족 간의 식사자리에서 막내가 먼저 내게 말을 꺼냈다.

"오빠, 예전에 전화로 오빠한테 화난 마음에 말을 막은 것 같아 미안해. 그리고 요즘은 엄마가 조금 밝아진 것 같아. 오빠가 전화도 해 주고, 오빠한테 용돈을 받으니까 기분이 좋으신가 봐.

내가 아무 말도 하지 않자, 막내가 다시 말했다.

"아빠가 돌아가시고, 오빠가 엄마 옆에 있어 줘서 정말 든든하고 고마워."

나는 동생에게 가벼운 미소로 답했지만, 나보다 열 배쯤 어른스러운 막냇동생에게 부끄럽고, 어머니에게 미안한 마음이 뒤엉켜 가슴이 먹먹해졌다.

우리에겐 매일 24시간이란 선물이 배달된다. 24시간을 튀겨 먹든 볶아 먹든, 자기 마음대로 해도 된다. 자신을 비하하고 조롱할 수도, 더 이상은 행복해질 수 없다고 믿고 행동할 수도 있다. 하지만 분명한 것은 이처럼 자신을 과소평가하는 것도, 그렇다고 자신을 과대평가하여 허황된 꿈을 꾸는 것도 바람직하지 않다는 점이다.

꿈과 희망과 목표는 마음먹은 대로 되지는 않는다. 하지만 꿈과 희망과 목표와 더불어 열정을 상실했다면, 아무것도 안 되는 것은 두말할 필요도 없다. "굳게 마음먹은 대로 된다."는 말도 절반은 진실이다. 할 수 있다고 믿고 행동하면 이룰 수 있는 가능성이 커지지만, 할 수 없다고 믿으면 할 수 없게 될 것임은 분명하다.

편안함을 안겨다 주는 것. 그것이 유머이며, 그것이 배려다. 그러므로 모든 유머에는 나를 돋보이게 하려는 마음보다는 상대방을 배려하는 마음이 먼저 깔려 있어야 한다.

어깨를 두드리는 격려와 응원이 슬픔 속에서 웃음을 짓게 만들고, '힘내라', '정말 잘했어', '도와줘서 고마워', '기운 내'라는 따뜻한 말

한마디가 꺾였던 의지를 되살리며, 한 조각 환한 미소가 죽음을 앞에 둔 사람을 살릴 수도 있다.

매직워드는 세상에서 가장 고마운 선물이며, 삶의 마법을 일으키는 배려다. 매직워드는 배려하는 마음이 온몸에 배어서 밖으로 표출되어 나오는 말이고, 존중을 담은 예의와 예절이다.

아내에게 사랑한다고 말하는 것은 신을 사랑한다는 말보다 따뜻해서 좋고, 엄마와 아빠에게 '사랑해'라고 말하는 것은 조국을 사랑한다는 말보다 정겨워서 좋다. 자녀에게 '사랑한다'고 말하는 것은 돈을 사랑하는 것보다 눈물겨워서 좋다.

겨우 여덟 음절의 말만으로도 온 세상을 눈부시게 만들 수 있다고 한다. 어두운 현재에 먹먹한 미래에 답답한 마음을 감출 길이 없다면, 바로 지금부터라도 온 세상을 밝게 비추어 주는 여덟 음절의 말을 해 보자.

"당신을 사랑합니다."

"당신은 특별합니다."

"오늘도 행복하세요."

"당신은 나의 봄이다."

앉아서 오줌 누는 남자

2014년 삼성동 인터콘티넨탈 호텔에서 '맨즈헬스 쿨가이 선발대회'가 열렸다. 최종 24명이 겨루는 본선에 참가한 나는 내 자신을 이렇게 소개했다.

"아내와 가족을 위하여 밥상을 차리는 남자!"

그렇다. 나는 아들과 함께 앉아서 오줌을 누고, 가족을 위해 밥상을 차리는 남자다. 한마디로 '순정마초'다.

나는 돌아가신 아버지가 싫었다. 아버지는 대범하고 담대한 모습보다는 섬세하고 나약한 모습에, 내가 생각하는 당당한 아버지의 모습은 아니었다. 하지만 아버지가 돌아가시고 난 후, 나는 점점 아버지를 닮아 간다.

　운동을 해서인지 나이가 들어가면서 점점 살이 빠지자, 아버지의 모습을 빼다 박았다. 어렸을 때는 목소리, 걸음걸이가 닮았다고 생각했는데, 광대뼈가 나온 얼굴, 푹 꺼진 눈, 조금은 겁에 질려있 는 듯한 눈빛, 뼈가 앙상하게 드러난 손과 발 그리고 내가 그토록 싫어하던 그 나약하고 예민하며 섬세한 성격마저도.

　아버지가 살아 계실 때는 난 아버지를 이해하지 못했고, 사랑하지 않았다. 그러나 아버지가 돌아가시고 난 뒤에 나는 아버지를 조금씩 이해하기 시작했고, 살아 계실 때보다 더 아버지를 그리워했다. 아버지는 내게 당신과 꼭 닮은 모습을 물려주셨다. 왜 부모 자식의 관계를 천륜이라 하는지, 왜 부모는 자식을 위해 모든 것을 희생하는지, 이제는 조금 알 것 같다. 자식은 당신과 분리될 수 없는, 당신 그 자체이기 때문이리라.

　초등학교 때 겨울 내복을 입고 운동회를 하던 중에 수금사원이었던 아빠가 잠시 짬을 내어 사온 김밥과 사이다를 맛있게 먹었던 기억이 난다. 나는 초등학교 다닐 때 아빠가 팔러 다녔던 그림책 가방을 가지고 다녔다. 조금씩 나아지는 집안 형편 덕분에 나의 유년시절은 똥구멍 찢어질 만큼 가난한 기억보다는 견딜 만하고, 감당할 만한 추억으로 남아 있다.

　우리는 왜 가족을 위해서는 모든 희생을 감수하는가. 아마 가족은

누구보다도 많은 삶의 추억과 낭만을 함께하기 때문이리라

아버지가 죽은 시대는 감성이 죽은 시대, 감수성이 사라진 시대다. 가족들에게 사랑받는 아버지는 드물다. 이는 다른 말로, 아버지를 사랑한 사람은 많지 않다는 말과 같다. 그렇게 사랑해야 할 사람임에도 불구하고 사랑하지 못하는 마음속 불편함과 사랑하지 못한 가슴 속 응어리 때문에 오히려 우리는 아버지를 그리워한다.

나는 내 가족에게 "당신이 내 옆에 있을 때가 가장 행복했고, 즐거웠으며, 기분이 좋았다."는 말을 듣고 싶다. 아내에겐 '참 착하고 멋진 남편'으로, 아들에겐 "바다보다 넓은 이해심, 햇살 같은 따뜻함, 대화할수록 즐거운 현명한 아빠"로 기억되기를 바란다.

아빠처럼 복합적인 존재도 없다. 아내를 만나면 멜로드라마의 주인공처럼 순해 빠진 사람도, 경쟁자를 만나면 적군을 향해 돌진하는 전사가 되고, 아이들을 만나면 개나리꽃처럼 향기롭게 피어났다가, 무례한 자를 만나면 다시 거친 야수로 돌변한다.

찹쌀떡처럼 말랑말랑한 마음을 가진 남자. 멋지지 않은가? 물론 단단한 벽이 되어야 할 때도 있다. 하지만 누군가에게 넘을 수 없는 벽으로, 고집불통으로 존재하기보다는 솜사탕처럼 부드러운 벽, 초콜릿처럼 달콤한 벽으로, 찹쌀떡처럼 말랑말랑한 벽, 찰진 진흙처럼 물렁물렁한 벽으로 존재한다면 어떨까? 마치 멋진 친구처럼 말이다.

변신을 상징하는 동물들이 있다. 철새, 카멜레온, 팔색조, 나비

등……. 이들의 변신은 생존을 위한 변신이며, 아름다운 변신이다. 앉아서 오줌 누는 사람도 마찬가지다. 앉아서 오줌 누는 남자처럼 상식을 뛰어넘는 사람은 상식이 통하는 사람이고, 상황에 따라 상식을 뒤집는 생각과 행동을 할 줄 아는 사람이며, 새로운 상식을 창조해 가는 사람이다.

KBS에서 방영한 〈세상 뒤집기〉에서 '앉아서 오줌 누는 남자'에 대한 이야기를 다룬 적이 있다. 독일에서는 이미 대세다. 스웨덴에서는 공중화장실에서 남자도 앉아서 오줌 누는 것을 법으로 제정했다고 한다.

카리스마의 화신 최민수도 집에서는 앉아서 오줌을 눈다고 한다. 이미 오래전에 집에서만큼은 앉아서 오줌 누는 남자 대열에 합류한 나는 당당하게 말할 수 있다. "후회하지 않는다."고…….

내가 앉아서 오줌을 누게 된 사연은 이렇다. 어느 주말 아침, 오랜만에 한가로이 신문을 보고 있을 때였다. 그런데 아내가 소리를 버럭 지르면서 화를 내는 게 아닌가? 얘기를 들어 보니, 화장실에서 소변을 볼 때 오줌이 사방으로 튀어 냄새가 진동을 한단다.

아들과 나는 말없이 가만히 있을 수밖에 없었다. 아내는 앞으로도 계속해서 서서 소변을 보려면 볼 때마다 청소를 하든지, 아니면 친구들을 보니 남편들이 전부 집에서는 다 앉아서 소변을 본다면서 앉아서 소변을 보라고 엄포를 놓는다. 앉아서 소변을 보면, 변기에 소변이 튀는 일도 없고, 덤으로 위생적이어서 건강에도 좋다는 것이다.

그 뒤로 나와 아들은 별다른 저항 없이 아내의 말에 복종하여, 집에서 만큼은 앉아서 오줌을 눈다. 처음에는 좀 어색하고 귀찮았는데, 지금은 습관이 돼서 자연스럽게 앉아서 오줌을 눈다. 마초 기질이 농후한 아들놈도 같이. 나도, 내 아들도, 앉아서 오줌을 눈다고 해서 남자가 죽어도 잃어버리지 말아야 한다는 그 알량한 마초 기질, 야성이 사라진다고는 전혀 생각하지 않는다.

과거에는 남자가 앉아서 오줌을 누는 것에 대해선 감히 생각조차 못 했을 것이다. 그러나 지금은 순정마초, 귀여운 마초가 대세인 시대다. 앉아서 오줌 누는 것은 생각보다 편하다. 남들의 시선만 의식하지 않는다면, 적어도 집에선 앉아서 오줌 누는 것이 전혀 불편하거나 어색하지 않다. 말하기 조금 쑥스럽지만, 오히려 편한 기분마저 든다.

"늘 남의 편만 들어서 남편"이란 우스갯소리가 있다. 물론, 아니다. '아내 편'을 들어 주는 것이 남편이다. 집 안에 있는 해와 같아서 '아내'다. 그래서 아내가 '안 해!'라고 보이콧 하지도 않고, "아, 네."라고 무조건 복종하는 말도 하지 않도록 옆에서 도와주고, 항상 자녀 곁에서 응원해 주는 것이 앉아서 오줌 누는 남편이자 아빠이다.

설 자리가 없는 남자, 갈 곳을 잃어버린 남자라고 해서 슬퍼하고 한탄만 해서는 안 된다. 해결할 방법을 찾아, 자리를 찾고 갈 곳을 확보할 수 있도록 나아가야 한다. 앉아서 오줌 누는 남자, 아침에 밥상 차리는 남자, 앞치마를 두른 남자, 설거지하고 청소하는 남자, 바느질

하는 남자, 아내의 지친 다리를 주물러 주는 남자. 이 얼마나 가정적이고 배려심 깊은 남편이자 아빠의 모습인가?

앉아서 오줌 누는 남자는 절대 찌질이가 아니다. 오히려 오늘날 각광받고 있는 순정마초의 한 형태라고 생각한다.

남성미 물씬 풍기는 남자라고 생각했던 사람이 집에서는 남들 몰래 앉아서 오줌을 누는 장면을 상상해 보자. 귀엽고 정다운 느낌이 들고, 더욱 가정적이고 인간적으로 느껴지지 않은가?

욕망보다 낭만과 추억이 있는
삶이 아름답다

낭만과 추억은 개인의 고유하고 독특한 부분이면서 같은 시대를 함께한 세대가 공감하는 집합적 감성공유이기도 하다. 수많은 낭만과 추억거리 중에 가장 핵심적인 것은 역시 사랑에 대한 것일 것이다.

하지만 고단하고 힘겨운 세상에서 사람들은 뉴스거리이든 가십거리이든, 뒷담화거리이든 눈요깃거리이든, 기괴하고 엽기적인 뭔가 특별한 걸 원하고 있다. 이러한 가운데 소박한 사랑의 추억과 낭만은 점점 사라지고 있다. 그러나 강한 자극과 쾌락을 전달해야 답이 오고, 감탄·찬탄·경탄을 자아내게 하거나 허를 찌르는 놀라운 발상에만 시선을 돌릴 때, 남는 것은 욕망의 찌꺼기일 뿐이다.

'아날로그'라는 말에는 낭만과 추억, 여유로움이 담겨 있다. 이성에 감성을 입힐 때 눈부심이 더하듯이, 디지털에 아날로그를 더한다면 삶이 더욱 풍요롭고 즐거워질 것이다. 우리가 아날로그를 그리워하는 것은 아날로그는 추억과 낭만을 상징하는 감성마크이기 때문이다.

사실 우리는 추억과 낭만을 만들기에 부적합한 성장 환경 속에 놓여 있다. 잘 어울리고, 함께 놀고, 함께 나눈 특별한 경험 속에서 추억과 낭만이 생성되기 때문이다.

초등학교부터 중·고등학교, 심지어 대학에 이르기까지 우리는 시험과 생존에 목을 매는 생활을 해왔기에 개개인의 특별한 추억과 낭만은 그리 많지 않다. 있다면, 개인을 벗어나 같은 시대와 사회, 문화현상을 공유하면서 발생하는 사회적·집단적 추억과 낭만의 공유뿐이다. 〈응답하라 시리즈〉의 인기도 이런 맥락에서 이해할 수 있다.

디지털은 빠르고 투명하다. 인터넷 시대에 자유와 여유로움이 깃든 아날로그의 낭만과 추억이 더욱더 그리워지는 것은 당연하다. 특히 나이 든 세대 사이에서는 이러한 아날로그의 가치가 틈새시장으로 작용하면서, 앞으로 더욱더 빛을 발할 것이다.

야성이 이성을, 아날로그가 디지털을 압도하고 이기는 세상은 오지 않을 것이다. 다만 디지털이 지배하는 세상일수록, 어두운 밤하늘에서 반짝이는 별처럼 야성과 아날로그가 그 진가를 발휘할 것이다. 관음증 환자 같은 스마트폰과 키보드 위에서의 찌질한 사냥꾼이 활보할수록 야인시대의 격렬한 야수성으로 무장한 야성의 사냥꾼이 더욱 그리워지는 것은 왜일까.

정전으로 깜깜해진 방안을 나와 보니, 한 뼘 남짓의 작은 마당에서 달빛을 받아 하얀 보석처럼 빛나는 눈이 발목을 삼킬 만큼 소복이 쌓여 있었다. 눈을 들어 하늘을 보니, 탐스러운 솜사탕 같은 함박눈이 펑펑 내리고 있었다. 마치 어두운 터널을 지나 환하게 빛나는 신세계에 발을 내디딘 느낌이었다.

공중화장실까지 가기 싫어, 눈 쌓인 마당 한 구석에서 오줌을 누었다. 약간의 흥분과 함께 온몸으로 전해 오는 떨림에 기분이 상쾌했다. 가난과 불행은 겪어 본 사람만이 느낄 수 있는 것이지만, 먼 훗날 추억으로 기억될 수 있다면 그것은 견딜 만한 경험일 수 있다.

추억도 상쾌한 바람처럼 잠깐 머물다가 지나가야 한다. 감정이 추억 속에 푹 잠겨 허우적거리면, 감정과잉이고 감정낭비가 된다. 그리고 물귀신처럼 더 깊은 과거나 감정의 늪 속으로 끌려가 끝없이 추락하게 되면, 우울이 되고 절망이 되고 종국엔 죽음을 맞이할지도 모른다.

감정도, 감정의 아름다운 기억인 추억도, 인생을 시작하는 청춘들이 잘못 살아온 지난날에 대한 회환의 눈물 속에 빠져서 살고, 아름다웠던 지난날을 되새김질만 하면서 산다면, 그것은 감정의 흐름이 억압된 채 멈춘 것일 뿐이다.

추억은 좋은 것이다. 추억이 현재 속에서 살아 있을 때, 그것은 낭만이 되고 사랑이 되고 그리움이 되며, 나를 성장시키는 밑거름이 된다. 추억과 낭만을 느낀다는 것은, 과거가 생생하게 살아 현재를 풍성하게 하는 자양분이란 것이다.

"우리 모두에게 '그해 여름'은 존재한다."는 말이 있다. 나에겐 아버지와 함께 주말의 명화 시간에 본 엔리오 모리꼬네의 음악이 흐르는 〈석양의 무법자 시리즈〉 등 서부영화에 대한 아련함이 향수로 남아 있다.

요즘 들어서 서부영화처럼 추억이 어린 영화나 드라마에 부쩍 시선이 간다. 얼마 전에는 1960년생을 위한 추억을 담은 책자도 흥미롭게 읽었다. 〈써니〉, 〈응답하라 시리즈〉 등 1970년생을 위한 추억과 1980년, 19990년생을 위한 추억을 담은 드라마, 영화, 음악 등 대중문화가 마치 돌고 도는 유행처럼 다시 돌아오고 있다.

우리는 왜 가족을 위해서는 모든 희생을 감수하는가? 가족은 누구보다도 삶 속에서 많은 추억과 낭만을 함께하기 때문이라 생각한다. 아버지와 어머니, 아내와 자식을 그리워하는 마음의 밑바닥엔 파란만장한 삶을 살아가면서 함께했던 영원히 지워지지 않는 추억과 낭만이 있기 때문일 것이다. 그래서 가족의 또 다른 이름은 추억이며, 낭만이다.

요즘에는 청춘들뿐만 아니라 아저씨들도 감성과 감동과 낭만을 점점 잃어 가고 있다. 대신, 그 사이의 간극을 오색등 불빛 아래 쾌락과 비 내리는 날 족발집에서 막걸리잔으로 메운다. 자신의 인생과 고단함을 막걸리의 역겨운 트림과 몽롱한 만취상태에만 맡긴다는 것은 잃어버린 것들에 비해 너무 싸구려 보상이 아닌가.

문득 최백호의 〈낭만에 대하여〉가 생각난다. "낭만이 어딨어?"라고 조롱하는 소리가 사방에서 들린다. 마치 "사랑이 어딨어?"라는 빈정거림처럼……

나의 초등학교 시절엔 운동장에 모여 선생님 구령에 따라 종과 열을 맞추고 나면, 교장 선생님의 등장과 함께 조회가 시작됐다. 나는 아침조회에 대해 안 좋은 기억이 있다. 그것도 두 번이나. 운동장에서 어떻게 쓰러졌는지 잘 기억도 안 나는데, 친구들의 말에 의하면 갑자기 픽 쓰러져서 선생님이 업어서 양호실로 데려갔다고 한다.

어쨌든 초등학교 이후로 운동장에서 조회 중에 쓰러진 경험은 없지만, 일 년에 몇 번은 감기를 항상 앓아 왔다. 나는 그때 이후로 내가 건강하고 튼튼한 몸을 가지고 있지 않다는 생각을 늘 가지고 있었으며, 운동을 꾸준히 한 것도 그런 이유 중의 하나이다.

중·고교 소풍에선 장기자랑이 하이라이트였다. 가수 흉내를 내면서 춤추고 노래하는 친구들이 그렇게 멋있어 보였다. 정말 배꼽 잡게 웃을 만큼 재미있었고, 엄마가 싸 준 김밥도 과자도 모두 꿀맛이었다. 요즘엔 걸그룹과 아이돌그룹의 현란한 율동에도, 예전과는 비교도 할 수 없을 만큼 맛있고 화려한 음식에도 예전만큼의 즐거움과 맛을 느낄 수 없다. 그만큼 내 마음의 순수성을 잃어버렸기 때문일까.

나의 중학교 시절, 가장 붐비는 시간에 버스는 학생을 포함해 많은 사람들로 가득 찼다. 안내양 누나는 만원버스 속에서 위험한 곡예를 하였고, 많은 인파 속에서 무거운 가방까지 뒤엉킨 만원버스 안에서 내 몸이 여학생의 몸에 밀착되곤 했다. 하지만 나는 어쩔 수 없이 벌어지는 이 상황을 굳이 피하지 않았다.

어떤 날은 집에서 만원버스 안의 상황을 상상하면서 거칠게 자위를 하곤 했다. 혈기 왕성한 사춘기 소년, 성(性)에 대한 호기심에 온갖 상상을 하던 나는 여자의 육체를 안고 싶은 욕망이 절절했고, 그러한 절절함이 깊어질수록 안을 수 없는 현실에 대한 서글픔과 터질 것 같은 외로움이 더해졌다. 이루지 못한 감각적 쾌락에 대한 참을 수 없는 욕정으로, 그 어떤 것보다도 여자의 몸을 강렬하게 원했던 시절이었다.

왜 그랬을까. 여자의 육체에 대한 주체할 수 없는 호기심과 동물적 욕망이 뒤범벅되어 나타난 것이라고 생각하지만, 그보다는 나의 학교 생활이 큰 영향을 미친 것 같다. 특히 내성적인 성격 탓에 학교에서 조용히 나 홀로 생활에 익숙했던 나는 그야말로 존재감이 없는 녀석이었다. 친구와 어울리지 못한 탓에 욕망의 건전한 해소나 돌파구가 없었던 나는 그만큼 여자에 대한 욕망이 강렬하였던 것 같다.

지금 생각해도 나에게는 너무도 위태롭고 외로웠기에 한없이 쓸쓸하고 스산했던 학창시절이었다. 〈고교얄개〉의 이덕화, 임예진, 이승현, 〈꼬마신랑〉의 김정훈에 열광하던 시절, 중학교 2학년 소풍 때 여학생에게 말 한번 걸었다가 요즘 시대 일진 같은 노는 친구들에서 크게 망신을 당한 후, 트라우마가 되어 한동안 나는 여학생들의 얼굴은 물론 사람들의 얼굴을 똑바로 쳐다보지 못했다.

이러한 나의 성격은 고등학교 때도 크게 바뀌지 않아, 나는 조용하고 무언가에 주눅이 든 비틀린 학창시절을 보냈다. 그래서 나에게는 중·고등학교 시절에 딱히 추억거리도, 떠올릴 사건도, 친한 친구도 없다. 그야말로 욕망이 억압당한 시절이었던 것이다. 건강한 욕망을 모르고 보냈던 우울한 시기였다.

이런 생활은 대학교를 다닐 때까지도 이어졌는데, 3년의 군대 공백기와 1년의 휴학기를 포함한 8년의 대학생활 동안 축제 기간에 나는 단 한 번도 파트너와 보낸 적이 없다. 모두가 들뜬 마음에 한데 어우러져 사랑을 찾고 낭만을 즐기던 축제기간 동안 나의 마음은 한없이 공허했고, 뻥 뚫린 가슴 한구석이 서글프게 외로웠다. 그래서 시간을 때우기 위해 동시 상영관을 찾았고, 이따금씩 이성에 대한 그리움과 욕망이 커질 때면 몇 편씩 상영하는 성인영화관의 어둠 속에 숨어 있는 몇몇 사람의 눈을 피해 자위를 하기도 했다.

혼자 지낼 때가 많아지면서 나는 혼자서 할 수 있는 운동에 몰입하기 시작했다. 그것이 바로 달리기였다. 그리고 성인영화관에 가기보다는 만화가게를 전전했는데, 그때의 습관 때문에 나는 지금도 마라톤을 즐기고 만화책 보기를 좋아한다.

낭만과 추억의 뿌리는 얼마나 자신이 그것을 좋아하고, 하고 싶은 욕망을 얼마나 건강하고 즐겁고 치열하게 추구하는가에 따라 그 깊이와 굵기가 다르다.

욕망을 절제하는 사람은 욕망의 경계에 선 사람이다. 우리의 일상은 습관의 덫에 걸려 있다. 놀이공원에서 우리의 모습을 한번 돌아보자. 우리는 아무런 의심이나 생각 없이, 두 시간의 긴 기다림 끝에 겨우 1분 동안 바이킹을 타는 온다.

이것을 땅속에서 굼벵이의 모습으로 하늘을 마음껏 날아다닐 날만을 기다린 7년의 긴 절규와 그것을 맘껏 토해 내며 15일 동안 애절한 찬가를 부르는 매미의 삶과 비교할 수 있을까? 그것은 어떤 선택이었는가에 따라 다르다.

만일 내가 즐거운 마음으로 놀이기구를 타는 두 시간의 기다림을 선택하였다면 후회하지 않거나, 적어도 후회가 적을 것이다. 하지만 내 욕망과 의지와는 상관없이 가족의 바람과 아이의 끈질긴 요구에 어쩔 수 없이 한 선택이라면 후회가 클 것이다. 아무리 기다림도 즐거움이라지만 가족과의 휴가나 나를 위한 휴식도 의무감이나 생활의 관성에 따른다면, 휴가나 휴식은 또 다른 노동의 연장으로서 스트레스로 작용할 것이다.

돈을 쓰면서 또 다른 노동의 늪에 빠지는 어리석을 행동을 하지 말자. 욕망으로부터 자유로운 자, 욕망의 경계를 포용하는 사람만이 현재를 더욱 즐겁게 만들 뿐만 아니라, 미래에 지금 이 순간을 떠올렸을 때에도 그 어느 순간보다 더욱 빛나게 할 추억과 낭만으로 만들 수 있다.

자본에 대한 욕망에 매몰되어 인간의 건강한 욕망을 억압·억제하여 인간의 의지나 의욕을 꺾어 버림으로써 생명력을 죽이는 것은 소탐대실(小貪大失)이다. 자본에 대한 탐욕만을 부둥켜안고 지키려다가 생명력이 있는 건강한 욕망마저 모두 잃어버려서는 안 된다.

역사를 되돌아보면, 역사는 결국 인간의 욕망에 의해 진보와 퇴행을 반복해 왔다. 결국 그 터질 듯한 이기적인 욕망을 타인의 행복과 즐거움을 위해 절제했느냐, 혹은 자신만을 위한 욕망 충족을 위해 잔인하고 격렬하게 폭발시켰느냐가 역사의 진보와 퇴행을 결정한 것이다.

우리는 영화 〈7년만의 외출〉에서 바람으로 치켜 올라가는 치마를 붙잡고 있는 마릴린 먼로의 유명한 한 장면을 기억한다. 바람으로 치마를 올리는 리비도와 손으로 치마를 붙잡고 있는 슈퍼에고의 절묘한 결합이다. 만약 이때 바람으로 마릴린 먼로의 치마가 전부 올라갔다면, 아마 그 장면은 지금처럼 유명해지지 않았을 것이다.

이처럼 마릴린 먼로의 사진을 유명하게 만든 것은, 그리하여 마릴린 먼로를 희대의 섹시 아이콘으로 만든 것은, 역설적으로 욕망의 '절제'에 있다. 욕망의 경계에서 핀 역사상 가장 아름다운 섹시함이다.

어렸을 때 영화나 책 속의 아라비아 공주나 신밧드의 모험 이야기에서 품었던 신비감은 세월이 흐른 뒤에도 마음에 깊은 여운을 남긴다. 요절한 마릴린 먼로, 영원한 청년 제임스 딘, 모나코의 왕비가 된

그레이스 켈리나 화면 속 모습만으로도 가슴 떨리는 잉그리드 버그만에서 전해지는 신비감은 마치 〈보물섬〉의 보물지도처럼 비밀스럽고 그 무엇보다도 가치 있게 느껴진다.

대지에 발을 굳건히 디디고 별을 쳐다보는 사람은 열린 현실주의자다. 이들은 선한 욕망과 나쁜 욕망의 균형을 추구하는 자, 즉 경계에 선 자들이다.

선한 욕망만을 추구하는 자는 나쁜 욕망이라는 이름의 가이딩 라이트, 즉 등대가 없기에 길을 잃기 쉽다. 욕망의 경계에서 욕망을 포용하는 사람은 흔들리면서도 나쁜 욕망에 빠지지 않는다. 마치 사람이 붐비는 속세에서 더욱 강한 깨달음을 얻듯이, 자기중심을 잃지 않는 사람이다.

우리가 왜 〈록키〉에 열광하는가. 복싱, 스포츠는 폭력 그 자체가 아니라 폭력의 승화, 즉 욕망의 승화이기 때문이다. 뒷골목의 폭력, 패싸움에서 폭력의 승화란 없다. 잔인하고 잔혹한 슬픔만이 있을 뿐이다.

나태와 환락으로 물든 자신의 인생을 넘어선 사람, 엄청난 비만과 스트레스로 스스로를 끝없이 학대하던 사람이 자신의 인생을 넘어설 때, 우리는 이를 '인간 승리' 또는 '삶의 승화'라고 한다. 사람에게는 나이가 들면서 얼굴도 마음도 생각도 열정도, 오그라들고 쪼그라드는 자연스러운 삶의 풍화 현상이 나타난다.

이런 삶의 풍화를 거스르는 것이 삶의 승화이다. 마치 연어가 거친 물살을 거슬러 올라가듯이. 나이가 들어감에 따라 삶이 풍화되어 녹슬어 가는 사람은 늙어 가는 사람이며, 반대로 나이 들수록 삶이 승화되어 빛남을 더해 가는 사람은 성숙한 사람이다.

서민들에게 유사 욕망과 사이버 욕망은 고단한 현실을 잊고자 화려하고 무엇이든 가능할 것 같은 환상의 세계에서 백마 탄 왕자나 평강 공주를 만나서 잠깐 동안의 백일몽을 꾸는 것이다. 힘겨운 현실의 삶에 지친 사람들은 미디어 속에서나마 자신의 고단한 삶을 잊고자 드라마에 빠져드는 것이다.

이런 드라마 중독은 그들을 더욱 비참하고 곤궁하게 만드는 자본권력의 화려함에 분노하고 증오하는 대신, 드라마 속 등장인물들의 삶에 물아일체 하여 슬픔과 고통에 오히려 공감하게 된다.

그중 일부는 그들이 선망하는 계층으로 올라가기 위해 로또나 도박을 통한 일확천금을 꿈꾸거나 무대 위 화려한 모습을 보이는 가수나 연예인을 꿈꾸다가, 극소수의 사람을 제외한 대부분은 더 이상은 올라올 수 없는 절망의 벼랑으로 추락하는 것이다. 한 번의 달콤한 꿈을 꾼 대가로는 너무 가혹하고 혹독한 대가를 치른 것이다.

나에게 달려오는 모든 달콤한 욕망, 달콤한 유혹은 위험한 욕망이고 위험한 유혹이다. 모든 달콤함과 안락함, 탐닉과 중독의 습성이 영원히 빠져나올 수 없는 올가미가 되기 전에 '도망자'처럼 탈출하여 추억과 낭만으로 가는 열차를 타라.

　현재를 풍성하고 즐겁고 열정적으로 만들어 주는 과거의 추억과 낭만, 미래의 목표와 꿈과 희망은 과거를 품은 현재요, 미래를 안은 현재다.

제2의 인생을 시작하고 싶다면
독수리처럼

분노에 잠겨 술잔 앞에서 울고 있는 사람에게는 그의 속마음을 들어 주고 뜨거운 가슴으로 안아 주는 사람이 되어야 하고, 자신만의 신화를 만들어 가기 위해서는 좋아하고 원하는 삶을 향해 질주해야 하며, 독수리가 되고 싶다면 독수리처럼 날아야 한다.

꿈이 아무리 하늘의 독수리처럼 높을지라도, 행동해야 할 때 행동하지 않고 오리처럼 꽥꽥거리기만 한다면 꿈은 죽은 것이다. 만일 당신이 루디야드 키플링의 〈만일〉이란 시처럼 행동할 수 있다면, 독수리처럼 날아라.

"만일 내가 모든 걸 잃었고 모두가 너를 비난할 때 너 자신이 머리를 똑바로 쳐들 수 있다면, 만일 모든 사람이 너를 의심할 때 너 자신은 스스로를 신뢰할 수 있다면, 만일 인생의 길에서 성공과 실패를 만나더라도 그 두 가지를 똑같은 것으로 받아들일 수 있다면, 그리고 만일 너의 전 생애를 바친 일이 무너지더라도 몸을 굽히고서 그걸 다시 일으켜 세울 수 있다면, 한 번쯤은 네가 쌓아 올린 모든 걸 걸고 내기를 할 수 있다면, 그래서 다 잃더라도 처음부터 다시 시작할 수 있다면, 그러면서도 네가 잃은 것에 대해 침묵할 수 있고, 다 잃은 뒤에도 변함없이 네 가슴과 어깨와 머리가 널 위해 일할 수 있다면." 말이다.

죽지 않고 견딜 수 있는 데까지, 할 수 있는 데까지가 자기 가능성이다. 우리는 말뚝에 묶인 코끼리처럼, 어두컴컴한 동굴 속에서 벗어나지 못하는 박쥐처럼, 자기 점프력의 절반밖에 되지 않는 높이의 유리 상자에서 탈출하지 못하는 귀뚜라미처럼, 대부분이 자기가 한계라고 정해 놓은 지도 밖으로는 나가지 않는다.

자기 가능성의 경계선을 확장하는 것이 도전의 삶이고, 자기를 넘어서는 삶이 프론티어 정신이며, 할 수 있는 데까지가 자신의 역사이고 신화다. 부딪쳐 보지도 않고, 두드려 보지도 않고 '나는 할 수 없어.'라면서 한계선을 긋고 구분하는 것은 자신의 가능성을 죽이는 일이다.

'치열함'과 '즐거움'은 양립할 수 있을까? 우선 이 물음에 대해 답부터 말하자면, '있다'. 치열함과 고통 속에서 느끼는 즐거움은 환희에 가까우며, 중독성이 있다.

이처럼 환희에 가까운 즐거움을 느끼기 위해서는 끊임없이 치열함과 고통 속으로 뛰어들어야 한다. 마치 불 속으로 뛰어드는 불나비의 운명처럼, 그가 치열함과 고통 속에서 뛰어드는 것을 멈춘다면 삶의 즐거움도 연기처럼 사라질 것이다. 나아가 중독자의 금단 증상처럼 참을 수 없는 고통 속에서 살아갈 것이다.

이토록 치열함과 고통 속에서 즐거움을 느끼는 사람은 끊임없이 새로운 도전을 추구하는 사람으로, 초인이며 비범한 삶을 사는 사람인 경우가 많다.

슬픔도 기쁨으로, 고통도 즐거움으로, 쓴맛도 단맛처럼 느낄 수 있는 사람이라면, 삶에 있어 절대무적이며 최강자일 것이다. 분명한 것은 긍정에너지가 뿜어져 나오는 사람이 절대무적이며, 최강자가 될 가능성이 가장 높다는 것이다.

한계는 확장성을 제약하는 심리적 감옥이다. 한계를 넘어설 수 있다는 생각을 멈추지 않는 한, 나는 끝없이 한계의 장애물을 넘을 수 있다. 결국 내가 넘지 못하고 주저앉은 한계의 장애물이 놓여 있는 바로 앞자리가 바로 나의 한계점이 되는 것이다.

누군가 "변화는 습관을 버리는 것이 아니라, 새로운 습관을 가지는 것이다."라고 말했다. 나는 담배를 끊었다. 술도 절제한다. 하지만 이 두 가지를 독하게 지속하려면 새로운 습관이 필요하다. 그래서 나는 지독하리만큼 열심히 운동하고, 항상 책을 가지고 다닌다. 만일 매일 독하게 운동하고 책 읽는 습관을 지속하지 않는다면, 아마도 나는 다시 술을 입에 댈 것이다.

세상엔 몸에 체화된 습관은 없다. 습관은 언제나 무너질 준비를 하고 있다. 변화는 오래된 습관과 새로운 습관의 격렬한 투쟁의 결과이기 때문이다.

나이 드는 것도 겁나지만, 그보다 더 두려운 것은 더 이상 새로운 것은 없고 보이지 않는 새로운 위험이 도사리고 있는 어두운 미궁 속으로 빠져들어 가는 내 일상의 삶에, 마치 늘어난 뱃살에 서서히 적응되듯 자연스럽게 적응되는 것이다.

독수리의 삶은 자연의 법칙을 거역하는 역 엔트로피 삶이다. 질서에서 무질서로 나아가는 엔트로피 법칙처럼, 나이 들어 감에 따라 나사가 풀어지듯이 몸도 무너지고, 마음도 무너지고, 의지도 무너진다. 따라서 풀어진 나사를 조이듯이, 스스로를 규율하고 구속하더라도 풀려 있는 나사를 다시 꼭 조이는 시간이 필요하다.

"살고자 하면 죽고, 죽고자 하면 산다."고 했던가? 모험은 사는 길이고, 적극적으로 위험을 극복하는 길이다. 인간은 모험을 할 때 위험해지는 것이 아니라, 모험을 하지 않을 때 위험해진다. 모험을 하지 않은 사회, 즉 정체되고 고여 있고 닫혀 있는 사회는 그래서 위험한 사회다.

처음은 언제나 설렌다. 하지만 처음이라도 '안 하던 짓'을 하거나,

'가지 않은 길'을 갈 때는 망설여지고 어색하고 불편하기 짝이 없다. 하지만 분명 이를 넘어서면, 설렘과 즐거움을 뛰어넘는 강력한 희열이 이내 몰려올 것이다.

내 의지와 무관하게 주어진 고통과 슬픔은 견딜 수 없는 좌절이고 절망일 뿐이다. 그래서 못 가진 자들에게 깨진 유리창 사이로 불어 들어오는 한겨울 찬바람은 견딜 수 없는 절망이자, 다시 일어서지 못하게 주저앉히는 좌절일 뿐이고, 분노를 억압하는 사람들에게 분노는 스스로를 파괴시키는 독이다. 반대로, 분노를 꿀꺽 삼키어 소화시키는 사람들에게 분노가 가져다주는 고통은 나를 살아 있게 하고, 나를 일으켜 세우며, 나를 성장시키고, 나를 행복하게 만들어 주는 마법이 된다.

좋아하고, 하고 싶은 길, '조아'의 삶으로 질주하는 데 나의 천적은 바로 나 자신이었으며, 나를 주저앉게 하고 절망의 나락으로 밀어 버린 것도 바로나 자신이었다. 나를 돈의 노예로 전락시키고 내 의지의 날개를 꺾어 버리며 내 열정의 온도를 끌어내린 것은 바로나 자신이었다.

결국 나 스스로가 나를 성장시키고 성숙시키는 길에 놓인 최대의 장애물이었던 셈이다. 내가 나를 극복했을 때, 나는 비로소 내 삶의 주인공이 될 수 있다.

희망을 품은 사람에게 모든 벽에는 반드시 이 벽을 뚫고 나갈 수 있는 문이 있다. 욕망은 꿈꾸는 사람의 것이다. 만일 꿈꾸지 않는 욕망이 있다면, 그것은 눈앞을 가로막는 벽이다. 꿈꾸지 않는 욕망은 거대한 벽에 압도되어 그 앞에서 시체처럼 얼어 버린다. 욕망의 멈춤이다. 눈앞에 있는 아름다운 이성에게 마음이 끌리지 않고 몸도 반응하지 않는다면, 그것은 욕망의 죽음이다. 꿈꾸는 욕망만이 벽의 문을 열고 들어갈 수 있다.

꿈꾸는 욕망은 움직이는 욕망이다. 꿈꾸지 않는 욕망, 움직이지 않는 욕망은 죽은 욕망이다. 꿈꿀 때에만 욕망은 움직이고 살아 있는 욕망이 된다. 꿈은 단순히 생각에만 그치는 것이 아니다. 꿈은 사람을 끊임없이 움직이게 하는 원동력이며, 에너지의 원천이다.

벽을 넘는 좋은 방법은 벽에 문을 만드는 것이다. 넘을 수 없는 사차원의 벽, 즉 넘사벽을 넘는 방법은 무엇일까? 그것은 넘사벽에 문을 만드는 것이다. 그렇다면 벽에 문은 어떻게 만드는가? 그것은 내가 주체적인 삶을 살아갈 때, 나의 욕망과 의지에 의해 넘사벽이라는 한계를 넘어설 수 있는 문이 저절로 만들어진다.

내가 내 삶의 주인공으로 살아갈 때, 벽이라는 한계는 나의 성장을 도와주는 디딤돌이며, 내 삶을 성장시키는 동력이자, 내 삶을 윤택하고 빛나게 하는 친근한 벗일 뿐이다. 벽은 결국 나를 파멸시키고 절망으로 떨어뜨린 어둠의 그림자가 아니라, 나를 빛나게 하고 성장시킨 빛이고 안내자였다.

영화 〈해리포터〉에서 주인공인 해리포터가 '호그와트 마법학교'에

입학하기 위해 런던 킹스크로스 역 벽을 뚫고 들어가던 장면이 있다. 그것은 벽이 문이 되는 장면이었다. 현실에서도 마찬가지다. 벽에 문이 있다고 믿고 그렇게 행동하면, 모든 벽에는 문이 있다. 하지만 없다고 생각한다면, 우리 눈앞에 놓여 가로막힌 벽에는 그것을 지나갈 수 있는 문이 없다.

조류 중에서는 하늘의 제왕인 독수리가 삶의 벽 앞에서 문을 여는 존재다. 독수리의 평균 수명이 인간과 비슷한 까닭은 늙음과 죽음의 벽 앞에서 독수리가 스스로 새로운 삶의 문을 열기 때문이라고 한다. 인간과 비슷한 수명을 사는 독수리는 생의 중간지점에서 햄릿처럼 삶과 죽음의 선택을 해야 한다고 한다.

독수리는 30~40살이 되면 부리가 굽어지면서 가슴 쪽으로 파고들고, 발톱 역시 무디고 굽어져 사냥을 할 수 없게 된다. 이 때문에 독수리는 고통 없이 죽을 것인가, 아니면 죽음보다 더한 고통을 인내하고 변신해 살아온 만큼의 생을 더 살 것인가 하는 선택의 기로에 놓인다. 고통 속으로 뛰어들기로 결단한 독수리는 절벽 꼭대기로 올라가 부리를 바위에 으깨어 뽑고 나서 날카로운 새 부리가 돋아나면, 그 부리로 휘어져 못 쓰게 된 발톱을 하나씩 뽑는다. 새로운 발톱이 다시 돋아날 때, 독수리는 새로운 삶을 살게 되는 것이다.

사람도 마찬가지다. 두려움과 고통이라는 벽 앞에서 멈춰 서느냐, 혹은 그 벽을 넘어서느냐는 그 사람이 얼마나 간절하고 절실하게 삶을 사는가에 달려 있다.

벽을 벽으로만 보면 문은 보이지 않는다. 가능한 일을 불가능하다고 생각하면 결국 벽이 보이고, 불가능한 일을 가능하다고 생각하면 결국 문이 보인다. 벽 속에 있는 문을 보는 눈만 지니고 있으면, 어떤 벽이든 문이 될 수 있다. 그 문이 굳이 클 필요는 없다. 아무리 좁은 작은 문이라도, 일단 열고 나가기만 하면 드넓은 화합과 희망의 세상이 펼쳐진다.

그러나 마음속에 작은 문을 하나 지니고 있어도 그 문을 굳게 닫고 열 생각조차 하지 않으면, 그것은 벽이다. 간절함, 절박함과 절실함만이 벽에 있는 문을 볼 수 있고, 그 문을 열고 들어갈 수 있는 힘으로 작용한다.

우리 사회는 지금 어디를 둘러보아도 사방이 벽이다. 이념 간, 세대 간, 계층 간의 벽이 견고하게 자리하고 있다. 어떤 때는 높디높은 성벽에 둘러싸여 있는 것처럼 느껴져 숨이 막힌다.

그러나 그 어떤 성벽이라도 문은 존재한다. 문 없는 벽은 없다. 벽은 문을 만들기 위해 존재한다. 또한 벽 없이 문은 존재할 수 없다. 벽에서 문을 볼 줄 아는 사람은 보이지 않는 것을 볼 줄 아는 사람이며 혜안을 가진 자이다. 타인의 마음, 세상의 흐름을 읽을 줄 아는 자이며, 삶의 주인공으로서 주체적인 삶을 사는 자이다.

인간의 삶도, 인간이 사는 세상도 완벽하지 않고 오직 가능성만 존재하기에 역설적으로 이 세상에 넘지 못할 성도, 넘지 못할 벽도 없다. 어떤 철옹성도 결국은 무너지게 되어 있다. 이것이 유구한 세월 속에서 쌓인 역사의 법칙이다.

한계란, 넘어섬을 전제로 한 가능성일 뿐이다. 마찬가지로 가능성이란, 넘어섬을 전제로 한 삶의 법칙이다. 따라서 의지가 있는 인간에게 가능성은 언제나 그 길을 열어 주었다는 사실은 역사가 말해 준다.

생명이 밝음과 어둠의 자연스러운 조화 속에서 이루어지듯이, 삶의 진정한 행복도 즐거움과 고통의 조화와 균형에 달려 있다. 즐거움과 고통을 분리해서 생각하는 사람은 참을 수 없는 고통 앞에 무릎을 꿇기 쉽다. 하지만 고통과 즐거움을 동전의 양면으로 생각하는 사람은 안락함과 쾌락 속에서도 긴장감을 잃지 않으며, 극심한 고통과 역경 속에서도 기쁨과 환희를 맛볼 줄 안다.

그것이 바로 고통과 아픔의 역설이다. 역사 이래로 무한히 반복되는 안락한 삶 속에서 삶의 기쁨이 피어난 적은 없었다. 안락함의 끝은 무기력과 무료함, 무의미함이기 때문이다. 우물을 바닥부터 팔 수는 없고, 계단은 위에서 아래로 쓸어야 한다. 이것은 자연의 법칙이며, 꼭 거쳐야 하는 단계이다.

행복과 성취에도 하인리히 법칙이 적용된다. 그래서 작은 행복, 작은 기쁨이 더욱 중요한 것이다. 고통 속으로 몸을 던지는 것은 바닥까지 가 보라는 말과도 같다. 누구도 참혹한 현실의 바닥을 딛지 않고서는 한발 전진할 수도, 더 높이 올라갈 수도 없다.

권상우 주연의 〈통증〉이란 영화는 고통을 느끼지 못하는 무통각증 환자의 삶을 그렸다. 통증을 느끼지 못하는 삶은 위험을 감지할 수 없기에 위급한 상황에 대처하지 못하는 불행한 삶이다. 어쩌면 아픔을 느끼지 못하는 삶, 스트레스가 없는 삶, 슬픔과 외로움을 느끼지 못하는 삶은 세상에서 가장 불행한 삶의 모습일지도 모른다.

현실은 항상 선택의 기로에 놓이는 '선택의 삶'이다. 익숙함에 빠지는 것은 습관의 늪에 빠지는 것과 같으며 독약을 마시는 것과도 같다. 다만 이 독약은 인간을 서서히 죽이는 독약이다.

근성을 살리고 독기를 불러일으키게 하는 힘, 몸과 마음을 팽팽한 긴장감으로 번지게 만드는 시련과 쓰라린 경험도 나를 일으켜 세우는 데 반드시 필요한 자양분이다. 결국 나를 일으킨 것은 성공과 성취의 달콤함이 아니라, 실패와 좌절의 쓰라림과 칠흑 같은 어둠만이 계속될 것 같은 두려움 속으로의 돌진이었다.

모든 생명은 고통을 뚫고 나서야 그 아름다움이 드러난다. 산모의 고통을 뚫고 새 생명이 태어나고, 위대한 고전도 엄청난 고통의 시간을 안고서 이 세상에 모습을 드러낸 것이다. 그 어떤 꽃도 고통과 흔들림 없이 피는 꽃이 없고, 세상에서 가장 무거운 무게를 들어 올렸던 여자 헤라클레스 장미란도 머리 위로 역기를 번쩍 들었을 때에는 그 강한 팔뚝도 부들부들 떨렸다.

이처럼 몸이 무너져 내릴 것 같은 한계까지 끌어올리면서 내가 감당할 수 있는 최대치의 무게의 고통을 버티어 낼 때, 자신의 꿈을 아름답게 꽃피울 수 있는 것이다. 분명한 것은 나를 죽이지 못하는 한, 내가 끝까지 견뎌 내지 못할 고통은 없다는 사실이다.

고통은 생존과 성장의 필수조건이다. 따라서 해가 지면 달이 뜨고 달이 지면 해가 뜨듯이, 우리가 겪고 있는 이 고통을 자연스러운 삶의 과정으로 받아들여야 한다. 이러한 고통을 참을 수 없어 하고 피하려고만 하다 보면, 그 고통은 어느새 눈덩이처럼 커지고 타이탄처럼 강력해져 머지않아 고통에 압사당하고 짓눌리게 될 것은 자명한 일이다.

삶에는 참을 수 없는 고통이 있다. 이는 곧 죽음이다. 다시 말해, 나를 죽이지 못하는 그 어떤 고통도 참을 수 있는 고통이며, 나를 성장시키는 고통이다.

고통과 실패에 대한 두려움은 의혹의 그림자일 뿐이다. 하루 중 실제보다 그림자가 훨씬 크게 보일 때가 있다. 하지만 해가 중천에 떠 있을 때, 즉 해와 당당히 맞설 때, 고통과 실패라는 그림자는 보였던 것, 생각했던 것보다 훨씬 작고 별것 아닌 만만한 대상이 된다.

어렸을 때, 내가 살던 동네는 마천동 산 5번지다. 지금은 많이 달라졌지만, 그때는 송파구에서 가장 낙후된 산동네였다. 평지에 집들이 들어서 있는 것이 아니어서 산비탈의 계단식 논이나 밭처럼 집들도 산비탈의 경사만큼 계단식으로 위치해 있었다. 우리 가족을 포함한 대부분의 집들은 놀이터에 있던 공동화장실을 사용하였는데, 윗집 만큼은 그때에는 드물게 집에 재래식 화장실이 있었다.

그러던 어느 날 새벽, 우리 집보다 2미터 높은 곳에 위치한 윗집의 재래식 화장실이 터져 아래쪽에 위치한 우리 집이 똥물을 뒤집어썼다. 이불을 흠뻑 적신 방바닥의 축축함 때문에 잠에서 깬 우리 가족은 처음에는 큰비가 와서 집안에 물이 찬 것으로 생각했었다. 요상스런 냄새가 방 안에 진동했음에도 불구하고, 방 안에 물이 찼던 이유가 우리 집 바로 위에 위치한 윗집의 변소가 터져서 흘러나온 오물이란 것을 한참이 지나서야 알았다.

엄마와 아빠는 윗집과 언성을 높였고, 한바탕 말다툼이 크게 일었다. 어린 내 마음에는 분노보다는 창피함과 부끄러움이 더 컸다. 하지만 그런 경험조차도 나를 성장시키는 참 좋은 경험이었다.

그 경험이 약이 되어 우리 집 사정이 조금씩 나아졌기 때문이다. 똥물 사건 후에 부모님에게는 집을 새로 짓든지, 다른 곳으로 이사 가야겠다는 목표가 생겼고, 더 열심히 일하고 더 부지런히 돈을 모았던 것이다. 얼마 지나지 않아 우리는 집을 허물고 그 터에다 옆집 터와 합쳐 새로 집을 지었다. 부모님의 투혼이 빚어낸 결과였다. 멋지고 짜릿한 반전이었다.

분명 세상의 어떤 경험도, 어떤 고난과 어려움도 나를 파멸시키지 않는다면 나를 성장시킨다. 내가 지금 살아 있는 한, 살아가면서 나쁜 경험이란 것은 없다.

위기가 깊을수록, 고통과 슬픔이 깊을수록 반전의 감동은 짜릿했고, 고통 속으로 뛰어들 때, 나의 삶은 건강한 긴장감에 가슴이 쿵쾅거렸다. 롤러코스터와 같은 우리 인생을 잘 타는 방법은 매 순간을 즐기는 것뿐, 상처와 고통이 많을수록 내 인생도 더 빛이 나게 마련이다. 나에게 삶은 언제나 지금부터이고, 지금 웃으며 고통 속으로 몸을 기꺼이 던질 수만 있다면, 지금이야말로 내 인생에서 가장 빛나는 날이다.

　진인사대천명(盡人事待天命)함으로써, 전자를 통해 자신의 본성을 알고 후자를 통해 자신의 한계를 아는 사람은, 결과가 좋으면 감사하고, 결과가 나빠도 겸허하게 받아들일 수 있다. 분명한 것은 인간에게 한계는 있다는 것이다. 이것이 한계가 있는 삶, 유한한 삶을 사는 인간의 숙명이다.

　따라서 고통을 감내한다고 해서 모든 사람이 자기계발서 내용대로 성공을 실현할 수 있는 것은 아니다. 대부분의 사람들은 한계를 넘어서는 고통을 넘어설 수 없다. 이들의 한계적 삶 또한 존중되어야 한다.

　운동을 꾸준히 하지 않는 사람에게 오는 신체적 한계와 치열한 운동을 지속적으로 한 사람의 신체적 한계가 다르듯이, 어제의 나의 한계와 오늘의 나의 한계는 분명 다르다. 그리고 내일의 나의 한계는 오늘의 나의 한계와는 또 다를 것이다. 그래서 끊임없이 자신의 한계를 뛰어넘으면서 한계를 확장해야 하는 것이다.

눈보라 치는 K2 정상 앞에서 더 이상 한 걸음도 나아갈 수 없는 것도 한계상황이고, 도봉산 정상 앞에서 한 걸음도 나아갈 수 없는 것도 한계상황이다.

하지만 일반적인 경우에 도봉산 정상 앞에서 한계를 느끼는 사람에게 박수를 보내지 않고 K2 정상 정복을 바로 앞에 두고 한계 상황에 직면한 사람에게 박수를 보내는 이유는, 그 도전정신과 한계를 한 단계씩 극복하면서 한겨울에도 얼음을 녹일 정도의 치열한 열정을 지닌 사람에게 보내는 경이로움과 불꽃같은 노력에 대한 격려의 박수인 것이다.

견딜 수 없는 고통을 견디면서 부리를 암벽에 쳐서 깨뜨리고, 발톱을 뽑는 고통과 아픔에 붉은 피로 뒤범벅이 된 몸을 새로운 삶의 제단에 바칠 때 비로소 무한한 창공의 지배자로서 새로운 삶의 문이 열리는 독수리처럼, 우리에게도 인생의 장애물로 가로막힌 벽 앞에 문을 만들어 새로운 삶으로 나아가기 위해 매 순간 맞이하는 온갖 고통과 슬픔을 인내하고 극복하는 자세가 필요하다.

중용의 아름다움,
낙이불음(樂而不淫)의 삶

낙이불음은 담담하게 내게 다가오는 즐거움에 빠지지도, 즐거움을
놓치지도 않고, 담담하게 삶을 즐기는 경지이다.

탐욕을 부릴 때는 반드시 절제의 가시면류관을 써라. 탐욕의 머리
통이 커지면 가시가 당신의 머리통을 찌를 것이기 때문이다. 완벽한
승리를 취하려다 완벽하게 패배할 수 있으니, 완벽한 승리보다는 즐
거운 승리가 낫다. 유혹에 대한 완벽한 자신감에 취해 완벽하게 패배
하기보다는 유혹의 강렬한 힘을 인정하고 유혹과 화해하는 길이 치명
적으로 매혹적인 유혹을 이기는 현명하고 현실적인 방법이다.

달콤한 유혹은 악마의 선물이고, 유혹에 빠지는 것은 밑지는 장사
다. 유혹이 주는 쾌락의 기쁨은 일시적이지만, 그 대가는 치명적이

다. 특히 가장 일상적이면서도 치명적인 것이 술의 유혹이다. "쾌락의 밤은 짧고 고통의 낮은 길다."는 말처럼 많은 문제가 술 때문에 일어나는 것이 아니지만, 술자리에서 술김에 많은 문제가 일어나는 것은 틀림없다.

30대 중반 무렵의 내 이야기다. 분당 본사 근처에, 지금은 사라지고 없는 나이트클럽이 있었다. 가끔 회사 사람들과 같이 가곤 했는데, 그날도 선후배들과 어울려 술을 마신 후 장소를 옮겨 나이트클럽에 들어갔다.

얼마의 시간이 흐른 후 홀에서 엉키어 멋지게 춤을 추던 한 여자가 음악이 끝나자 자기 테이블로 가서 앉았는데, 나는 그 테이블에 다가가서 여자에게 블루스를 추자고 치근덕댔다. 문제는 그 테이블에 같이 온 일행들이 앉아 있었다는 것이었다. 아마 여자가 거절했는데, 내가 술김에 계속해서 춤을 청했던 것 같다.

나의 무례한 행동에 일행 중 체격이 건장한 남자 하나가 일어나더니, 거칠게 내 가슴을 치면서 꺼지라고 했다. 거의 본능적인 반사행동으로 나는 그를 강하게 밀쳐 쓰러뜨렸다. 일촉즉발의 상황에서 내 일행들과 그쪽 일행들이 일제히 달려 나와, 넘어졌다가 벌떡 일어나서 나에게로 달려드는 그 친구를 말렸다.

다음 날 맑은 정신으로 생각하니, 나이트클럽에서 걷잡을 수 없는 난투의 회오리에 빠지지 않게 한 것은 손으로 상대편의 가슴을 거칠게 밀치고 쓰러뜨린 후에, 본능적으로 휩싸고 도는 두려움과 무서움이 내 가슴을 끌어안고 싸움을 말린 동료들의 손길을 뿌리치지 않았기 때문이다. 나아갈 때 한발 더 나아가는 것도 용기이지만, 멈춰야 할 때 멈추는 것도 용기란 사실을 시간이 흐른 뒤에야 비로소 깨달았다.

만약 그때 한 걸음만 더 나아갔다면 어찌 되었을까? 그 결과는 깊게 생각하지 않아도 끔찍했을 것이다. 무엇보다도 사건의 발단은 내가 제공했다. 나의 의지나 이성의 작동은 전혀 실행되지 않았고, 다만 행운의 여신의 도움으로 그냥 그렇게 무마되었다.

모든 유혹은 매혹적이다. 인간은 유혹에 약한 존재로 타고났다. 오죽했으면 황진이의 유혹을 물리친 서화담의 이야기가 전설처럼 내려오겠는가.

인간은 거부할 수 없는 엄청난 유혹은 말할 것도 없고 10만 원이 든 봉투에 대한 작은 유혹에도 쉽게 넘어간다. 그리고 어느 정도 술을 마시고 감정이 달아오르면, 평소 자기 스타일이 아니고 별 매력을 느끼지 못하는 이성의 은밀한 유혹에도 쉽게 넘어간다. 하물며 맘먹고 달려드는 꽃뱀이나 제비, 매력적인 이성의 유혹은 어떨까. 허리춤에서 뱀을 집어던지듯 뿌리치면 가장 좋겠지만, 사실상 현실은 그렇지 않다.

인생 불행 총량 불변의 법칙과 마찬가지로, 인생 행복 총량 불변의 법칙이 존재한다. 긴 인생을 보면 불행과 행복은 균형을 이룬다. 일반적으로 롤러코스터처럼 불행과 행복이 순환 반복되는 경우는 드물다. 불행이 올 때는 한꺼번에 오고, 친구들을 데리고 떼거리로 온다. 행복도 마찬가지다.

그 법칙을 모르기에 사람들은 불행의 쓰나미에 떠밀려 절망의 나락으로 떨어지고, 심한 경우 죽음을 선택하기도 한다. 반면에 행복의 파도가 덮친 사람은 행복에 빠지고 도취되어 오히려 행복의 즐거움을 잃어버린다. 그래서 낙이불음이야말로 행복과 불행의 순환에 상관없이 삶의 즐거움을 만끽하는 하나의 길이라는 것이다. 술에 만취하지 않을 때에 술을 즐길 수 있듯이, 즐거움에 도취되지 않아야 즐거움을 만끽할 수 있고, 배터지게 먹는 즐거움보다는 약간의 배고픔으로 덜 먹는 즐거움을 즐길 줄 알고, 하루를 고단하게 일하고 식구들과 맛있게 한 끼를 먹을 수 있다면 그 또한 행복이 아니겠는가.

생존기반이란 디딤돌을 밟고 생활의 여유 속에서 일상의 즐거움을 만끽하기 위해서는 돈이 필요하다. 하지만 돈을 탐하는 마음이 강하면, 일상의 즐거움에서 돈에 대한 집착과 탐욕으로 무게 중심이 이동하여 돈의 무게에 짓눌린 삶, 자본의 올가미에 걸린 불행의 굴레에서 벗어나기 어렵다. 결국 삶의 행복은 돈에 대한 탐욕의 절제에 달려 있다는 것이 '자본의 계영배 효과'이다.

지식을 가진 자들은 자신들에게 있어서 전문 세계의 진입 장벽을 더 높고 튼튼하게 쌓고, 살찐 사람이 먹는 걸 더 밝히듯이, 권력을 가진 자가 권력에 더 집착하고, 부를 가진 자일수록 더 높고 거대한 황금 침대에서 자길 원한다.

　욕망의 참맛을 알기 위해서는 장사·주식·사업 등 삶의 모든 경제
적 활동에서 적당히 남기는 것, 즉 절제가 필요하다. 이것이 욕망 충
족의 역설이며, 진정한 욕망 충족으로 가는 길이다. 미다스의 손은
욕망의 파괴요, 욕망의 파멸이다.
　적당함이란 탐식을 절제하고, 욕망을 절제하는 것이다. 이는 대충
사는 것이 아니라, 균형과 조화, 중용의 길로 나아가기 위해 균형점
을 찾는 것이다.
　당신은 금방 터질 듯한 풍선과 바람이 조금 빠진 풍선 중 어느 것을
선택할 것인가? 과함은 모자람만 못하다. 배가 터질 듯 빵빵한 것보다
밥 한 숟가락의 절제가, 술에 만취하는 것보다는 술 한 잔의 절제가 불
안감을 잠재우고 안정감과 여유와 편안함을 가져다주기 때문이다. 여
유가 있어야 웃음이 터져 나오고, 용서와 배려의 마음이 생긴다.
　'계영배'라는 신비의 잔이 있다. 술잔의 7할까지만 채워야 하는 잔
으로, '넘침을 경계하는 잔'이라는 뜻이다. 인간의 끝없는 욕심을 경
계해야 한다는 상징적인 의미를 품고 있는데, 다른 말로는 '절주배'라
고도 한단다.
　7할이 절제의 선이다. 7할을 넘으면, 사람들은 끝까지 가려고 한
다. 7할이 욕심과 탐욕과 욕망을 제어할 수 있는 마지막 절제의 선이
며, 균형점이다. 돈이든 명예든 권력이든 그릇의 7할까지만 채우고

그 이상은 절제하거나 양보하는 삶의 태도, 바로 거기에 참된 행복과 성공이 깃들어 있는지도 모른다.

"꽃은 반만 피었을 때 보고 술은 조금만 취하도록 마시면, 그 가운데 크게 아름다운 맛이 있느니라. 꽃이 활짝 피고 술이 흠뻑 취하기에 이르면 곧 추악한 경지에 이르는 법이니, 가득 찬 상태에 있는 사람은 마땅히 이를 생각할지니라."는 말처럼, 절제의 아름다움은 만취에 있는 것이 아니라 절제를 통한 즐거움의 만끽에 있다.

배가 터질 듯이 빵빵하게 음식을 쑤셔 넣어 포만감에 음식을 입으로 쏟아질 지경까지 가득 차면, 더 이상 받아들일 여유가 없어진다. 여유가 없어진 자리는 자만과 거만과 오만이 차지한다. 그래서 대화를 할수록 소통이 아니라 불통이 되고, 두통이 오고 불똥이 튀어 불화가 일어난다. 이처럼 가득 찬 상태는 임계점을 넘어 조그마한 어긋남도 큰 다툼으로 번지는 것이다.

인간은 나를 끌어올리는 따뜻한 욕망과 나를 끌어내리는 비열한 욕망 사이를 걸어가는 존재다. 나를 끌어올리는 욕망은 나를 성장시키고 성숙하게 만드는 욕망이고, 나를 끌어내리는 욕망은 나를 더 이상 인간이 아니게 만드는 욕망이다.

욕망을 바람처럼 흐르게 하는 것은 나를 끌어올리는 욕망이 되지만, 욕망이 없는 상태 혹은 고여 있는 욕망은 질식할 만큼 썩은 물에서도 살아남을 수 있는 더러움과 역겨움만 남는다. 이른바, 나를 끌어내리는 욕망이다.

하지만 아이러니하게도 세상은 더러운 욕망만으로 굴러갈 수도 없고, 선한 욕망만으로 굴러갈 수도 없다. 더러운 욕망도 선한 욕망도, 사람들이 한데 어울려 살아가고 세상을 원활하게 작동시키는 데 모두 필요한 욕망이다. 하지만 문득 해질녘의 노을에서 잊을 수 없는 아름다움을 느끼듯이, 살아가면서 욕망을 비우고, 절제한 곳, 욕망이 멈추는 곳에서 가장 아름다운 욕망이 피어나기도 한다.

탐욕에 눈이 멀어 손님의 마음을 얻기보다는 한 푼의 현금을 더 움켜쥐려는 생각으로 장사할 때, 눈앞에 이익이 가져다주는 찰나의 짜릿함에 비해 등 돌린 손님들의 싸늘함으로 인한 추운 겨울은 너무도 길다. 아무리 좋은 차도 브레이크가 없다면 폭탄처럼 위험한 물건에 지나지 않듯, 아무리 아름답게 보이는 욕망과 욕심도 절제가 없다면 결국 탐욕과 타락의 길로 추락할 수밖에 없는 운명이기 때문이다. 절제야말로 인간의 욕심과 욕망을 제어할 수 있는 브레이크다.

낙이불음의 가장 큰 적은 유혹이다. 세상에서 가장 참을 수 없는 유혹이 무엇인가? 나 같은 경우를 예로 든다면, 사흘을 굶었을 때 멋진 여배우와의 하룻밤과 김이 모락모락 나는 통닭 한 마리 중 선택하라고 한다면 망설임 없이 통닭을 선택할 것이다. 물론 사람에 따라 선택은 다르겠지만, 이처럼 대부분의 사람들에게 있어서 먹을 것에 대한 유혹은 참기 어렵다. 왜 그럴까?

여러 이유 중의 하나는 먹는 것에 대해 이미 몸으로 습성화, 즉 몸이 기억하기 때문일 것이다. 따라서 다이어트와 운동 목표를 달성하기 위해 밥 한 숟가락을 덜 먹는 것은 내게는 너무 견디기 힘든 유혹이다. 밥 한 숟가락이 별것 아닌 것처럼 보이지만, 그 한 숟가락의 차이에서 시작된 절제로 인해 삶이 갈리는 것이다.

그렇다고 해서 즐거움과 행복, 여유를 위한 소비를 줄여서는 안 된다. 기분 좋은 아침을 열어 주는 모닝커피를 끊고, 자동차 대신 대중교통을 이용하고, 가족과의 즐거운 외식이나 여행을 끊고 돈을 모으면 내 집을 좀 더 빨리 장만할 수 있겠지만, 하루하루 일상이 그리 즐겁지만은 않을 것이다. 일상의 즐거움과 통장 속에 늘어난 잔고를 맞바꾼 것이기 때문이다.

제대로 즐겁게 놀지 못하면 찰나적 쾌락에 빠지게 된다. 감탄·찬탄·경탄이 넘치도록 놀지 못하면, 비탄·통탄·한탄이 그림자처럼 덕지덕지 따라붙는 그야말로 개막장의 추태만이 남는다.

마지막으로, 가수 '장기하와 얼굴들'의 노래 〈별일 없이 산다〉 속 가사를 들려주고 싶다.

"나는 별일 없이 산다. 재미있게 산다. 걱정도 안 하고 고민도 안 하고 산다. 깜짝 놀랐지? 내가 고민하고 걱정하고 살 줄 알았지? 아니거든. 하루하루 재미있게 산다. 약 오르지?"

빠져나올 수 없는 늪,
도박 중독

중독은 덫이다. 희망 없는 자, 빈자들의 무덤이다. 그것은 개인의 문제이면서 구조의 문제, 시스템의 문제다. 찢어지게 가난한 자에게 고결한 감정이란 드라마 속의 가질 수 없는 여인과도 같다. 허기를 달랠 밥값조차 없는 가난의 밑바닥을 헤맬 때, 그들은 스스로를 조롱하고 모욕하며 경멸하게 되고, 결국 중독의 벼랑에 몸을 던지게 된다.

이처럼 누구에게나 중독은 덫일 수 있지만, 빈자와 사회적 약자, 서민들에게 중독은 그것이 희망중독이든, 술중독이든, 도박중독이든, 담배나 마약중독이든, 폭력중독이든, 공허감을 지우고 불안을 이길 손쉬운 탈출구이기에 빠지기는 쉽고 그 굴레에서 벗어나는 것은 불가능한 악마의 덫이다.

찰나의 순간으로 본다면, 금지된 욕망이나 쾌락에의 집착이 내 가슴을 뜨겁게 하는 것은 맞다. 하지만 사람은 자극적이고 쾌락적인 삶에 매몰될수록 무료함과 지루함이 극대화되고, 의지는 엿가락처럼 휘어지고, 꿈과 열정은 녹이 슨 철판처럼 부서진다. 그렇게 더 깊고 커진 삶에 대한 공허함과 허망함은 도박과 감각적 쾌락으로의 깊은 중독으로 안내한다.

신데렐라 콤플렉스가 인간의 정신세계에 깊이 스며들어 있다. 마치 마약처럼 중독되어, 고치기 어려운 병이 되었다. 사람들은 자신이 신데렐라가 될 수 없음을, 백마 탄 왕자는 이 세상에 없다는 것을 안다. 이러한 사실을 알면서도 이에 대한 환상을 버리지 못하는 것은, 그러한 환상의 끈을 잡고 있는 것이 환상의 끈을 놓는 것보다 냉혹하고 고단한 삶의 공허함과 허망함, 불확실한 미래에 대한 불안을 잠시 동안만이라도 잊게 하고 견딜 수 있게 하기 때문이다.

이는 깜깜한 어둠 속에서 밧줄을 잡고 있는 것과 같다. 밧줄을 놓아도 죽지는 않는다. 하지만 사람들은 이를 알면서도 차마 밧줄을 놓지 못한다. 그것이 너와 나, 하루하루를 헉헉거리며 살아가는 우리들의 모습이다.

날마다 피곤한 현대인에게는 심각한 영화를 보거나 삶에 대한 진지한 대화를 나누는 일이 점점 어려워진다. 잠시라도 피곤함과 스트레스를 날려 버릴 수 있는 것에 광적으로 집착하고 매달릴 뿐이다. 더운 여름날에 시원한 아이스크림이나 팥빙수를 애타게 찾듯이, 자극과 쾌락만을 좇을 뿐이다.

하지만 이와 같은 노예처럼 길들여진 삶 속에는 간간히 발을 뻗고 쉬는 시간에 느껴지는 중독된 편안함만이 있을 뿐, 그 끝은 언제나 피곤하다. 쾌락은 물에 떨어진 눈송이같이 허무하고 찰나적이지만 걷잡을 수 없을 만큼 충동적이다.

인터넷과 스마트폰에 중독된 사람들은 움직이길 싫어해서 뚱뚱해지고, 생각하길 귀찮아해서 똑똑한 바보가 되며, 키보드 위에서만 불타는 전사로 변해 공격적이 되고, 타인의 시선 속 노예가 되어 외롭고, 타인의 불행에만 크리스마스트리처럼 기쁨의 눈망울을 반짝거리는 지지리 못난 괴물이 되어 간다.

특히 로또 당첨만이 아니라 경마장에서 혹은 카지노에서 대박의 기쁨에 겨운 환희의 순간을 맛보았다면, 악마나 파우스트의 달콤한 유혹에 넘어간 것이다. 왜냐하면 한번 빠져든 도박중독은 두 손과 두 발을 절단해도 끊을 수 없을 정도로 강력해서 마치 죽음의 순간까지 따라다니는 그림자와도 같기 때문이다.

스마트폰은 보이지 않는 세계를 더욱 볼 수 없게 만든다. 스마트폰에 탐닉할수록 보이는 세계에 매몰되고, 삶에 대한 고민과 생각을 하지 않는 일차원적인 단세포형 인간이 되어 간다. 감정이 퇴화되고, 마음은 사막화되어 황폐해질 것이다. 스마트폰으로 상징되는 세계의 투명성이란 미명하에 자극과 쾌락, 엽기와 지적을 통한 사냥감과 사냥꾼 간의 증오는 확산될 것이다.

아울러 자본에 대한 탐욕과 집착, 사이버 공감과 환상 속으로 사람들의 시선이 집중될수록, 부와 권력을 가진 지배세력의 숨겨진 이익을 보호하는 보호막 역할만 할 뿐이다. 결국 사람들이 스마트폰에 중독될수록 가진 자들의 지배와 대물림은 더욱 공고해질 것이다. 스마트폰으로 상징되는 정보화 사회가 지배세력의 유지와 대물림을 위한 강력한 시스템으로 작동하는 것이다.

스마트폰으로 인한 지적질과 한풀이는 가능할지 몰라도, 오히려 그들의 분노와 슬픔을 행동화로 연대시키는 힘은 약화되었다. 모든 에너지를 온갖 지적질과 한풀이에 다 쏟아부었기에 실제로 스마트폰 밖으로 나와 현실 속에서 치열하게 행동하는 것을 두려워하고, 행동할 에너지도 의지도 남아 있지 않게 된 것이다. 그들은 오직 가상현실 속에 있을 때만 두려움 없이 행동한다. 이른바 스마트폰 속에 갇힌 중독된 삶이다.

햄버거로 상징되는 정크푸드가 인간의 몸을 망치듯이 환상을 보여주는 드라마에 중독될수록 마음이 황폐화되고 생각이 고장 나게 되어, 깊은 관계를 맺지 못해 진정한 소통이 단절된다. 환상 중독으로 현실의 삶과 점점 더 멀어질수록 자신의 꿈을 향한 의지는 부서지고 열정은 불씨를 잃어버린다.

서민들은 삶의 피곤함과 고단함에 지친 몸과 마음을 환상 속에서 잠시 위안을 얻은 뒤, 다시 피곤하고 고단함 삶으로 돌아간다. 이러한 환상과 피곤함 사이의 무한 반복은 나이 들어갈수록 더욱 피폐해진 삶을 느끼게 해 줄 뿐이다.

슬픈 드라마를 보고 우는 사람은 멜로 중독에 빠진 사람이고, 슬픈 이웃의 현실에 공감하는 사람은 섬세한 감수성을 가진 사람이라는 사실을, 그들은 모르는 걸까.

사행산업으로 일컬어지는 빈자의 경제학은 빈자와 약자를 더 가난하고 무기력하게 만든다. 지배층은 이것을 전혀 개의치 않는다. 이들이 지배층을 위협하지도 못할 뿐만 아니라, 이들이 더욱 가난해질수록 자신들은 더욱 부유해지기 때문이다. 자본의 악마화다.

도박을 하면 어느 날은 돈을 잃고, 또 어느 날을 돈을 딴다. 돈을 딴 경우는 그 돈을 값어치 없는 곳에 쓴다. 술을 마시고, 마사지를 받고, 여자를 사는 것이다. 순간의 쾌락만 남고 정신은 황폐해진다. 주말이 되면 다시 도박을 하러 경마장에 간다. 그리고 돈을 잃는다.

잃은 돈이 눈에 아른거려 공허함만 남은 가슴에 술을 붓고 끊임없이 줄담배를 피운다. 정신은 더욱 피폐해진다. 도박은 늪이다. 중독 중에서 가장 무서운 중독이다. 내 경험에 비추어 봤을 때, 도박을 하면 얻은 게 없다. 많은 것을 잃었을 뿐이다. 다만, 완전히 부서지지 않은 것을 다행으로 생각한다.

중독은 기존의 마약, 술, 섹스, 도박 중독 이외에도 도처에 유혹의 손길이 뻗고 있다. 그리하여 스마트폰 중독, 인터넷 중독, 포르노 중독, 커피 중독, 성형 중독, 탄수화물 중독 등 전 방위적으로 확산되고 있다. 이른바 '자본 중독시대'다.

경마장에 들어서기 전부터 내 얼굴은 달아올랐고, 손은 더욱 차가워졌다. 10만 원 상한의 구입권을 여러 장 구입하려 한다고 말하는 내 눈은 이미 초점을 잃었고, 말은 방향을 잃고 있었다. 구입권을 주는 여직원의 눈길을 피하여 창구를 옮겨 가며 여러 장의 구입권을 사고는 의자에 앉아 초조한 마음으로 경주를 지켜보았다. 마지막 경주가 끝나고 멍해진 머리와 더욱 무너지고 파괴되어 버린 내 가슴을 끌어안고 경마장 밖으로 나왔다.

나는 말했다. 나를 가둔 감옥의 문은 항상 열려 있고, 올가미는 언제나 받침대가 있다고. 그래서 나를 가둔 감옥이나 올가미에서 마음만 먹으면 언제나 벗어날 수 있다고. 하지만 나는 가장 중요한 한 가지 사실을 망각했다.

나를 가둔 감옥에서 나가는 문은 항상 열려 있지만, 그 감옥은 영원히 빠져나올 수 없는 미로였다는 것을 나는 알지 못했다. 나의 목을 조르는 올가미는 받침대가 있었지만, 그 올가미를 풀 수 있는 손이 이미 잘려나갔다는 것을, 그래서 올가미에 걸리면 아무리 발버둥 쳐도 빠져나올 수 있는 확률은 거의 제로에 가깝다는 사실을……

중독에서 밑바닥까지 가 보지 않고, 중간에서 벗어나는 길은 거의 없다. 그 밑바닥은 아무것도 남아 있지 않은 절망의 바닥이다. 모든 것을 다 잃어 더 이상 잃을 것이 없을 때, 비로소 도박을 멈춘다. 도박을 멈출 때, 삶의 시계도 멈춘다. 중간 지점에서 빠져나왔다고 생각하는 순간, 중독은 타는 목마름으로 더욱 내 목을 조여 왔다.

모든 것을 다 잃어버린 후에야 겨우 풀려 버리는 올가미가 바로 중독이다. 당신이 지금 경마장이나 경륜장에 있다면, 당신은 당신 주위에 있는 사냥꾼이 쳐 놓은 올가미나 덫에 걸린 토끼나 노루의 운명인 것이다.

내가 처음 경마를 접한 것은 결혼 전에 안산에 위치한 지사에서 근무했을 때이다. 주말에 서울에 있는 집을 왕래했는데, 과천에 있는 경마장에 한번 같이 가 보자는 누군가의 제안을 받아들이면서 가게 되었는데, 그 후 자연스럽게 7년을 넘게 다니게 되었다.

처음에는 오락으로 시작해서 가족을 동반하여 가기도 했지만, 대부분의 사람들이 거치는 과정에 따라 나 역시 도박에 중독되어 혼자서 경마장을 드나들게 되었다. 관성과 습관의 법칙에 따라 나는 수많은 주말을 과천으로 달려가서 하루에 두세 갑의 담배를 빨아대면서 배팅에 눈이 벌게졌다. 돈의 씀씀이에 있어 스케일이 작았던 나는 한 번에 큰돈을 잃기보다는 가랑비에 옷이 젖듯이 잃고 따기를 반복했지만, 확률의 법칙에 따라 조금씩 돈을 잃는 액수가 커져 갔다.

한번은 회사 내에 있는 은행으로부터 500만 원 회전대출 통장과 카드를 만든 후, 한 번에 그 돈을 전부 빼서 잃은 적이 있었다. 이 일로 아내의 마음에 지울 수 없는 큰 상처를 주었고, 이혼의 위기에 직면했었다.

그 뒤로 적지 않은 시간이 흘렀다. 다행히도 경마장을 드나드는 횟수는 크게 줄었지만, 완전히 발을 끊지는 못했다. 나는 흔들리는 마음을 잡기 위해 무엇보다도 달리기에 열중했었다. 그 뒤 해외지사에서 근무하고자 하는 열망과 그 꿈을 위한 준비, 그리고 무엇보다도 여러 사람들의 도움과 행운이 겹쳐 싱가포르 지사에서 근무하게 되었다. 이 기간 동안 완전히는 아니지만 어느 정도 아내의 깊은 상처를 달래 줄 수 있었다.

그 뒤 지금까지 경마장을 가고 있지 않지만, 나는 아직도 경마를 끊었다고 말하지 않는다. 그보다는 참고 있다고 말하는 것이 타당할 것이다. 20년을 금연하고도 다시 담배를 피우는 사람이 있듯이, 도박 중독에서 벗어나는 것은 죽을 때까지 장담할 수 없는 것 중의 하나임을 알고 있기 때문이다.

그 당시 같은 회사에서 근무한 동료를 경마장에서 본 적이 있었는데, 혹시라도 마주칠까 봐 내가 시선을 피했다. 상대방이 나를 보았는지, 아니면 보고도 나처럼 피했는지는 모르겠지만, 나중에 그 친구는 많은 사람들에게 보증을 부탁해서 금전적 · 정신적인 피해를 준 후에 회사를 도망치듯 퇴사했다고 한다.

그 친구와 나의 차이는 벼랑 끝에서 마지막 한 걸음의 차이였다. 내가 무섭게 경마에 빠졌을 때 한 걸음만 더 내딛었다면, 나 역시 천길 절벽 아래로 추락했을 것이다. 그 친구와 나는 결국 마지막 한 걸음을 더 갔느냐 아니냐의 차이밖에 없다.

마지막에 한 번 더 기회를 준 아내와 내가 숨 쉴 수 있는 또 다른 공간 덕분에 내가 나락으로 추락하지 않을 수 있던 것이다. 만약 내 아내가 나와 이혼을 결심했고 나를 용서하지 않았다면, 나는 아마 도박의 늪에 더욱 깊이 빠져 지금까지 헤어날 수 없었을 것이다.

나는 담배와 경마장으로 쏠리는 마음에도 불구하고 '이래서는 안돼!'라는 내면의 외침이 있을 때, 운동화 끈을 질끈 매고 밖으로 뛰었다. 뛸 때는 잡생각이 많이 사라졌고, 뛰고 나면 한결 마음이 차분해졌다. 물론 주말이 가까워 올수록 경마장 생각이 밀물처럼 밀려오는 것을 막을 순 없었지만 말이다.

아울러 앞에서도 언급했듯이 긴 시간 동안 '잃고 따기'를 반복하면서 적지 않은 돈을 잃었지만, 월급관리를 아내에게 전적으로 일임한 관계로 감당할 수 없을 만큼의 큰돈을 잃지 않았다. 그 덕분에 잃은 돈에 대한 미련을 어느 정도는 털어 버릴 수 있었다.

그 친구와 나의 차이는 비록 한 걸음일지라도, 그 차이는 큰 것이다. 브레이크가 고장 난 기차를 정지시키는 것은 거의 불가능하다. 하지만 슈퍼맨의 능력을 발휘하든, 전문가의 도움과 치료를 받든, 가족의 지원과 사랑을 통해서든, 결론은 멈춰야 산다는 것이다. 이것은 삶과 죽음의 갈림길에선 생존의 문제다.

경마장을 방문하는 모든 고객들은 시간의 흐름에 따라 소리 없이 사라지는 패자다. 있다면, 단기적인 승자만 있을 뿐이다.

잃은 자는 잃은 것에 대한 집착과 되찾고 싶은 강렬한 욕망에 중독된다. 일시적으로 딴 자 역시 마찬가지다. 결국에는 빠져나올 수 없는 죽음의 미로에 갇히며, 죽음의 덫에 빠진다. 분명한 것은 경마장 안에는 승자가 없다는 사실이다. 오로지 패자만이 남아, 경륜장과 경마장 가장 높은 곳이나 밖에서 웃음 띤 얼굴을 한 승자들로부터 조롱당하고 경멸받을 뿐이다. 그들은 그런 줄도 모르고, 승자가 되기 위해 오늘도 여전히 핏발 선 눈으로 배당판과 결승선을 바라보는 서글픈 인생을 반복하고 있다.

누구나 잠시 길을 잃는다. 중독에서 빠져나오기 위해서는 순간순간 선택의 시간 속에서 새로운 의지를 불태워야 한다. 분명한 것은 중독을 영원히 극복할 수도, 극복하는 방법도 없다는 사실이다. 다만 인간의 놀라운 의지로 순간순간 중독을 극복할 수 있을 뿐이다.

위험한 순간이 지나면, 다시 새로운 의지를 불태워서 다시 일어서야 한다. 그래서 인생은 누구에게나 어떤 위치에서나 칼날 위를 걸어가는 것과 같다. 칼날 위에서 떨어지면 다시 독하게 마음먹고 주저앉은 의지를 일으켜 세운 다음, 다시 칼날 위에 올라서야 한다.

시간은 늘 충분하다. 단지 우리가 무언가를 포기하지 않기 때문에 새로운 것에 도전할 시간이 없는 것이다. 무언가 새로운 도전을 꿈꾼다면, 잠을 희생하든 놀이를 포기해야 한다. 달콤하지만 의미 없는 일, 특히 빠져들수록 내 삶의 생기와 알맹이는 점점 사라지고 바짝 메마른 껍데기만 남기는 악마의 덫, 중독에서 벗어나야 한다.

대부분의 사람은 안락함과 편안함, 달콤함에 중독되기 쉽다. 소수의 사람들은 여행과 책과 가족에 중독된다. 극소수의 사람들은 과감하게 극한의 고통 속으로 뛰어든다. 그것이 여행이든, 필생의 역저를 저술하는 일이든, 극한의 스포츠든, 목숨을 건 위험에 하나뿐인 목숨을 내던지는 일이든, 분명한 것은 그것을 즐기는 사람이 있다는 것이다.

이는 선택한 중독이자, 중독을 넘어선 중독이다. 엄밀하게 이는 중독이라기보다는 가장 치열하고 격렬하게 좋아하고 하고 싶은 일 속으로 뛰어든 삶, 즉 '조아'의 삶이다.

폭력은 그 어떤 경우라도 정의가 될 수 없듯이, 바람직한 중독, 나를 성장시키고 즐거움을 만끽하게 만드는 중독은 없다. 왜냐하면 모든 중독은 궁극적으로 파괴라는 결과를 가져오기 때문이다. 중독성이 있는 노래도 마찬가지다. 중독성이 있는 노래에 진짜로 중독된다면, 얻는 즐거움보다는 허무함과 절망으로 의지의 날개는 꺾이고, 차갑게 식어 버린 열정만이 남을 것이다.

중독성 강한 음식은 기름지고 달며 매콤한, 그야말로 살찌는 음식이다. 따라서 중독으로부터 벗어나는 것은 가장 강한 의지이다. 가장 강력하고 치열한 삶의 몸부림이다.

결국 모든 중독은 궁극적으로 나를 파괴한다. 그것이 게임이든 도박이든 술이든 마약이든 권력이든 운동이든 일이든 사랑이든, 나를 살아 있게 하고 전진하게 하고 열정을 깨우고 몰입하게 하는 좋은 중독이란 없다. 중독이란 결국 중독 대상에 대한 제어할 수 없는 집착으로, 나를 채우는 것이 아니라 나의 삶을 껍데기로 만들기 때문이다.

따라서 중독은 진정한 기쁨과 행복을 주지 못한다. 견딜 수 없는 고통과 아픔이 마비되는 것만으로도 마치 기쁨과 환희를 느끼는 것처럼 착각하는 것이다. 마치 260㎜의 신발을 신어야 하는 사람이 250㎜의 신발을 신고 한 시간을 걸은 후, 신발을 벗었을 때 짧은 순간 느끼는 고통으로의 일시적 해방감처럼.

하지만 이런 행동이 지속될 때에는 어둠이 빛을 사라지게 하는 것처럼, 중독은 고통을 마비시킴으로써 몸은 물론 감정도 마음도 열정도 의지도 마비시키고, 결국에는 인간의 창조성, 열정뿐만 아니라 생존의지마저도 마비시킨다.

일확천금에 대한 중독으로부터 탈출하지 못하고, 백마 탄 왕자에 대한 환상 중독으로부터 탈출하지 못하며, 자신의 생각과 신념은 항상 옳다는 믿음에 대한 오만과 편견 중독으로부터 탈출하지 못한다면, 갈망은 갈증으로 바뀌고, 열망은 절망으로 바뀐다.

중독과 맹독은 사람을 죽인다는 점에서 같다. 다만 중독은 사람을 서서히 죽이고, 맹독은 빨리 죽인다는 점에서 차이가 있다. 어차피 죽는 것은 마찬가지다. 중독이나 맹독이나 살아남기 위해서는 자신의 힘보다는 타인의 도움을 받아야 한다. 왜 중독에 빠지는가? 그것은 살고자 하는 본능이며, 아픔과 슬픔, 견딜 수 없는 고통으로부터 벗어나고자 하는 자연스러운 반응이다.

왕따들에게는 자기를 따돌리고 괴롭히는 일진들이나 못된 상사들, 잔인한 부모들과 함께하는 시간이 짜증나고 고통스럽다. 그로 인한 스트레스를 쉽고 편한 방법으로 풀려고 하는 것이 바로 중독이다. 그 것이 비디오게임이든, 인터넷 악플이든, 술과 담배든, 마약이든 간에 스트레스를 주는 대상들로부터 떨어져 자유로울 수 있는 공간에서 최대한 고통을 잊으려 한다. 그것이 중독이다. 중독자가 많다는 것은 그만큼 일상의 관계에서 스트레스와 불안, 공허함과 고통을 느끼는 사람이 많다는 방증이다.

중요한 사실은 자본의 힘이 점점 강해지고 본격적인 정보화 시대로 진입하면서, 이러한 중독에의 의지, 중독으로의 도피가 더욱 증가할 것이란 사실이다. 분명한 것은 중독에의 의지나 중독 속 달콤함으로의 도피는 마약처럼 일시적인 고통의 마비만 가져올 뿐, 문제의 진정한 해결이나 즐겁고 행복한 삶과는 점점 멀어져 간다는 것이다. 결국은 시간이 지날수록 중독이란 맹독이 온몸에 퍼져, 몸도 마음도 죽어갈 것이다.

떠나간 애인을 잊기 위해서는 새로운 애인을 만나야 하듯이 이미 몸에 접착제처럼 달라붙은 나쁜 습관의 중독을 없애기 위한 첫 단추는 한쪽 면이 잘 익은 상태에서 기름을 바른 프라이팬 위의 파전처럼 나쁜 습관을 뒤집어 좋은 습관으로 새롭게 자신을 중독시키는 것이다.

이것은 '중독을 넘어선 중독'이라고 할 수 있다. 책 읽기를 좋아한다면 목표를 치열한 독서로, 운동을 좋아한다면 마라톤이나 헬스, 익스트림 스포츠로 관심을 틀고 새로운 열정을 쏟아붓는 것이다. 그리고 공부를 좋아하는 사람이라면 자신이 원하는 자격증 취득이나 학위를 얻기 위해 '정신 나간 사람' 혹은 '미친 사람'이란 말을 들을 정도로 믿을 수 없는 노력과 열정을 쏟아 붓는 중독자가 되면 된다. 이처럼 나쁜 중독으로 탈출하는 첫 단추는 그보다는 좋은 중독으로 대체하는 것이다.

일상의 고통과 슬픔, 아픔과 무기력함, 무료함을 벗어나기 위한 탈출구는 대개가 중독이다. 일상에서 중독의 의미는 부정적이다. 하지만 중독을 넘어선 중독은 다르다. 이들은 고통 속으로 뛰어든다. 위험한 도전 속으로 몸을 던진다. 고통으로부터 도망칠 때는 중독에 빠지지만, 고통 속으로 몸을 던지면 중독을 넘어설 수 있는 길이 생긴다.

찢어지게 가난하거나 공허하며 불안한 삶을 살아가면서 생존을 위해 남겨둔 돈을 쥔 손과 심장의 덜덜거림 속에 마지막 인생역전의 기회를 잡으려고 로또복권을 사고, 경마장과 경륜장 가는 길의 유혹에 빠졌다고 해서, 우리는 그것이 그들의 자유로운 선택이었기에 그 결과에 대해 스스로 책임을 져야 한다고 뻔뻔하게 말할 수 있는가.

그들의 삶이 어떻게 되는가 하는 것에는 전혀 관심이 없고, 오로지 가진 자의 배를 더 채워 주기 위해 이미 몸과 마음이 부서지고 망가져 가고 있는 빈자와 서민들을 진하게 화장한 창녀처럼 달콤한 꼬드김으로 유혹하는 것이 바로 정부의 민낯이다.

인간은 감정의 지배를 받는 어리석고 연약한 존재이다. 그들의 몸과 마음은 우리가 생각한 것보다 훨씬 더 망가져 있기 때문에 그들은 너무도 쉽게 합법적인 도박을 장려하는 정부의 꼬드김에 넘어갈 수밖에 없다.

정부는 그런 그들의 감정을 이용해서는 안 된다. 그들에게 다시 일어설 수 있도록 격려를 통해 힘과 용기를 북돋아 주고, 물심양면으로 지원해 줘야 한다. 그것이 국가가 존재하는 이유다.

중독에 빠진 빈자와 서민들은 자신들이 주인인 민주주의도, 정의와 공정도 모두 관심 밖의 사안이다. 오직 잃은 돈을 찾고, 대박으로 큰 돈을 따고자 하는 집착만이 남아 있을 뿐이다. 중독에 빠진 서민들이 많을수록 '국민이 주인'이라는 민주주의는 껍데기만 남고, 서민들은 민주주의의 도구와 들러리만 될 뿐이며, 자본이 주인인 자본주의만이 살아남을 것이다.

얼마 전 우연한 기회에 분당에서 술친구를 기다리다가 경륜장에서 나와서 삼삼오오 이야기를 나누는 경륜꾼들의 얘기를 귀동냥한 적이 있다. 자연스럽게 그들의 얼굴을 쳐다보고, 그들의 대화를 들을 수 있었다.

초췌한 얼굴과 초라한 행색으로 담배를 피우던 그들은 삶에 찌든 모습으로 마치 손에 쥔 황금을 놓친 것처럼 지나간 경주를 복기하면서 '죽은 자식 불알 만지기'를 무한 반복하는 사람들, 경륜장의 하루가 끝난 후 어깨를 축 늘어뜨리고 다 털려 가벼워진 호주머니에 물먹은 솜처럼 무거워진 손을 집어넣은 채 걸어가는 사람들의 뒷모습에서 떠나간 사랑을 아쉬워하듯 오늘 놓친 대박에 대한 아쉬움과 후회의 찌꺼기만 무겁게 땅속으로 떨어진다.

그 모습은 10년 전에도 그대로였고, 앞으로도 똑같은 행태가 반복될 것이다. 경마장이나 경륜장에 출입하는 사람들은 똑같은 후회와 한탄과 아쉬움을 토내며 경마장을 나오고, 또다시 손에 돈을 쥔 채로 경륜장을 찾을 것이다. 죽을 때까지……. "역사는 되풀이된다."는 말은 적어도 도박이나 사행산업의 경우에는 슬프지만 99.9% 맞아떨어진다.

냉혹한 현실에서 빈자나 서민들이 일확천금을 얻을 수 있는 경우는 도둑질, 강도질 말고는 도박에서의 대박이나 로또복권밖에는 없다. 하지만 도박이나 복권에의 의존은 삶의 의지와 의욕을 회복할 수 없을 정도로 꺾어 버리기에, 그토록 탈출하고 싶어 했던 소시민의 평범하고 가난한 삶조차도 지킬 수 없게 되는 것이다.

결국 정부가 경륜이나 경마 같은 사행산업을 방조하고 조장하는 것은 가난한 자들을 마약중독자로 만들어 서서히 죽이는 간접 살인과도 같다. 적어도 경륜이나 경마로 국민의 복지를 증대시키고 일자리를 창출한다고 말하지 말자. 사행산업은 어떤 식으로든 서민의 푼돈을 빼앗아, 이미 삶의 의지가 꺾인 가난한 이의 주머니를 더욱 가볍고 헐벗게 할 뿐 아니라, 그나마 남아 있는 한 줌밖에 안 되는 삶의 의지와 애착마저도 뜨거운 사막에 쏟아진 물처럼 삽시간에 사라지게 만들기 때문이다.

경륜이나 경마에 취해 비틀거리는 서민들의 삶이 도저히 빠져나올 수 없는 블랙홀로 빨려 들어갈 때, 그들의 눈물을 외면하고 가진 것을 크고 높게 하기 위해 탐욕의 바벨탑을 쌓아 올리는 자들은 누구인가? 그런 의미에서 정부는 적어도 천사는 아니다.

우리는 공정사회를 외치면서 지하경제의 어두운 그림자처럼 대명천지에 대놓고 합법적으로 로또, 경마, 경륜, 경정, 카지노 등 사행산업을 키우고 있다. 이러한 사행산업이 국가적·사회적으로 무슨 이익이 있기에 정부에서 이를 합법적으로 인정한 것일까? 당연히 담뱃세나 주세처럼 국가에 큰 이익이 있다. 합법적으로 많은 수입을 확보할 수 있는 마르지 않은 수입원이 되기 때문이다.

국민에게 오락을 제공하고 가족과 함께하는 즐거움의 장을 마련해 준다는 선전과 홍보는 지나가던 개가 하품하는 소리에 가깝다. 이 수입원의 혜택을 누가 가져갈까. 국가사회에서 기득권을 향유하는 세력들에게 공정하게 배분될 것이며, 이들의 위치를 더욱 공고히 할 것이다.

이처럼 정부가 이미 아흔아홉 섬을 가진 기득권층에게 한 섬을 더 채워 주지 위해 시행하는 사행사업은 국가의 근간인 소시민의 삶의 의지와 터전을 송두리째 앗아 감으로써 현실을 지옥으로 만든다. 가난하고 힘없는 사람을 보호해야 할 국가가 합법적으로 그들의 삶에 대한 의욕과 희망을 빼앗아 가는 것이다.

이러한 정책이 국민의 삶의 의지를 꺾을 때, 사람들은 말한다. '국가는 죽었다'고. 마치 니체가 '신은 죽었다'고 외쳤듯이 말이다.

모든 행위에는 양면의 동전처럼 서로 다른 면이 있다. 이러한 혜택의 저편에는 또 다른 세상이 펼쳐진다. 웃고 있는 기득권층의 저편에는 울부짖는 서민들이 있는 것이다. 이러한 사행산업은 서민의 피를 빨아먹고, 서민의 삶의 의지를 꺾어 버리고, 가족을 와해시키며, 영혼을 죽게 함으로써 가난하고 힘없는 사람들을 죽이고 있다.

이를 조장하는 행위는 기득권층이나 합법적인 국가의 수입원 확보 측면에서는 합리화할 수 있는지 모르겠지만, 가난한 사람들이 가진 불안감을 해소하기 위해 일상의 탈출구를 찾는 인간의 본성을 교묘히 이용한 악마의 술책이며 덫이고 올가미일 뿐이다.

뜨거운 비커의 물속에 있는 삶은 개구리처럼 사람들은 중독으로 죽음 직전에 이를 때까지 자신들이 중독된 삶을 살고 있다는 사실을 알지 못한다. 고단하고 힘겨운 삶 속에서 공허함과 불안의 그림자를 달고 사는 사람들은 멜로드라마에, 도박에 쉽게 중독되고 빠진다. 어쩌면 그것이 그들에게 남겨진 환상으로의 마지막 휴식처며, 도피처이자 탈출구이기 때문이다.

시작은 공허함이나 불안이지만, 꿀 같은 달콤함과 비단 같은 부드러움 속에 머물고 싶은 욕망의 무지개를 좇다가 화석처럼 껍데기만 남는 삶, 이것이 중독이다.

내가 선택한 감옥은 나에게 자유의 날개가 되고, 내가 원해서 내 몸을 스스로 묶은 밧줄은 나의 의지를 더욱 강하게 만든다. 중독을 벗어나기 위해서는 더 크고, 더 가치 있고, 더 의미 있는 중독 속으로 무조건 뛰어드는 수밖에 없다.

중독의 탈출은 일상 속에서 즐거움 중독의 탈출로 이루어져야 한다. 즐거움의 중독은 소소한 일상의 즐거움을 만끽하는 것에서부터 좋아하는 일, 하고 싶은 삶에 모든 것을 던지는 것이다. 괴물은 더 강한 괴물이 되어야 이길 수 있듯이, 중독은 내가 원하는 더 강한 중독으로 극복할 수 있다. 이것이 사행산업으로 전 국민을 도박 중독자로 만든 정부에 대항하는 가장 현실적인 방법이다.

자신의 신화를 만들어 가는
삶이 아름답다

요즘 의학 드라마의 유행으로 의과대학으로 인재가 쏠렸다. 한국 선수들의 미국 골프투어에서의 쾌거는 골프프로의 쏠림 현상을, 김연아의 화려한 스포트라이트는 피겨스케이팅으로의 쏠림 현상을 부추긴다.

하지만 자신의 길은 유행에 따른 쏠림이 아니라 내가 좋아하고 하고 싶은 삶으로의 끌림에 따라 내가 정해야 한다. '조아'의 삶을 통해 자신의 신화를 만들어 가는 길은 분명 많은 눈물과 땀으로 뒤범벅될 것이다. 때론 타인의 시선과 손가락질이 두렵고 걷잡을 수 없이 힘들겠지만, 기쁨과 설렘, 자신에 대한 가슴 벅찬 자랑스러움은 더할 수 없이 클 것이다.

누구나 스티브 잡스, 배철수 빌 게이츠, 마더 테레사와 같은 삶을 살아갈 수도 없고, 그들과 같은 삶을 살 필요도 없다. 왜냐하면 당신은 그들과 다른 길을 걸어가도록 태어났기 때문이다. 광대한 우주의 별들이 다 다르듯이, 당신은 이 세상에 존재하는 수많은 별들 중의 하나이다. 세상의 평가와는 별개로 당신의 신화를 만들어 가는 삶을 살 때, 당신의 삶은 충분히 치열하고 아름답다.

일할 수 있는 젊은이의 숫자가 줄어드는 속도보다도 일자리가 더 빨리 더 많이 줄어드는 녹록치 않는 현실에서는 뜨겁거나 차갑거나 중에 선택해야지, 가야 할 길을 찾지 못한 채 경계에서 어정쩡하게 우왕좌왕하다가는 질주하는 차량에 사고를 당하기 십상이다.

'첫 번째 펭귄'이라는 말이 있다. 배가 고플 때에는 빨리 바다에 들어가 먹이를 잡고 싶지만, 천적인 바다표범이나 물개 때문에 쉽게 바다에 뛰어들 수 없다. 그때, 바다에 뛰어들기를 주저하는 펭귄들 속에서 인어처럼 펭귄 한 마리가 바다에 뛰어든다. 그러자 마치 자석에 이끌리듯 뒤따라 수천 마리의 펭귄이 바다 속으로 몸을 던지는 것이다.

자신의 의지에 따라 몸을 던지는 희생과 고독한 책임감 속으로 뛰어드는 행위는 이처럼 만인에게 삶과 희망의 길이 될 수도 있지만, 백파이프 소리에 무작정 따라가 절벽으로 추락한 레밍이라는 쥐떼처럼 저주의 길, 죽음의 길이 될 수도 있다. 그래서 누군가를 따라가는 삶은 생각보다 위험성이 크다. 인정도 받지 못하고, 보람과 즐거움도 없고, 토사구팽당할 가능성도 크다.

"죽을 각오로 사는 사람은 살고, 살려고 아등바등하는 사람은 죽는 다."는 말은 현실에도 그대로 적용되는 진실이다. 그래서 위험이 가 득 도사린 것처럼 보이지만 스스로 두려움 속으로 과감하게 먼저 뛰 어드는 첫 번째 펭귄의 삶이 어쩌면 가장 멋지고 안전한 삶을 사는 길 이 된다.

좋아하는 것, 하고 싶은 것을 향해 질주하는 삶을 사는 것은 내 삶 의 기준을 내가 설정하는 것이다. 삶은 얼마나 치열하게 '조아'의 삶으 로 질주하였는가에 따라 아름다운 '조아'의 삶과 정말 아름다운 '조아' 의 삶으로 갈릴 뿐이다.

그래서 단 한 번뿐인 나의 삶은 타인의 시선에 구속되고 타인의 손 에 조종되어 사는 것이 아니라, 조아의 삶을 향하여 맹렬히 질주하면 서 강렬함을 뿜어내는 호랑이의 눈과 나만의 격렬한 울부짖음이 있기 에, 머리 위의 독수리와 발아래의 뱀, 등 뒤의 늑대와 내 앞에 나타난 들소 떼를 극복하고 내 삶의 신화를 만들 수 있었다.

그런데 이러한 자신의 신화를 만들기 위해 자기 인지도에만 집착하 는 사람들이 넘쳐나고 있다. 그것이 오명이든 명성이든 상관없이 매 스컴에 자기 이름이 오르내리는 걸 보며 쾌감을 느끼는 사람들이다. 화성인 바이러스에는 고소와 고발 집착남이, 교육의 장인 대학교에서 는 난데없는 총기 난사범이, 그리고 사이코패스가 줄을 서서 자기 이 름이 매스컴에 오르기를 기다리고 있다.

이처럼 자신의 인지도에 집착하는 사람은 '조아'의 삶을 사는 것이 아니다. 타인의 시선에 구속된 삶, 타인의 욕망에 구속된 노예의 삶을 살고 있는 것이다. 꽃과 새와 들짐승은 존재하지, 실존하지 않는다. 그래서 남과 비교하지 않는다. 하지만 인간은 존재하면서 실존한다. 그래서 비교를 통해 나를 더욱 나답게 만들어 가는 것이다. 삶은 결국 나를 더욱 나답게 만들어 가는 개성화의 과정이며, 실존의 창조 과정이다.

'조아'의 삶은 남과 다른 삶이 아니라 내가 주인공인 나만의 삶, 나만의 역사, 나만의 신화를 만들어 가는 삶이다. 내가 '조아'의 길을 간다는 것은 가장 나답게 사는 삶이며, 더 뜨겁게 삶을 사랑하고, 더 열심히 행동하고, 더 신나게 삶을 사는 것이다.

저마다 타고난 장점을 살릴 수 있는 길을 가는 것이 자신만의 결을 따라 사는 길이고, '조아'의 삶이다. 이렇게 결대로 살아갈 때 사람들은 가장 행복하다. 결대로 살면서 타인의 고통을 공감하고 덜어 주고 위로할 수 있다면, 위대한 삶, 위대한 인간이 된다.

가 보지 않은 길이라는 사실이 중요한 것이 아니고, 가 보지 않은 길이 내가 가고 싶은 길일 때 의미가 있고 중요한 것이다. 내가 하고 싶은 일로 가고 싶은 길인데, 아무도 가 보지 않았다면 당연히 두렵다. 그 길은 타인이 볼 때는 험난하고 어려운 고난과 고행의 길일 것이다. 하지만 나에게는 그 길을 걸어가면서 겪는 엄청난 고통마저도 달게 느껴지는 즐거운 길이 될 것이다.

이 세상에서 하고 싶은 일을 하면서 사는 사람은 드물다. 이는 자기 이상형을 만날 확률처럼 어려운 일이다. 따라서 인생의 어느 순간에라도 내가 하고 싶은 일을 할 기회가 생기면, 주저하지 말고 잡아라. 인생은 두 번 사는 것이 아니기 때문이다.

한없이 고민하고 생각만 하기보다는 어릿어릿하고 희미하게라도 갈 길이 보인다면, 불확실성과 두려움, 낯설고 새로운 환경에 나를 던짐으로써 내가 가야 할 명확하고 구체적인 길을 조금씩 만들어 가야 한다.

김별아 작가에 의하면, 로마시대에 자기 이름을 남긴 노예는 스파르타쿠스와 에픽테토스, 오로지 두 명뿐이다. 한 명은 반란자로 '몸의 노예'라는 운명을 거부한 자이며, 또 한 명은 철학자로 '생각의 노예'라는 운명을 거부한 자이다.

그들은 자신의 운명을 거부함으로써 운명을 사랑한 사람이 되었고, 자신의 신화를 만들어 가는 사람, '천상천하 유아독존'의 길을 가는 사람이 되었다. 분명한 것은 그들은 누구보다도 자신에 대해 절대적 믿음과 절대적 사랑을 가진 사람이라는 것이다.

천상천하 유아독존은 오만과 독선으로 홀로 존재하는 것이 아니라, 세상 속에서 자기존중을 만인존중으로 확장하여 함께 어울리면서 공존하는 것이다. 천상천하 유아독존은 말라비틀어진 고독이 아니라,

빛나는 고독이며 자기로부터의 혁명에 기인한 위대한 고독이다.

"'멋이 있다'는 것은 '무엇이 있다'는 것이다."라는 말이 있다. 그렇다면 멋있는 사람에게는 '무엇'이 있는 걸까? 멋있는 사람, 매력 있는 사람은 자신만의 스토리가 있는 사람이다. 그는 자신만의 색깔, 스스로의 독특한 맛과 멋을 잃지 않으며 주눅 들지 않고, 부처님과 예수님에게조차도 삶의 결정권을 넘겨주지 않고 누구보다도 자신을 사랑하는 삶의 주인공이자, 단독자이다.

우리가 사는 동안 '저 사람이 미쳤어'라는 이야기를 들을 수 있다면, 역설적으로 우리는 한 번뿐인 인생을 제대로 살았다고 자위할 수 있지 않을까 .내가 '조아'의 삶으로 달려가는 것처럼, 내가 그곳에 갈 수밖에 없는 이유는 나다움은 오직 그곳에 존재하기 때문이다.

오직 그곳에 가야만 석굴암을, 에베레스트 산을, 그랜드 캐넌을, 이과수 폭포를 볼 수 있고, 나의 신화를 만날 수 있기에 내가 그곳으로 달려가는 것이다. 누구나 가는 뻔한 길 말고, '보랏빛 소'와 같은 다른 멋진 길도 있다는 것을 보여 주기 위해서 나의 모든 것을 불태우는 것이다.

살결이 있고 숨결이 있듯이, 꿈에도 결이 있어 꿈결이라 하고, 물에도 결이 있어 물결이라 한다. 바람의 흐름을 바람결이라 하고, 나무의 결을 나뭇결이라 하며, 사람의 성질에도 결이 있어 이를 '결기'라한다.

결기가 건강하게 흘러가게 하기 위해 가장 필요한 것이 '고민하고 생각하는 힘'이다. 고민은 음식을 썩지 않게 하는 소금과도 같아 인간의 삶과 생각을 썩지 않게 한다. 따라서 생각과 고민이 없는 사람에게서는 썩은 생선의 냄새가 나고, 일차원인 단세포 인간으로 좀비처럼 느껴지며, 말라비틀어진 풀처럼 메마른 가슴을 가진 허깨비 같은 느낌이 난다.

고민으로 인한 마음의 공허함과 허망함을 잊고자 자신을 망가뜨리는 사람이 있다. 고민을 잊고자 술을 마시고, 여자를 안고, 도박에 빠진다. 결국 고민으로부터 도피하려다가, 오히려 가야 할 길을 잃어버리는 것이다. 인정하고 싶지 않지만, 적지 않은 사람이 이 파괴의 길을 걷는다.

우리는 살아가면서 '용'이라는 괴물을 자주 만난다. 용이라는 괴물은 피하고 싶은 현실이며, 도망가고 싶은 삶이고, 두려움이고 공포이며, 죽음과 같은 고통이며, 견딜 수 없는 외로움이기도 하다.

우리가 영웅 같은 삶을 살다가 스스로 신화가 되는 길은 하나다. 두려움과 공포 속으로 내 몸을 던지는 것이다. 용이라는 괴물의 입 속으로 뛰어들어 용의 뱃가죽을 찢고 나와, 내 삶의 주인공으로, 만인의 영웅으로 나의 신화를 쓰는 것이다.

자신이 주인공인 삶을 사는 사람은 가면 속의 자신을 그대로 볼 줄 알고 자신을 인정하고 받아들일 줄 안다. 자신의 약함과 상처, 아픔과 열등감까지 끌어안으면서 자신에게 "괜찮아.", "수고했어."라고 위로하고 격려할 줄 안다. 이런 감성체력이 강한 사람에게 자발적 고통은 두려움이 아니라 벅찬 기쁨이 된다.

"시간이 화살과 같다."는 말에 동의한다. 이처럼 시간이 날아가는 화살과 같다는 것은 분명 나쁜 소식이다. 다행스러운 것은 그 시간의 조종사가 자기 자신이라는 사실이다. 따라서 천사가 나타나기를 기다리는 쪽보다는 당신이 직접 천사가 되는 쪽이 세상을 아름답게 만들듯이, 당신이 스스로 영웅이 되는 것, 당신이 자신의 신화를 만들어가는 삶이 이루어질 가능성이 훨씬 높다. 스스로 이룬 자가 되라.

9

구름에 달 가듯,
나그네의 삶

20세기 기독교 최고의 변증가 C.S. 루이스의 대표작 〈스크루테이프의 편지〉는 경험 많고 노회한 악마 스크루테이프가 조카이자 풋내기 악마인 웜우드에게 인간을 유혹하는 방법에 관해 쓴 31통의 편지로 이루어져 있다. 똑똑한 인간을 속이는 방법을 묻는 조카 악마 웜우드의 말에, 삼촌 악마 스크루테이프는 이렇게 답한다.

"열심히 살라고 말해 줘. 너무 똑똑하기 때문에 적당히 즐기며 살거나 여유 있는 삶을 살라는 식의 말은 절대 통하지 않아. 대신 그들에게 목표를 정해 주고, 그것을 향해 쉬지 않고 달리라고 말해 주면 돼. 그러면 우리가 굳이 무엇을 하지 않아도 그들 스스로 파멸하게 될 거야."

우리는 달리지 않으면 낙오되고 죽는 것처럼 착각하여, 죽는 순간까지도 쉬지 않고 끊임없이 달리기만 한다. 이것을 '붉은 여왕 효과'라 한다. 그런 삶은 저녁하늘을 붉게 물들이는 석양의 장엄함이 아니라, 우울하고 기괴한 형태의 붉은 핏빛으로 만든다.

무자비한 속도 앞에서는 삶의 경치도, 즐거움도, 장애인도, 사회적 약자도, 고통받고 위험에 처한 사람도 보이지 않는다. 이는 절망 속, 어둠 속을 향한 무한질주다. 액셀러레이터만 있는 차는 고장 난 차에 불과하듯이, 무한질주만 있는 인생은 고장 난 인생에 불과하다.

자동차가 좋은 것은 브레이크가 있어 멈출 수 있기에 달릴 수 있고, 다시 달릴 수 있기에 멈추는 것을 두려워하지 않는 것이다. 맹목의 질주, 앞으로만 가는 행진. 이런 식의 질주로는 결코 목표 지점에 도달할 수 없다. 그 앞에는 허무한 죽음만이 기다리고 있을 뿐이다.

'직선'하면 떠오르는 이미지는 차, 고속도로, 기찻길이다. 직선은 빠르다. 지름길이며, 막힘이 없고 차로 가면 더욱 편하고 안락하며, 목적하는 곳까지 가장 효율적 · 경제적으로 갈 수 있다. 하지만 직선은 인공적 · 인위적인 냄새가 진하게 풍기고, 겨울나무처럼 메마르고 냉혹하고 차가운 느낌이 든다.

반면 곡선은 느리다. 돌아가는 길이며 걸어가는 길이기에 힘들고 때론 불편하다. 하지만 곡선은 아스팔트가 아닌 흙인 까닭에 여유와 평화로움, 굴곡진 삶의 설렘이 느껴진다. 산길과 굽이굽이 이어진 둘

레길, 단청무늬가 선명한 전통가옥의 날아갈 듯한 지붕을 떠올리면, 저절로 입가에서 번지는 웃음이 귀에 걸린다.

즐거운 긴장감이 아니라 심장이 멈출 것 같은 견딜 수 없는 압박감이 주는 고단함과 피곤함이 무한 반복되는 일상 속에서 저녁이 있는 삶은 고사하고 밤하늘의 별을 보면서 짧은 나른함을 즐길 틈조차 주지 않는 세상은 내 심장을 갉아먹고, 나의 꿈을 짓밟는다. 그러면서도 나의 존재와 상관없이 정교한 기계처럼 한 치의 오차도 없이 잘 돌아간다.

개인택시 운전수의 운명, 칠전팔기 국회의원의 운명이나 고시 합격생의 성공 뒤에 죽음이라는 기구한 운명은 모두 쉴 때 쉬지 못한 자의 운명이다. 일상의 즐거움을 만끽하지 못한 자의 운명이다. 쉬어야 할 때 충분히 쉬지 못하는 사람은 제때 힘을 낼 수 없다.

현실의 자유는 다람쥐 쳇바퀴 위의 자유이고, 계층 굴레 속에서의 자유이며, 물먹은 솜처럼 한없이 무겁고 지치고 고단한 노동의 대가로 얻은 반쪽짜리 자유이다. 이런 보이지 않는 구속 속에서는 지고도 웃을 수 있는 여유나 습자지에 물이 스며들 듯이 나른하고 달콤한 삶의 여유를 맛보기 힘들다.

인생에서 여유와 자유가 가장 아름답게 꽃피는 시기는 청춘이 아니다. 해질녘의 노을이 숨 막히게 아름답듯이, 얼굴의 잔주름 사이에 깊고도 그윽한 아름다움이 새겨진 시절일 것이다. 그런 나이 듦의 시절에 구름에 달 가듯이 유유자적할 수 있는 나그네의 삶은 젊은 시절 치열함을 겪은 사람만이 만끽할 수 있는 아름다운 선물이다.

어둠은 사람을 쉬게 하는 마법의 힘이 있다. 가끔씩이라면 건달처럼 건들건들거리면서 어둠 속에 숨어 쓸쓸함과 외로움이 가져다주는 몽롱한 아늑함에 젖어 보는 것도 좋다. 흔들리고 덜컹거리면서도 자기중심을 잃지 않을 자신이 있다면, 오늘밤은 나도 당신도 홀로 어둠의 불빛 속으로 도깨비처럼 사라져 보자.

나는 어둠이 없는 세상에서 살아가는 것은 상상할 수도 없다. 열심히 일한 다음에는 반드시 휴식이 뒤따라야 하듯이 밝은 날이 지나면 반드시 어둠이 찾아와야 한다.

이처럼 삶의 무늬와 나이테는 일과 휴식 사이에서 피어난다. 일과 휴식 사이에는 시련도 그 무늬를 더해 주는 색깔이 된다. 일찍 도착하려고 서두르지 말라. 당신이 도착하는 순간, 놀이는 끝나고 저승사자만이 기다리고 있을 뿐이다.

〈전설의 고향〉을 보면 길 가는 선비가 우물가에서 물을 청할 때 어여쁜 규수가 물바가지에 낙엽 하나를 띄워 주는 장면을 심심치 않게 볼 수 있다. 그렇다면 왜 물바가지에 낙엽을 띄워 주는 것일까? 그 이유는 타는 목마름에도 찰나의 여유와 멈춤이 필요하다는 삶의 지혜를 보여 주는 일화다.

사막에서 지독한 목마름에 물을 떠 마시려는데, 몇 차례나 자신의 물바가지를 엎은 자신의 친구와도 같은 매를 베어 버린 칭기즈칸의 일화 또한 유명하다. 알고 보니 그 물통 안에는 맹독사가 내장이 터진 채로 죽어 있었다. 자신의 목숨을 구하기 위해 물바가지를 엎어 버린 충직한 매를 베어 버린 것이었다. 절체절명의 순간에도 찰나의 여유를 가질 수 있는 평정심과 냉정심이 있다면, 살아가면서 한 번뿐인 목숨을 10년 정도는 연장할 수 있을 것이다. '참을 인(忍)자 셋이면 살인도 면한다'는 말은 분명한 진리다.

1967년 일본 후쿠오카 마라톤 대회에서 신기록을 세운 호주의 데렉 클레이튼의 일화에 대한 기사를 요약한 다음 글은 여유와 멈춤의 미학을 잘 설명해 준다. 원래 하위권에 속하는 보잘것없는 마라톤 선수였던 그는 장거리 달리기의 신화인 에밀 자토팩처럼 일주일에 250킬로미터씩 달리면서 녹초가 될 때까지 훈련을 했다. 이러한 방식이 처음에는 효과가 있었으나 곧 한계에 부딪치고 말았다. 당대 최고의 선수들의 기록과 5분 이상 차이가 났으며, 언제부턴가 아무리 훈련을 해도 기록은 답보 상태를 벗어나지 못했고, 오히려 무리한 훈련은 부상으로 이어졌다.

클레이튼은 1967년 일본 후쿠오카 마라톤 대회를 준비하다가 부상을 입고 회복하기까지 한 달 내내 쉬어야 했다. 그는 부상을 입어 추진력을 잃은 것에 몹시 실망을 했지만, 다음 경기를 위해 준비 훈련을 하는 셈 치고 일본 마라톤 대회에 출전하기로 했다.

그런데 그 자신도 그 누구도 예상하지 못한 결과가 나왔다. 한 달

동안 훈련을 하지 못한 클레이튼이 자신의 개인 기록을 8분이나 단축하면서 역사상 최초로 2시간 10분의 벽을 깨고 우승을 한 것이다.

나아가지 않으면 뒤로 물러날 뿐이다. 그 중간은 없다는 것이, 머무를 수 없는 삶의 비정함이다. 낙오하지 않기 위해서는 끊임없이 달려야 한다는 붉은 여왕 효과를 맹신해서는 안 된다. 몰입과 휴식의 조화가 전진으로 가는 길이다. 물론 행동하지 않고 멈추는 것은 후퇴요, 몰락이다.

하지만 적절한 쉼은 나아가는 힘을 강화시키고, 질주를 지속시킬 수 있는 원동력이 된다. 목표를 향해 질주하라는 말은, 기계 같은 'Never Stop'의 삶을 말하는 것은 아니다. 터미네이터는 "나는 기계다."라고 했지만, 전태일의 말처럼 "우리는 기계가 아니다".

인간은 살기 위한 소음의 틈바구니 속에서 아등바등하고 피도 눈물도 없는 일도 서슴지 않고 저지르기도 한다. 하지만 누구나 해가 지면 가족의 품으로 돌아가려 하고, 해질녘 노을을 보면 착해진다. 이것도 몰입과 쉼의 균형과 조화다.

멈춰 섬에는 두 갈래의 길이 있다. 하나는 지나온 길을 돌아보고 심신의 에너지를 충전하기 위한 '쉬어 감'으로서의 멈춤, 바쁜 가운데 못 보고 지나친 삶의 소박하고 잔잔한 아름다움을 돌아보는 '여유'와 재충전으로서의 멈춤이다.

또 다른 하나는 고장 나서 어쩔 수 없이 멈춰 서는 경우로, 추락과 절망과 일어설 수 없는 실패로 돌부처나 석고상처럼 '굳어 버림'으로서의 멈춤이다. 이런 마비의 멈춤은 뒤늦은 후회와 회한만 남는 죽음의 올가미다. 그러나 불행하게도 우리들 대부분은 고장이 난 후에 멈춘다.

참치도, 상어도, 태어나서 죽을 때까지 달리고 또 달려야 한다. 멈추는 순간 가라앉기 때문에 한순간도 멈출 수 없다. 사람은 참치도, 상어도 아니기에, 죽을 때까지 달리지 않아도 된다. 하지만 자본주의 사회는 사람들을 죽을 때까지 달리게 한다. 눈앞에 돈자루를 매단 자동차가 느린 속도로 달리고 있기 때문이다.

눈앞에 있는 돈자루를 잡기 위해 낮에도 달리고 저녁에도 달린다. 아침에 일어나 헛개나무로 만든 음료를 마시고 몽롱한 정신이 잠시 깨어나면 또 달린다. 많은 사람들은 얼떨결에 달리고, 남들이 달리니까 자기도 달린다. 남들이 속력을 내니까 자기도 영문도 모른 채 속력을 낸다. 사람마다 달리는 능력이 달라 빨리 달리는 사람, 지구력이 좋은 사람, 느리게 달리는 사람, 체력이 약한 사람 등 다양한 사람들이 있어 누구나 빠르게 달릴 수는 없지만, 누구나 자신의 능력을 과신한다.

돈자루를 얻기 위한 달리기가 어느새 많은 사람들에게 죽음의 질주가 되었다. 맹렬하게 달리다 보니 지쳐 쓰러지고, 다리가 부러지고, 가슴이 타들어가는 사람이 속출한다. 그래도 조금만 힘을 내면 돈자루를 잡을 수 있을 것 같은 생각에, 다시 힘을 내어 죽을 것 같아도 달린다. 그러나 이들은 눈앞의 돈자루만 바라보고 달리면 달릴수록 돈자루만 크게 보일뿐, 돈자루를 얻은 후의 즐거운 삶은 보이지 않는다는 중요한 사실을 망각하고 있다.

하루 동안 자신이 밟은 땅을 준다는 신의 약속에 탐욕으로 결국 자신의 무덤자리만 차지한 톨스토이 단편 속 어리석은 인간처럼, 대부분 돈자루의 돈을 구경도 못하고 죽거나, 돈자루만 좇다가 어렵게 돈자루를 얻더라도 기다리고 있는 것은 삭막하고 적막하고 막막한 삶뿐이다.

'저녁이 있는 삶'이라는 슬로건처럼 밥상을 함께하고 앉은 가족에게 따뜻한 말 한마디와 웃음 한 조각을 나눠 줄 수 없다면, 학교에서 친구와 싸우고 돌아와 울고 있는 아이의 눈을 따뜻한 시선으로 바라볼 시간조차 없다면, 힘든 일을 겪고 있는 선후배 동료에게 따뜻한 차 한 잔 나누면서 이야기를 들어 줄 시간이 없다면, 그건 너무 삭막하고 적막한 인생이 아니겠는가.

바닷가에 산다고 바닷가를 만끽하기 어렵고, 땀이라면 사우나에서 흘리는 것 말고는 흘려 본 적이 없는 사람은 정직하게 땀을 흘린 사람이 새참시간에 마시던 그 달고 시원한 막걸리의 목 넘김을, 그 짜릿함과 행복한 기분을 알 수 없듯이, 열심히 일한 뒤에 찾아오는 휴식의 달콤함을 이해할 수 없다. 바쁜 일상 가운데 잠깐씩 맛보는 삶의 여유와 여백이 가져다주는 즐거움을 만끽할 수 있다면, 그는 작은 여유로움 속에서 자유를 만끽할 줄 아는 넉넉한 사람이다.

　"신이 만든 곡선을 인간은 직선으로 편다."는 말처럼 그 빠른 직선은 자연을 베고 생명을 찌른다. 뒤를 돌아보는 삶, 지나 온 발자국을 쳐다보는 삶, 앞만 보는 것이 아니라 옆과 뒤, 하늘까지 쳐다보는 삶, 애초 신이 정해 준 곡선의 삶을 되찾아야 한다.

순간을 영원으로
만드는 비밀

그는 자린고비가 되었다. 심지어 구두 뒤축을 닳게 하지 않으려고 조심스럽게 걸어 다녔다. 마침내 그는 그렇게 소망하던 명품가죽잠바를 샀다. 그런데 어느 날, 그는 밤늦게 돌아오다 강도를 만나 잠바를 빼앗기고 말았다. 그는 그날부터 실의의 나날을 보내다 결국 자살로 생을 마감하고 말았다.

웃어도 하루이고, 울어도 하루다. 현재에 투자하는 것이 미래에 투자하는 것이다. 미래의 행복을 위하여 커피 한 잔의 행복과 즐거움을 줄이고 여행을 끝없이 미루는 것은 일상의 행복과 즐거움을 죽이는 것을 넘어, 그렇게 모인 돈이 독이 되어 가족 간의 감정싸움의 화근이 되고 만다.

이렇게 웃음을 잃어버린 얼굴로 일한 결과가 필연적으로 가져다주는 것은 악마의 선물인 관절염, 치매, 알츠하이머다. 결국 모은 돈은 모두 치료비로 써야 하는 것이다. 인간이 저지르는 가장 어리석은 행동은 이처럼 미래에 절대 오지 않을 행복을 위해 지금, 오늘의 웃음과 행복을 죽이는 일이다.

결국 모든 것은 타이밍이다. 시간은 살아 있는 자의 것이고, 인간은 시간의 흐름 속에서 살아 있기에 지금 이 순간 즐거움을 만끽하는 자가 시간의 주인이다.

현재의 삶을 충실히 산다는 것은 무엇을 의미하는 걸까? 아마 사람마다 모두 다를 것이다. 도전이 감당할 수 없는 고통이라면 도전하지 마라. 인내가 버틸 수 없을 만큼, 참을 수 없을 만큼의 고통이라면 성공하지 못하더라도 인내하지 마라.

다만, 도전이 아무리 죽을 듯한 고통이라도, 즐겁게 한 걸음 걸음 나아갈 수 있는 고통이라면 도전해라. 숨을 멎을 것 같은 참을 수 없는 상황이라도, 즐겁게 감내할 수 있다면 끝까지 인내하라.

즉, 현재의 삶을 충실히 산다는 것은 하루하루를 절정으로, 순간순간을 소중하고 가치 있게 살아야 하며, 어떤 경우라도 지금의 삶을 즐겁고 열정적으로 살아야 한다는 의미이다. 인생은 이런 면에서 오직 지금만이 존재하는 삶이다.

지금 자신의 나이를 사랑하는 사람에게는 푸른 감성을 회복하기에 너무 늦어 버린 나이도 없고, 변화를 좇아야 하기에 새로운 도전을 하기에 너무 늦은 나이도 없다. 가족과 화해하고, 잘못을 사과하고, 오류를 바로 잡기에 너무나 늦어 버린 시간은 없다.

자신의 나이를 사랑하는 한, 지금 이 순간만이 당신이 사는 삶의 전부이기에 온몸으로 혼을 다해서 즐기고 맛보고 느끼면서 살 수 있다면, 다시 일어서기에 너무 늦은 나이란 없다.

'카르페 디엠(Carpe Diem)'은 지금 이 순간을 소중히 여기라는 의미이다. 순간순간을 소중히 여기는 마음이 순간을 영원으로 만드는 비밀이다. 시간은 직선이다. 하지만 인간은 시간의 조종사다. 그래서 시간을 슬로우 모션으로 곡선이나 나선형으로 만들기도 한다. 시간이 밀도와 몰입도에 따라 다르게 가는 것이 시간의 상대성이다.

누가 가장 강한 정복자인가? 나폴레옹인가, 칭기즈칸인가, 알렉산더인가, 지구의 정복자인가, 우주의 정복자인가? 아니다. 세상에서 가장 강한 정복자는 지금을 지배하는 자이다. 지금 가장 치열하고 격렬하게 살면서 순간순간에 집중하고, 바로 이 순간을 내 삶에서 가장 충만한 즐거움으로 채우는 자는 영원을 지배하는 자이며, 패배를 모르는 불사조의 정복자이다.

빛나게 웃어라, 격렬하게 웃어라, 격하게 웃어라. "기다리면 좋은 세상 무동 타고 오겠지."라는 표현에 속지 마라. 내가 좋은 세상을 만들지 않는 한, 아무리 기다려도 좋은 세상은 오지 않는다. 공정한 세상을 말로만 떠드는 수다쟁이들에게, 바라만 보고 있는 사람들에게, 꿈만 꾸는 몽상가들에게 그날은 아무리 기다려도 오지 않는다. 나의 열정을 불태우게 하고, 열정 속으로 몰입하게 하고 푹 빠지게 할 수 있는 '날개 달린 희망'을 꿈꾸어라.

내가 지금 가슴이 터질 듯한 두근거림으로 팔딱거리는 것은 누군가를 혹은 무엇인가를 사랑하고 있기 때문이다. 내가 지금 고민하고 있는 것은 무엇인가를 진실로 배우고 있기 때문이다. 내가 지금 방황하고 있는 것은 아름다운 무엇인가를 보고 있기 때문이다.

나의 미래를 상상해 본다. 마침내 퇴직 후 세계여행을 할 수 있는 시간적·경제적 여유를 갖게 되었지만, 아내는 이미 오랫동안 일에 빠져 가족과 함께 시간을 보내지 않았던 남편에게 마음이 떠나 그녀만의 인간관계 속에서 즐거움을 찾았고, 나는 일에 몰두하느라 건강을 돌보지 않아 이미 신체적 쇠퇴기에 접어든 나이 때문에 장기간의 여행을 즐길 수 있는 체력을 잃어버렸다.

그토록 꿈꾸었던 가족과의 세계여행은 이젠 '그림의 떡'이 되었다. 그동안 모아 놓은 돈은, 나이 들면서 주름과 늘어진 뱃살, 약해지고 병든 마음과 몸뚱어리의 유지비용과 병원비에 들어간다. 짜증과 불만, 스트레스만 가중되고, 몸이 더욱더 약해져서 날마다 병원으로 출근한다. 젊어서는 일터로 출근하고, 나이가 들어 병약해지면 병원으로 출근한다. 행복유예는 결국 불행의 확대 재생산이란 결과를 낳았다.

행복은 과유불급일 때가 가장 설렌다. 지금의 조금 부족해 보이는 소박한 행복이 나중에 조금 더 완전해 보이는 행복보다 훨씬 소중하고, 아름답고, 가치 있다. 하지만 '언젠가'는 '언젠가'일 뿐이다. 'Someday'는 영원한 'Someday'일 뿐이다.

누군가를 진정으로 돕고 싶다면 지금 도와라. 지금 돕지 않으면 앞으로도 영원히 도와줄 수 없을 것이다. 가족과 여행을 떠나고 싶다면, 지금 떠나라. 지금 당장 떠나지 않으면 앞으로도 가족과 여행할 가능성은 점점 줄어들 것이다. 아울러 여행의 즐거움도 점점 사라질 것이다. 누군가가 그립다면 지금 당장 만나라. 이것이 '지금행복 만족 극대화 법칙'이다.

멀리 있는 잔디일수록 촘촘하고 푸르러 보이며 남의 떡일수록 크고 맛나게 보이는 법이다. 하지만 그뿐이다. 나의 행복은 드라마 속 신데렐라 이야기에도, 아름다운 노을이 감싸 안은 저 멀리 있는 산꼭대기 외로운 나무와 탄성을 자아내는 지리산의 운무에도, 먹음직스러워 보이는 '그림의 떡' 속에도 들어 있지 않다.

우리가 할 일은 오늘이 좋은 날이며 오늘을 내 삶의 가장 즐겁고 행복한 날이 되도록 춤추고 노래하면서 내 안에 고여 있는 즐거움이 분수처럼 솟구치게 하는 것이다.

"기적은 물 위를 걷는 것이 아니라, 푸른 대지 위를 걸으며 지금 이

순간의 평화와 아름다움과 만나는 일이다."

틱낫한 스님의 말이다. 일상의 즐거움과 아름다움을 보고 느끼고 즐기지 못하면서 꿈과 희망을 얘기하는 것은, 오물 구덩이 속에서 진수성찬을 바라는 것과 같다.

여유로움이 가져다주는 즐거움은 지연시킬 수도, 유예할 수도 없다. 즐거움을 지연시키는 것은 마치 길가에 피어 있는 들꽃을 보고 즐거워하기보다는 언제 떠오를지 모를 오색영롱한 무지개를 꿈꾸는 것처럼 어리석다. 따라서 작고 시시하다고 생각되는 것들을 미루며 살기보다는 그 작고 하찮아 보이는 것들을 지금 당장 하나하나 이루며 사는 삶이 훨씬 더 많은 성취와 행복과 즐거움을 안겨다 줄 것이다.

진정한 자유를
찾아가는 길

이룰 수 없는 것만 바라보고 살면 서럽고 공허하지만, 이룰 수 있는 것만 바라보고 살면 나는 움직일 수 있고 충분히 자유롭다.

비교가 나를 열등감에 빠뜨리거나 자만에 빠지게 하지 않고 나를 성숙한 모습으로 성장시킬 수 있다면 그 비교는 나에게 자유의 날개이듯이, 고통이나 고난, 불만족, 자유의 적들에 대한 견딜 수 없는 분노와 불편, 아니 피 흘림의 희생이 의미를 갖기 위해서는 그것이 자유를 향한 여정의 동반자가 되어야 한다.

좋아하고 하고 싶은 일을 위한 삶을 살 때, 자유의 길을 걸어갈 때, 나를 일깨우고 일으켜 세우며 불타오르게 하는 동력이 된다.

내 앞에 다가오는 모든 것을 사랑하는 자는 자유인이고, 다가오는 모든 것을 두려워하는 자는 노예일 뿐이다. 내가 내 일을 사랑하고, 한 여자를 사랑하고, 내가 두려움과 고통마저도 기꺼이 사랑한다면 나는 자유인이다. 반면에 내가 사람에게 다가가길 무서워하고, 고통과 실패를 두려워하며, 내가 만인을 증오한다면 나는 노예의 삶을 사는 것이다.

어떤 위치에 있든, 어떤 자리에 있든 당신이 그곳에 있기를 원하지 않는다면, 아무리 편안하고 안락하더라도 당신에게는 그곳이 감옥이다. 만일 당신의 전공이나 직업이 당신이 원치 않는 것이라면, 당신은 감옥에 있는 것이다. 원치 않는 관계, 원치 않는 내 몸이나 건강상태 또한 마찬가지다.

자유는 좋아하고 하고 싶은 일을 하는 것이며, 당신이 지금 있는 자리에 만족하는 것이다. 자유로움을 느낀다는 것은 즐거움을 만끽한다는 의미다.

조정래 선생은 자신을 가리켜 "글감옥에 갇힌 자"라고 한다. 이처럼 자유를 넘어선 절대자유를 누리기 위해서 먼저 자유는 자신과 세상에 대한 무한한 사랑이다. 세이렌과의 일화는 〈오디세이아〉에서 가장 유명한 이야기다.

세이렌의 아름다운 노랫소리를 들은 선원들은 자신의 의지와는 상관없이 바다에 뛰어들어 목숨을 잃는다. 이런 운명을 피하기 위해 오디세우스는 돛대에 몸을 묶었다. 세이렌은 최고의 깨달음과 쾌락을 오디세우스에게 약속하면서 세상에서 가장 달콤한 유혹을 하지만, 오디세우스의 자유로운 삶을 위한 치열한 몸부림은 더욱 강했다.

이처럼 초긍정의 의지로 끊임없이 바위를 굴리는 운명의 시지프스, 돛대에 묶인 오디세우스, 인간에 대한 무한사랑을 위해 기꺼이 고통 속으로 뛰어든 프로메테우스나 자발적인 구속의 자유로움을 노래한 만해 한용운은 분명 자신의 운명을 사랑하는 진정한 자유인이다. 그들은 스스로 감옥 속으로 기꺼이 들어갔다. 스스로 만든 감옥에서의 시련과 담금질을 거쳐 감옥에서 벗어났을 때의 절대자유, 꿈과 자아의 실현에 도달하기 위함이다.

인간다운 삶의 가장 고귀한 가치인 자유로운 마음과 환경마저도 스스로 통제할 수 있는 사람이 진정한 자유인이다. 그는 주어진 자유를 누리는 것을 넘어 스스로 선택한 자유를 만끽하는 삶을 살기 때문이다. 물론 현실의 삶에서 이러한 자발적 구속이 성격적으로 맞는 사람도 있고, 맞지 않는 사람도 있기에 이를 일반화하거나 절대시할 필요는 없다. 분명한 것은 아름다운 구속을 통해 나를 성장시킬 수 있다면, 이것은 내가 선택한 자유라는 점이다.

자유는 여자와 같다. 좋다고 쫓아갈수록 도망가고, 무시하고 무관심하며 나쁘게 대할수록 더욱 집착하는 여자의 알 수 없는 마음처럼. 또한 자유는 남자와 같다. 좋다고 쫓아다닐수록 멀어지고, 냉정하고 도도하게 대할수록 매력이 있다고 자석처럼 이끌려 오는 남자의 마음처럼.

우리가 자유로움을 향유하기 위해 욕망이 시키는 대로 자유의 날갯짓을 하면 할수록, 진정한 자유로움에 도달하기는커녕 마치 쇳덩어리로 만든 날개를 단 것처럼 점점 무거워져서 끝없이 추락하거나, 초로 만든 이카루스의 날개처럼 태양에 녹아 버릴 것이다. 이것이 '자유의 역설'이다.

이순신 장군이 "살려고 하면 죽을 것이고, 죽으려고 하면 산다."고 말했듯이 껍데기에 불과한 자유를 좇으면 좇을수록 진정한 자유로부터 멀어질 것이다. 스스로 자신의 가진 자유를 최대한 절제하고 구속하면서 자신이 원하는 것을 향하여 절박함과 간절함으로 질주할 때, 비로소 진정한 자유와 만날 수 있는 것이다.

익숙한 것과 결별하라. 편안함과 이별하고, 안락함으로부터 탈출하라. 익숙한 것과 결별하고, 안락함으로부터 죽을힘을 다해 탈출하는 것이 진정한 자유를 찾아가는 길이다.

시선에는 위에서 아래로의 권력의 시선, 경멸의 시선이 있고, 아래에서 위로의 질시의 시선, 선망의 시선이 있다. 어둠 속에서의 감시의 시선, 엿봄의 시선도 있다. 어떤 시선이든 타인의 시선에 극도로 민감하거나 무감각한 사람은 자유롭다고 말할 수 없다. 타인의 시선과 두려움 없이 마주할 수 있는 사람만이 자유로운 사람이다.

하지만 우리는 분명히 안다. 힘도 없고, 돈도 없고, 뒷배경도 없는 사람들은 권력과 감시의 시선, 경멸과 무시의 시선에서 결코 자유로울 수 없다는 사실을······.

 그런 의미에서 우리는 세상 속에서 무한한 자유가 있는 것이 아니라, 사회적 위치 안에서의 다람쥐 쳇바퀴처럼 벗어날 수 없는 부처님 손바닥 위의 자유만 있다고 할 수 있다. 여기에서 자유는 자본이고, 자본의 크기가 자유의 크기다. 자본주의 사회에서 자유는 자본의 굴레를 벗어날 수 없으며, 인간은 자본의 유혹, 자본의 중독에서 영원히 벗어날 수 없다.

 모든 국민에게는 선택의 자유가 주어진다. 하지만 마치 지도상의 계획처럼, 냉혹한 현실 속에서 그들에게 주어진 선택의 자유는 그림의 떡일 수밖에 없다. 헌법이나 책 속에 자유보다는 하루하루 견뎌야 하는 생존의 현실이 먼저이기 때문이다.

 자본이 자유라는 말은 가진 돈에 비례하여 자유의 크기와 사람의 가치가 정해진다는 것이다. 하지만 진정한 자유로움은 자본으로부터의 자유라고 할 때, 진정한 자유는 여유롭게 마음껏 웃을 수 있는 것이고, 자유의 확장은 나의 웃음으로 만인을 웃게 만드는 것이다.

 진정한 자유인은 가면을 상황에 따라 자유롭게 벗었다 썼다 할 수 있는 사람이다. 인간관계에서 가면의 얼굴이란 곧 인간의 얼굴 표정이다. 사람과의 관계 속에서 민낯은 너무도 연약하고 민감하며 잔인하고 무자비하기에, 몸과 마음은 마치 뜨거운 태양 아래 아이스크림처럼 녹아내릴 것이다.

 자기다움은 자유로움이다. 경계에 선 인간이란 경계에서 포용하는 사람이다. '자기답다'는 것은 '가장 자유롭다'는 말의 다른 말이다. 사실 다른 사람들은 나에게 별 관심이 없다. 그들에게 나는 매일 거리에서 스쳐 지나가는 사람에 불과할 뿐인데, 내가 너무 지나치게 그들을 의식해 내 자신을 옥죄고 두려움에 떨었던 것이다.

또한 자기다움은 "아이는 이래야 아이답고, 여자란 이래야 여자답다."는 스테레오타입이나 편견으로부터의 탈피이다. 스테레오타입은 사회적 기준이나 틀에 맞추는 것이며, 진정한 자기다움은 자신이 삶에 대한 기준의 설정자로서 자기다움을 창조해 가는 것이기 때문이다.

스마트폰의 시대에는 지식은 넘쳐나되, 지혜도 생각도 없는 무뇌 인간, 일차원적 단세포 인간이 대량 생산된다. 이러한 이유로 부와 권력을 가진 자들은 "민주주의의 주인은 국민이다. 주권은 국민에게 있다."라고 입에 발린 말을 하면서 국민을 자신들의 지배를 대물림하기 위한 도구로 조종하고 통제하고 활용하기 딱 좋은 맞춤형 인간으로 만들어 가는 것이 가능해졌다.

스마트폰 속에 환상을 들고 다니면서 허깨비처럼 살아갈수록, 현실과 환상의 거리는 점점 벌어지고 영원히 좁힐 수 없다. 자유란 자신의 시선과 타인의 시선 사이에서 피어나는 꽃이다. 타인의 시선에 압도될 때 그 꽃은 독을 품은 꽃이 된다. 이처럼 타인의 시선에 구속되어 나타나는 행동이 체면이고 허례허식이고 위선이며 극심한 스트레스다.

타인의 시선에, 자신의 시선에 갇혀 버린 사람들은 이기심과 부러움이라는 렌즈를 통해 왜곡되고 비틀린 시선을 갖게 된다. 이런 왜곡

된 자신의 시선으로 바라본 세상은 상대적으로 남이 떡이 더 커 보이고, 머피의 법칙처럼 남보다 내가 더 손해를 보는 것처럼 보인다.

이런 시선의 감옥 속에서 느껴지는 타인의 시선은 경멸의 시선, 무시와 모욕의 시선이며 때로는 위협과 공포의 시선이 된다. 이미 자신의 시선에 갇혀 있는 사람은 타인의 시선이 더욱 두렵고 공포스럽다. 반대로 자신의 시선에서 자유로운 사람은 타인의 시선이 더욱 그립고 기다려진다.

자신의 시선에 갇힌 사람은 자신을 혐오하고 경멸하며 증오하고 벌레나 쓰레기처럼 생각한다. 그리고 타인의 시선에 갇힌 사람은 타인의 시선을 두려워하고 피하려고 한다. 이때 타인의 시선은 사르트르의 말처럼 '지옥'이다.

자신의 시선으로부터 자유로운 사람은 자신을 사랑하고 자신을 신뢰한다. 그리고 타인의 시선으로부터 자유로운 사람은 타인의 시선을 즐길 줄 알고, 따뜻하게 응시할 수 있기에, 타인의 시선은 타인과의 관계가 즐거운 삶의 원천이 되는 천국의 선물이다.

자신의 시선으로부터 자유롭게 살아간다는 것은 자신의 시선, 즉 자신의 생각이 우주의 중심이라는 오만과 독선에서 벗어나 타인의 마음을 이해하고 배려하는 '역지사지'의 시선을 말한다. 결국 자신의 시선으로 살아간다는 말은 자신과의 화해함은 넘어 타인과의 화해가 가능한 삶이다.

타인의 시선을 인정하고 존중하고 받아들일 수 있을 때, 타인과의 화해가 가능하다. 자신의 시선이 지배할 때 그 꽃은 향기로운 꽃이 된다. 하지만 자신의 시선이 자신만의 시선과 자만의 시선으로 변하지 않도록 항상 자신을 경계하라.

"자기가 그만한 힘이 없으면서도 커다란 존재라고 생각하는 사람은 거만하다. 또한 자기 가치를 실제보다 적게 생각하는 사람은 비굴하다."

아리스토텔레스의 말이다. 자기 자신을 제대로 볼 줄 아는 것이 자유의 출발점이다.

스스로 만들어 낸 고통에 갇히는 사람이 있고, 스스로 만들어 낸 고통을 즐기는 사람이 있다. 한 사람은 노예의 삶이고, 또 한 사람은 자유인의 삶이다. 노예의 삶과 자유인의 삶을 결정하는 것은 마음의 자세나 삶에 대한 개개인의 태도에 달려 있다. 적어도 스파르타쿠스나 만적은 노예의 신분이었지만 노예의 삶을 살지는 않았다. 오히려 진정한 자유인의 삶을 살다가 간 사람들이다.

현대 사회에서 우리는 법적으로 자유인의 신분으로 살아간다. 하지만 대부분의 사람들이 현실적으로 자신의 생각과 행동을 보이지 않는 힘의 올가미에 이끌려 노예와 같은 삶을 살아가고 있다.

대부분의 인간이 자신을 자유인이라고 생각하는 것은 거대하고 은밀하게 조종되는 보이지 않는 손에 의해 자유의지라고 믿고 있는 것이 통제된 의지라는 것을 인식하지 못하기 때문이다.

그런데 만일 통제되고 있다는 것을 알더라도 달리 방도가 없다. 오히려 통제되고 있다는 사실을 망각하고 사는 편이 정신건강에 더 좋을 수도 있다. 하지만 분명한 것은 서민들은 내가 서 있는 위치에서 지구가 둥글다는 것, 지구가 돌고 있다는 사실을 인식하지 못하는 것과 마찬가지로, 자유의지에 의해 행동하고 있다고 착각하면서 살아가고 있다는 점이다.

삶은 누구에게나 감옥이다. 단지 누구에게는 빵 한 조각에 눈에 핏발을 세우고 끝없이 달려야만 하는 미로의 감옥이고, 누구에게는 감옥 속에 온갖 산해진미와 외제차, 명품으로 가득 채운 풍요로운 감옥이라는 차이만이 존재할 뿐이다. 그들에게는 공통점이 하나 있다. 자신들이 죽을 때까지 영원히 빠져나올 수 없는 감옥에 갇혀 있다는 사실을 모르고 있다는 점이다.

그런데 이 감옥으로부터 나온다는 것은 탈출을 의미하는 것이 아니다. 감옥 문은 언제나 열려 있다. 다만 우리가 감옥 문을 열고 나오는 것을 두려워할 뿐이다. 자유인이 되는 방법은 간단하다. 열려 있는 문으로 그냥 걸어 나오면 된다. 주어진 자유를 그냥 가지고만 있는 자를 진정한 자유인이라 하지 않는다. 자유를 통해 자유로움을 만끽하는 삶을 사는 사람을 우리는 진정한 자유인이라고 한다.

누군가에게 순종은 신이 인간에게 주신 가장 고귀한 본능이다. 누군가에게 자유의지는 신이 인간에게 주신 가장 곤혹스러운 선물이다.

순종과 복종은 한마디로, 시키는 대로 하는 삶의 편안함과 여유로움이다. 사람은 시키는 대로 하는 삶에서 가장 자유로움을 느낀다. 역설적으로 스스로 모든 것을 결정하는 자유의지를 부여받으면 받을수록 사람들은 더욱 움츠리고 얽매인 삶을 살아가는 것이다.

현대인은 머리 깎인 삼손처럼 자유의지를 잃어버렸기에 노예적인 삶에서 자유로움을 느낀다. 오히려 자유로운 삶에서 삶의 고단함과 불편함을 느끼기에 자유로부터 도피하려 한다. 이런 현상은 현대인들이 노예적인 삶이 가져다주는 달콤함과 안락함에 이미 중독되었기 때문이다. 마치 MSG에 중독되듯이, 사회와 체계가 정한 기준이나 타인의 시선에 맞추어 살다 보니 자연스럽게 길들여진 삶을 살게 된 것이다.

물론 나는 자유를 구속보다 사랑한다. 하지만 내가 선택한 구속이라면, 나는 구속을 자유보다 더 사랑한다. 왜냐하면 내가 선택한 구속은 나의 의지와 열정을 더 강하게 하고, 내가 가진 무한한 잠재력을 최대치로 끌어올리게 만들며, 나를 가장 자유롭게 만드는 가장 강력한 무기이기 때문이다.

그렇다면 자유란 무엇인가. 한마디로 자기 욕망을 가지는 것이다. 욕망의 주인이 되는 것이다. 타인의 시선이나 타인의 욕망에 이끌려가는 것이 아니라 자신의 욕망을 좇으면서 즐겁게 사는 영혼이 자유로운 사람이다.

자유란 결국 자신이 살고 싶은 삶을 사는 사람이다. 자기 욕망을 가지고 이를 성취해 갈 때, 우리는 이를 자유인이라고 한다. 자기의 욕망을 통해 타인의 욕망까지 붉은 노을처럼 기쁨으로 번지게 할 수 있는 사람은 큰 자유인이다. 이것이 '선한 욕망의 번짐 효과'이다.

우리가 자유를 소중하게 생각하는 것은, 자유 속에서 인간의 상상력과 창의력이 꽃피고 문화와 문명이 발달하며, 인간의 역사가 진보하고 인간의 삶이 창조적으로 진화하기 때문이다. 무엇보다도 자유 속에서 우리는 웃고, 춤추고, 더할 수 없는 즐거움을 만끽할 수 있기 때문이다.

라면 인생과 이별하기

누구나 후회한다. 개인적으로 성공한 삶의 길을 가는 것처럼 보이는 이만기 씨도 가지 않은 길 때문에 후회할 때가 있다고 한다. 이에 덧붙여 그는 말한다. 나를 포함한 운동선수 출신들은 언제 어디서나 행동을 조심해야 한다고.

평범한 사람이라면 넘어갈 일도 운동선수가 실수를 저지르면 '운동만 하느라 배운 것이 없어서 그런다'는 반응이 나온다. 이러한 편견은 그 자식에게도 그대로 적용된다. 혹시라도 아이들이 공부를 못하면 "아버지 닮아서 애들이 머리가 나쁘다."라는 소리를 듣는다. 이것이 바로 그가 운동한 것을 후회한 이유라고 한다. 그중에서도 '힘만 세고 무식해 보이는' 씨름을 한 것을 후회한다고 한다.

이처럼 누구나 후회한다. 가지 않은 길에 대한 그리움이 있기에……. 하지만 자신이 택할 길에서 최선을 다한 삶을 살았다 해도, 가지 않은 길에 대한 후회와 미련은 여전히 존재한다. 내가 보기에 남다르게 분명한 자기 색깔로 삶은 살아온 사람조차도 말이다.

대부분의 사람들이 살면서 가장 많이 먹은 음식이 바로 라면일 것이다. 개인의 건강한 삶이란 측면에서 별로 좋은 일이 아니다. 그러므로 할 수만 있다면 인스턴트 음식인 라면에서 빨리 졸업해야 한다.

누구나 늦은 저녁 라면을 맛있게 먹고 난 후, 다음 날 아침 후회한 적이 있을 것이다. 라면을 먹고 나서 후회하는 '후회라면'이라면 웃고 넘길 수 있지만, 삶에 있어 뒤늦은 회환과 후회를 하게 되는 '후회라면'이라면 이야기가 달라진다.

하지만 라면보다 더 안 좋은 것이 만시지탄의 인생, 때늦은 후회 인생이다. 보통 '~ 했었더라면'이나 "~했더라면 좋았을 텐데"로, 그 회환을 토해 내기에 나는 이를 '~라면인생'이라고 명명했다. 인스턴트 라면에서 졸업함과 동시에 라면인생도 때가 되면 빛나는 졸업장을 가슴에 안고 졸업해야 한다.

내가 좋아하는 라면은 여행이라면, 독서라면, 함께라면, 친구라면이다. 하지만 내가 싫어하는 후회라면은 없애고 싶은 데 없앨 수 없다. 우리의 입맛은 너무도 오랫동안 '라면'에 중독되어 있기에 영원히 라면에서 벗어날 수 없다.

하루에 우리나라 사람이 먹는 라면만 해도, 그 수가 수백만 개에 이른다. 우리가 라면 중독에서 벗어나지 못하는 한 우리는 '~라면'이라는 '버스 떠난 뒤에 손 흔들기' 인생에서 벗어나지 못한다. '~라면'이라는 후회의 삶에서 벗어나기 위한 첫 걸음은 신라면이든 삼양라면이든 라면 중독에서 벗어나는 일이다.

가난한 사람들의 일차적인 꿈은 라면과의 이별, 즉, 절대적인 가난과 생존에 목매는 삶을 벗어난다는 의미이다. 하지만 '~라면'이라는 후회라면을 먹지 않을 방법은 없다. 후회를 피할 수 없다면 한 번뿐인 삶, 좋아하는 일, 하고 싶은 일을 하고, 일상의 기쁨을 만끽하면서 살아야 한다.

후회라면을 먹지 않기 위해서는 저마다 화를 다스리는 필살기를 가지고 있어야 한다. 얼큰한 칼국수를 먹든, 열까지 세든. 하지만 나는 가장 확실한 필살기는 일상의 즐거움을 만끽하는 삶에 있다고 생각한다.

불확실하고 예측불허의 삶을 살면서 후회 없는 삶을 살기는 불가능하지만, 가능하다면 약간의 미련만을 남기고 후회는 최소화할 수 있는 삶을 사는 것이 내 삶의 의지다. 사랑하는 이에게 사랑한다는 말을 하는 것, 어쩌면 오늘밖에 기회가 없을지도 모른다.

우리를 힘들게 하는 문제들도 많지만, 그때마다 우리를 구해 주는 작은 기쁨과 즐거움들은 도처에 수없이 많다. 삶은 오묘하고 신비롭다. 까뮈의 이방인처럼 햇빛 때문에 살인을 저지를 수도 있는 것이 인간이지만, 나무에 매달려 죽을 결심으로 올라간 체리나무에서 가지마다 열린 체리 열매를 입에 넣으면서 퍼지는 달콤함 때문에 다시 살아갈 희망을 품는 것이 인간이다.

사람들을 구해 준 것들, 생의 의지를 다시 불러일으킨 것들은 의외로 아주 작고 사소한 것들일 수 있다. 자연과의 만남, 애완동물과의 인연, 스치는 바람이나 지는 석양, 한 움큼의 체리, 떠오르는 태양, 천진난만 뛰어노는 아이들. 사람들에게 힘을 준 것은 바로 그런 것들이다.

기대는 배반당한다. 이것은 지극히 당연하다. 누구도 기대로부터 배반당하지 않는 사람은 없다. 기대로부터 배반당하지 않는 삶은 후회 없는 삶을 뜻하는데, 후회 없는 삶을 사는 사람은 없기 때문이다.

기대는 사람과 상황에 따라 항상 다른 얼굴을 하고 있다. 누군가에게는 목표라는 이름으로, 또 누군가에게는 희망으로, 도전으로, 행운이란 이름의 얼굴을 하고 있다. 로또의 기대에게도 배반당하고, 돈 많고 능력 있고 멋있는 짝을 만나고 싶다는 기대 역시 어김없이 배반을 당한다.

그러므로 기대하기보다는 사랑할 수 있는 에너지도, 나에게 주어진 시간도, 세상에 뿌려야 할 따뜻함도, 웃음도 즐거움도, 활화산 같은 열정의 에너지도 모두 이 세상에서 다 쓰고 가야겠다. 몽땅, 깡그리,

전부다. 그게 후회 없는 삶, 회환 없는 삶이다. 모으고 버는 것보다 더 어렵고 가치 있는 것이 잘 쓰는 것이다.

영화 〈죽은 시인의 사회〉의 키팅 선생이 외친 '카르페 디엠'은 지금을 즐기라는 의미만이 아니다. 그 안에는 '지금 이 순간이 바로 당신의 미래요, 꿈'이라는 의미가 숨어 있다. 지금을 즐겨라. 그리고 후회하지 않도록 지금 이 순간 최선을 다해라. 그것이 인생을 즐기는 가장 좋은 방법이다.

날마다 새로운 삶을 꿈꾸며

연극의 1막과 2막 사이에 어둠은 옷을 갈아입으라는 뜻이고, 하루가 밝음과 깜깜한 밤으로 이루어져 있는 것은 매일매일 새로운 생각으로 갈아입으라는 뜻이다.

인간의 마음도, 의지나 결심도, 무너지기 쉬운 한낱 모래성과 같다. 하지만 절대로 무너지지 않는 것보다 나을 수 있는 것은, 모래성은 쉽게 무너지지만 다시 새로운 성을 쌓을 수 있기 때문이다.

더 많은 돈을 갖고 싶고, 더 높은 지위에 오르며, 더 많은 성적 욕망의 충족에만 초점을 맞춘다면, 이는 지속가능한 즐거움이 아니라 일시적인 쾌락의 충족에 불과하다. 이런 소유에의 집착과 충족은 손 안에 넣는 순간 흥미를 잃는다.

즐거움 삶, 의미를 채우는 삶이 되기 위해서는 재미있는 것, 좋아하는 것을 하면서 열정적으로 순간순간 매일매일 하루하루를 새날처럼 사는 것이다. 지는 석양과 떠오르는 태양처럼 매일매일 장엄하게 죽고 찬란하게 태어날 수 있다면, 이는 소유에의 집착을 넘어 실존에의 의지를 펼치는 삶이다.

마음 속 작은 울림과 떨림에서 새로움은 시작된다. 떨림과 떠는 것은 다르다. 떨림은 마음에 울림이 있다. 하지만 두려움과 공포에 떠는 것에는 울림이 없다. 그것은 심장의 덜덜거림, 얼어 버림, 멈춤이다. 몸과 마음은 하나로 연결되어 있기에, 몸이 사시나무처럼 벌벌 떨고 있으면 마음도 냉동실의 고깃덩어리처럼 딱딱하게 굳어 버리는 것이다.

울림과 떨림이라는 감정의 공명은 깊은 감동이 되어 시간을 타고 공간을 넘어 역사의 흐름 속으로 오래 오래 전달된다. 어떤 환호성도 울림과 떨림이 없다면, 그것은 아마 밤하늘의 불꽃놀이처럼 잠깐의 화려함을 꽃피웠다가 연기처럼 사라질 것이다.

인생은 작고 섬세한 것에 의해 좌우된다. 햇빛을 쳐다보면서 올라가는 입꼬리, 휠체어를 밀어 주면서 얼굴에 가득 퍼지는 잔잔한 미소, 힘든 자신과의 약속을 지켰을 때 형형하게 빛나는 눈빛. 이처럼 가슴속의 작은 떨림과 울림이 피어나는 인생이 향기롭다.

이러한 작은 떨림을 잘 악용하는 것이 제비다. 인간관계 특히 남녀 관계는 자연스럽게 밀고 당기는 고무줄게임의 법칙이 적용된다. 제비의 장점은 상대방이 아프지 않게 밀고 당김으로써 그 관계를 지속시키는 것이다.

비록 진실성이 결여된 제비와의 관계는 시간이 지나면 저절로 부서지고 깨지겠지만, 역설적으로 제비의 계산된 행동이 현실적으로 어느 정도 먹히는 것은, 인생에 있어 사람의 마음을 움직이게 하는 것은 마음에 떨림과 설렘을 가져오는 작은 감동과 배려와 관심, 마음 씀씀이라는 것을 보여 주는 쓸쓸한 방증이다.

인간의 불완전함은 삶의 불완전함으로 이어지고, 삶의 불확실성으로 진행된다. 역설적으로 삶은 불완전하고 예측할 수 없기에 매일 매일을 즐거운 긴장감과 새로운 기쁨이라는 보물찾기처럼 흥미진진하게 살 수 있는 것이다. 나 역시 완벽하지 않은 선과 완벽하지 않은 악의 공존이 만들어 내는 예측불가능의 세상살이가 무척이나 흥미롭고 즐겁다.

매일 새롭게 나를 세팅하고 설정하라. 컴퓨터 앞에서 리부팅이나 리셋 하는 것이 아니라 문을 열고 새파란 하늘 아래로 뛰쳐나갈 때, 나는 날개 없는 천사로, 날라리로, 카사노바로, 까불이로, 신사로, 한량으로 활기차고 생기 있고 깨어 있는 삶을 살 수 있다. 한마디로, 새로운 삶이란 매일 매일 비웠다가 새로운 것으로 다시 채우는 삶이다.

친숙함과 익숙함이 사라지고 낯섦이 찾아올 때, 우리의 눈은 커지고, 우리의 생각은 깨어나며, 우리의 마음은 설레기 시작하고, 우리의 몸은 생기를 찾기 시작하면서 건강한 긴장감이 온몸을 휩싼다. 세상을 낯설게 하라. 세상을 보는 관점, 행동을 바꾸고, 새로운 도전을 통해서 끊임없이 낯선 세상으로의 여행을 즐겨야 한다.

그런데 이러한 변화에도 절제가 있어야 한다. 파격과 파란을 통한 삶의 활력과 즐거움을 더하는 지점에서 멈추어야지, 파탄이 나게 해서는 안 된다. 삶의 파격은 삶의 파란이며, 새로운 삶의 창조요, 삶의 즐거움이다. 파격이 있는 삶은 감탄 · 경탄 · 찬탄이 있는 삶이다.

파격은 탈선도 파괴도 파탄도 아닌, 삶의 매력이다. 파격은 일상의 틀을 벗어남이요, 새로움을 향한 몸짓이다. 파격은 안일함과 편안함이 주는 게으름과의 이별이다. 파격은 격파가 아니다. 파격은 세련됨이자 새로움이다. 품격에 세련됨과 새로움을 더하면 고품격이 된다.

프라다가 무엇인가? 브랜드에 새로움을 더했을 뿐이다. 품격도 브랜드도 남들이 그 앞에서 고개를 주억거리는 상태다. 하지만 알을 깨고 나온 병아리처럼, 타인의 시선을 넘어 사람들의 가슴을 설레게 하고 가슴 뛰게 하기 위해서는 파격의 날갯짓을 통해 고품격과 명품의 단계로 진화해야 한다. 그것이 파격의 미(美)다.

파격은 안정되고 안락한 일상의 삶에 긴장을 주는 그 무엇이다. 그 긴장을 통해 삶을 더 팽팽하고 즐겁고, 행복하게 만들어 주는 작은 변화다. 앨런 글래스고의 말처럼 "판에 박은 듯 반복되는 생활과 무덤의 유일한 차이는 깊이밖에 없다." 그래서 파격은 잔잔하던 호수를 춤추게 만드는 파문이다.

파격은 기대와 예측을 기분 좋게 뛰어넘는 것이다. 삶을 가장 무미건조하고 재미없게 만드는 것은 컨베이어 위의 제품처럼 똑같은 일상의 '반복'이다. 또한 예측 가능한 것은 따분함, 진부함으로 이어질 수 있다.

베토벤 음악이 주는 감동의 상당 부분이 바로 이런 예측 불허의 파격에 의존하고 있는 적절한 예이다. '일상의 반복'을 '일상 속의 파격의 즐거움'으로 바꾸는 방법은 하나다. 그것은 긴장감이 느슨해지면 다시 나사를 조여 팽팽한 일상이 되게 하는 것이다.

하지만 파격에도 절제가 필요하다. 크게 흔들리고 크게 벗어나면, 시계추처럼 다시 중심으로 돌아오기 어렵다. 그래서 파격이 파탄이나 일탈이 되지 않기 위해서는 파격 속에서도 절제가 필요한 것이다. 파격이 필요하다고 해서 목숨을 걸고 술을 마신 후 몸이 무너져 버린다면, 그것은 파격의 즐거움을 맛보기보다 파멸의 고통을 맛볼 뿐이다.

오늘 흥미롭던 일도 내일은 일상이 된다. 매일 똑같다. 대부분의 사람들은 철학자 칸트처럼 시계 같은 정확성과 반복성의 굴레에서 생활하고 있다. 똑같은 사람과 잠을 자고, 똑같은 시간에 똑같은 메뉴의 아침밥을 먹고, 반복되는 똑같은 일을 하고, 동료들과 똑같은 얘기를 하면서 술을 마시고, 뒷담화를 하고 똑같은 뉴스를 보고, 집에 들어와 가족에게 어제와 똑같은 얘기를 반복한 후에 다시 잠자리에

든다. 새로움도 없고 도전거리가 없다.

누구나 금 100냥을 주울 수 있다면 천리를 마다않고 걸어가듯이 그토록 하기 싫어하고 미루기만 했던 것도 단번에 실천할 것이다. 오늘부터 한 시간씩 운동을 하지 않으면 수명이 수십 년이나 단축된다는 사실을 안다면, 사람들은 오늘부터 운동을 할 것이다.

불행하게도 현실은 비커 속의 삶은 개구리 이야기와 같이, 이처럼 엄청난 결과를 눈앞에 보여 주지 않는다. 시계초침이 가는 것을 잘 느끼지 못하는 것처럼 변화는 아주 서서히 진행되며, 경우에 따라서 엄청난 인내를 요구한다. 그래서 대부분의 사람들은 시도조차 하지 않거나, 중간에 포기하는 것이다.

살아가면서 '변했다는 말'을 자주 듣는다. 이 말의 뉘앙스는 좋은 의미가 아니다. 하지만 '변화를 가져왔다'거나 '변화를 추구한다'는 말은 좋은 의미로 쓰인다.

그렇다면 언제 변화가 일어났다는 말을 사용할까? 도전과 행동으로 나쁜 습관이나 행동을 탈피하고, 무기력하고 활기를 잃어버린 삶을 역동적이고 활력 있는 삶으로 바꾸었을 때, 우리는 변화가 일어났다는 말을 한다. 따라서 변화는 끊임없는 새로움의 추구이며, 진보이며, 성장의 모습이다.

제정 러시아 시대, 페테르부르크에는 '겨울 궁전'이라 불리는 멋진 성이 있었다. 그곳에는 아주 넓고 푸른 잔디밭이 있었고, 잔디밭 가장자리 큰 나무 옆에는 벤치가 하나 있었다. 이 벤치 앞엔 두 명의 경비병이 오래전부터 보초를 서고 있었지만, 무엇 때문에 경비를 서는지는 아무도 몰랐다.

어느 날, 새로 부임한 중위가 몇 달간 지켜보다가 벤치 앞에서 경비를 서는 것이 아무리 생각해도 이상해서 아주 오래 근무한 나이든 하사관에게 물었다. 이에 하사관은 이렇게 말했다.

"중위님, 제가 전해 듣기로는 피터 대제 시절이던 약 200여 년 전에 저 잔디밭 벤치에 새로 페인트칠을 했는데, 공원을 산책하던 숙녀들이 앉았다가 옷을 더럽힐까 봐 경비병 한 명을 세워서 주위를 지켰다고 합니다. 이후 누구도 황제의 명령을 중지시킨 사람이 없어서 계속해서 보초를 서게 되었는데, 1908년이 되어 혁명의 위험이 있자 왕궁의 호위병을 두 배로 늘렸고, 그때 저 경비병도 두 사람이 되었다고 합니다."

이 이야기를 들은 중위는 즉시 벤치 경비를 중단시켰다. 만일 중위의 관심과 명령이 없었다면, 아마 200년 이상 계속된 '벤치 경비는 지금까지도 계속 되었을지도 모른다. 변화를 두려워하는 우리는 오래전부터 해온 익숙한 관례나 관습을 아무런 의심 없이 답습한다.

인간이 안주와 안락을 택했다면 세상의 모든 소설과 드라마, 영화는 존재하지 않았을 것이다. 우리는 드라마틱한 인생, 영화 같은 삶, 소설 같은 실화에 열광하고 끌린다. 그런 삶이 더 아름다운 것을 알기 때문이다.

아름다움은 주어지는 것이 아니라 고통 속에서 잉태되는 것을 알기에, 우리 스스로 그 고통 속으로 뛰어들 용기를 갖지는 못하지만 적어도 그 고통을 이긴 아름다운 사람에게 감동하고 열광하는 것이다. 일종의 '대리만족'이다. 모든 스포츠는 이런 모티브를 이용한 것이다. 하지만 할 수만 있다면, 내가 드라마나 소설, 영화의 주인공이 되는 건 어떨까. 그런 세상이 더욱 멋질 것임은 틀림없다.

날마다 새로운 날이다. 똑같은 사람이 없고, 어제와 오늘의 내가 같지 않듯이, 똑같은 날은 없다. 똑같지 않은 날에 즐거움을 입히고, 매일 매일 환한 웃음으로 화장을 하고, 맑고 고운 얼굴에 행복이 번질 때, 우리는 날마다 새로운 날을 만들어 가는 사람이 되는 것이다.

몰래한 사랑, 금지된 장난, 우연한 만남, 우연히 부는 바람, 예기치 않던 친절이나 사과, 기대를 넘어서는 서비스, 기대를 뛰어넘은 놀라운 맛집 등 밋밋하고 밍밍한 일상을 소박하고 짜릿한 새로움으로 매일 매일 특별하고 풍성한 삶의 밀도를 높여 주는 것들이 세상엔 많다.

인간의 삶은 불완전하며 오직 가능성만이 존재하는 미지의 영역이다. 미지의 영역에 아름다움이 기다리고 있을지, 새로움이 기다리고 있을지, 죽음이 기다리고 있을지, 괴물이 기다리고 있을지는 아무도 알지 못한다. 그래서 인생은 드라마틱하고 살 만한 가치가 있는 것이 아닐까?

반전의 미학

　반전이 있는 삶이란 결국 즐겁고 활기차고 행복한 삶, 매력과 마력을 발산하는 삶이다. 그렇다면 인생 역전과 인생 반전은 무엇이 다른가. 역전은 로또 당첨처럼 수동적으로 주어진 것, 우연히 주어진 것이다. 그에 반해 반전은 단 5일의 화려함을 위해 17년의 긴 기다림을 감내한 매미처럼 적극적으로 준비하여 얻어진 것이다. 반전이란 없다. 반전이란 '뿌린 대로 거둔 것'을 극적으로 표현했을 뿐이다.

　아름다운 반전이란 그래서 로또 복권에 당첨되거나 하늘에서 갑자기 떨어진 행운이 아니라 자신과 그 주변의 따뜻한 눈을 가진 사람에게는 분명하고 구체적인 모습으로 눈앞에 존재하는 예측이 가능한 반전이다.

마치 오리가 멋진 유영을 하기 위해서는 물속에서 끊임없이 발을 움직여야 하듯이, 보이지 않는 곳에서도 끊임없이 준비하고 노력하고 자신을 연마한 사람만이 인생의 짜릿한 반전을 맛볼 수 있다.

반전이란 무엇인가. 이는 예측 불가능일 수도 있고, 새로움일 수도 있고, 의외성일 수도 있다. 어쨌든 기대를 뛰어넘는 모습이나 생각, 행동을 보여 주었을 때 사람들은 감동하고 공감하고 동감하면서 호기심을 충족하고 즐거움을 느끼며, 매력적이라 생각한다. 반대로 예측이 가능하고, 새로움이나 의외성도 없으며, 항상 기대에 미치지 못하는 사람에게서 누가 매력을 느끼겠는가. 아무리 멋진 경기라도 결과를 알 때에는 흥분하면서 보진 않는다.

기대를 뛰어넘을 때 주어지는 보상은 기대보다 훨씬 크다. 그것이 초월의 승수효과다. 그래서 일진이 개과천선을 하고, 깡패가 부드러움과 따뜻함을 드러낼 때 사람들의 감동은 배가된다. 기대를 뛰어넘었기 때문이다. 반면에 기대에 미치지 못했을 때 주어지는 고통은 예상보다 훨씬 크다. 실패의 쓰나미효과다.

물극필반(物極必反)이라는 〈주역〉의 사자성어가 있다. 사물이 극에 달하면 반드시 반전을 일으킨다는 말이다. 나는 이 물극필반을 다르게 해석한다.

물극필반은 티핑포인트, 즉 강렬한 감정의 축적이나 창조적 도약을 위해 축적된 노력과 경험의 극적전환을 의미한다고 생각한다. 삶은 순간순간 작은 파격과 꽃망울처럼 터지는 환희가 가져다주는 반전이란 무늬의 뿌려짐이다.

반전이 없는 여자, 신비로움이 없는 사람은 지루하다. 신비로움은 새로움이고, 새로움은 설렘이며, 설렘은 삶을 생기 있게 하는 아름다운 떨림이다.

굴곡진 몸, 굴곡이 있는 춤, 굴곡과 강약이 조화된 노래, 기승전결의 강한 반전이 있는 드라마, 굴곡이 있는 이야기가 아름답듯이, 삶도 굴곡과 강약이 있어야 멋지고 매력적이다.

삶이 늘 따뜻한 담요와 같기는 어렵지만, 그런 삶도 물론 있다. 이처럼 굴곡이 없는 삶을 살아온 사람도 충분히 매력적인 사람이 될 수 있다. 하지만 거기까지다. 그들은 삶이 늘 넓고 푹신한 침대 위에서 차려진 아침을 먹는 것처럼 평탄하고 탄탄대로의 길을 가는 축복으로 인하여 매력을 넘어 마력으로, 스타를 넘어 슈퍼스타로, 스포트라이트를 넘어 찬란한 빛남의 삶을 살기는 어렵다. 왜냐하면 매력과 마력 사이, 스타와 슈퍼스타의 사이에는 고통과 고난, 두려움과 처절한 아픔의 극복이라는 캐즘(Chasm)을 반드시 건너야 하기 때문이다.

놀라운 일어섬은 사람들에게 회자되고, 미디어에 화젯거리가 될 만큼 희소하다. 대부분 경우는 열등감이란 괴물에게 산산이 물어 뜯겨서 형체도 알아볼 수 없는 참혹한 죽음을 맞이한다. 따라서 열등감을 극복한 삶은 그 자체가 반전이다.

새에 대한 열등감이 비행기를, 치타에 대한 열등감 자동차를, 사자, 호랑이에 대한 열등감이 각종 무기의 발달을 가져왔다. 자연과 동물에 대한 열등감의 극복 없이는 인간의 문명과 문화의 발전을 얘기할 수 없다. 이처럼 열등감이 긍정적으로 작동하면 창조요, 부정적으로 작동하면 몰락을 야기한 파괴와 파멸이다.

열등감에서 수치심의 그물에 갇히고 자기 경멸, 자존감 상실이란 지울 수 없는 상처를 입는다면, 다시 일어서기 힘들다. 이런 경우에 열등감에서 새로운 도전으로의 에너지를 얻을 수 없다. 열등감에서 우리가 얻어야 할 감정은 치솟아 오르는 분노와 자신에 대한 주체할 수 없는 부끄러움이다. 이러한 부끄러움과 울분을 자양분 삼아 무수한 견딤과 무너짐의 시간을 거친 후, 우리는 새로운 도전을 통한 일어섬과 전진을 이룩할 수 있는 것이다.

빈틈은 반전을 가져오기도 한다. 완벽한 사람인 줄 알았는데 뜻밖에 인간미를 발견했을 때, 이는 사람을 돋보이게 한다. 금상첨화다. 할아버지가 유머를 하면서 분위기를 부드럽게 하거나 욕쟁이 할머니의 카타르시스를 느끼게 하는 시원스런 욕도 기대를 뛰어넘는 반전을 가져다주는 빈틈의 역설이다.

콘크리트 속 도시의 빈틈이 녹지다. 공원이다. 인간관계의 빈틈은 웃음과 유머, 반전이 주는 즐거움이다. 가족관계의 빈틈은 응원과 격려이고, 사업관계의 빈틈은 공감과 신뢰다. 사람들은 빈틈을 통해서

숨을 쉴 수 있는 것이다.

수학여행에서 선생님이 춤을 추면서 화기애애한 분위기를 만들 때, 우리는 이것을 '주책'이라고 하지 않고, 뜻밖의 놀라움과 새로운 매력의 '발견'이라고 한다. 이것이 반전의 법칙이다.

반전이 있는 삶, 특히 나이 들수록 반전은 삶의 활력소가 된다. 2014년 맨즈헬스 쿨가이 본선 진출자 24명 중 최고령인 나는, 젊고 잘 가꾸어진 몸을 가진 그들과의 어울림 속에서 기분 좋은 비교를 당할 수 있었다. 이를 통해 내가 할 수 있는 최대치의 열정과 의지를 불사를 수 있었다.

그 반전은 난초의 파격이어야 한다. 극단적이고 엽기적인 파격은 대부분 자신과 타인의 삶을 격파하고 폭파시킬 가능성이 크기 때문이다.

하지만 빈틈은 평범한 사람 혹은 찌질한 사람에게는 해당되지 않는다. 이는 못난 점을 더 돋보이게 부각시키는 역할만 하기 때문이다. 그리고 그 빈틈은 너무 커도 안 된다. 약간의 빈틈이어야 한다. 너무 완벽하고 빛나 보이는 것일수록 쉽게 부패하고 무너지는 것처럼, 너무 큰 빈틈은 그 속에 빠져 헤어날 수 없거나 빠져나올 수 없는 늪이 될 가능성이 크기 때문이다.

왜 산에 올라가느냐는 말에 누군가는 "산이 거기에 있기에 오른다고" 답했다. 나의 답은 "산오름은 인생길 같아서"이다. 나는 사람들이 산을 좋아하는 이유는 이처럼 산에는 굴곡이 많기 때문이라고 생각한다.

큰 오르막과 큰 내리막이 있고 작은 오르막과 작은 내리막이 있다. 가파른 오르막이 있고, 급한 내리막도 있다. 완만한 오르막이 있고, 둘레길 같은 완만한 내리막도 있다. 산의 정상에서는 평평한 길이 한동안 이어지기도 한다. 이런 굴곡이 있기에 즐겁게 뻘뻘 땀 흘리고 올라가서 달콤한 휴식을 취한 후에 땀방울을 날려 보내고 가벼운 마음으로 하산하는 즐거움이 큰 것이다.

굴곡이 있는 삶도 마찬가지다. 굴곡이 없는 삶은 평평한 도로를 걸어가는 것처럼 재미가 없다.

곡선의 삶은 몰입과 쉼의 균형이다. 호흡이 자연스런 들숨과 날숨의 작용이듯이, 자연스런 삶, 자연의 삶이란 몰입의 기쁨과 쉼의 즐거움에 있다. 직선은 앉아야 할 때도 뛰고, 걸어야 할 때도 뛰고, 뛰어야 할 때도 뛰는 길이라면, 곡선의 길은 앉아야 할 때 앉고, 걸어야 할 때 걷고, 뛰어야 할 때 뛸 수 있기에 재미있고, 즐거운 길이다.

"큰 도둑고양이로 알았더니 표범이더라."란 말처럼 기대에 미치지 못할 때 우리의 실망감은 기하급수적으로 커지며, 기대를 뛰어넘을 때 우리의 기대감과 신뢰는 눈덩이처럼 커진다. 따라서 같은 성취를 이룬 경우에도 기대를 뛰어넘은 사람이 훨씬 돋보이고 매력적이며 유능감이 커 보이는 것이다.

반전은 밤하늘의 별처럼 빛나지만, 밤하늘의 별처럼 너무 멀리 있어 도달하기 어렵다. 반전은 기대를 넘어서는 놀라운 일이며, 꿈과 현실, 생존과 생활 사이에 놓여 있는 캐즘을 뛰어넘는 일이기 때문이다.

버 리 고 비 우 는 삶 이
아 름 답 다

아름다움은 채움이 아니라 비움에서 나온다. 아름다운 피리소리도, 노랫소리도, 장고소리도, 바람소리도, 아름다운 몸매도, 친절하고 선한 마음도 비움과 내려놓음에서 나오는 것이다. 마음과 마음을 비운 사람들끼리의 어울림은 천상의 하모니다.

사소한 일이나 사건이나 문제를 엄청난 일이나 문제로 만드는 것처럼, 삶이 밝을 때나 어두울 때나 자신을 뽐내거나 힐난하지 않고 세상을 원망하거나 분노를 토해 내지 않는다면, 일상 속에서 사소한 기쁨을 엄청난 기쁨으로 바꾸는 마법은 언제나 가능하다.

마음속에 쓰레기인 욕심과 집착, 질투와 증오 등도 완벽하게 비울 수는 없지만 버릴 수 있는 만큼 버리면 마음이 그만큼 가벼워지고 행복해진다. 나는 만성적인 역류성 식도염이 있다. 여러 가지 원인이 있겠지만, 음식을 과도하게 섭취한 것도 큰 이유다.

과식보다 소식을 하여 뱃속을 항상 가볍게 하였다면 이런 질병에 걸리지 않았을 것이다. 만일 걸렸다 하더라도, 적어도 지금보다는 가벼운 증상이었을 것이다. 이처럼 대부분의 경우, 가득가득 채우기보다는 버리고 비우는 삶이 우리를 한결 건강하고 즐거우며 아름답게 만든다.

나눔과 내려놓음의 행복은 성숙의 즐거움을 가져다준다. 보이지 않는 것을 볼 줄 알고, 보이지 않는 일상의 작은 즐거움과 기쁨을 만끽할 줄 아는 삶이 성숙한 삶이고, 나이 들어 갈수록 순수해지고 따뜻한 마음으로 감사하고 배려할 줄 아는 어린 왕자의 행복이다.

그렇다면 남이 나를 비난할 때, 어떻게 대처해야 하는가? 싸우지 않고 이기는 자가 강한 자이고, 술을 마시지 않고도 취할 수 있는 자가 최고의 풍류가객이다. 우리가 보는 영화나 드라마의 모티브는 응징과 복수다. 그렇게 만들지 않으면 재미가 없어 사람들이 보지 않기 때문이다.

영화 속 원더우먼은 숨 쉴 틈 없이 날아오는 총알을 황금팔찌로 귀신 같이 막아낸다. 정말 이름 그대로 놀랍고 경이롭다. 베트멘은 망토로 총알을 막고, 주윤발의 방탄승은 방탄복의 기능을 하는 너덜너덜한 옷으로 총알을 막는다. 기가 막히다.

현실에서 우리는 어떤가? 총알이 날아오면 죽는 수밖에 없다. 우리는 영화 속 초능력을 지닌 주인공이 아니기 때문이다. 하지만 절간에 들어가든, 연구를 하든, 전문가의 도움을 받든, 책 속의 진리를 활용하든, 나름대로 자신만의 비난과 불평의 총탄을 막아낼 특수한 방탄복을 제작하여 입고 다니거나 자신만의 필살기를 연마해야 한다.

마르크스 아우렐리우스가 실천한 방법처럼 아침에 일어나면 "오늘 별별 일을 다 겪을 것이다. 놀라지 말아라." 하고 자신에게 말하라. 그러면 분명 별 이상한 일을 겪고, 이상한 놈을 만날 테지만, 신기하게도 웃음이 지어지면서 놀라는 마음이 좀 진정될 것이다. 오늘도 이상한 광물을 발견했다고 일견 기뻐하는 마음도 생긴다.

나는 이것을 가리켜 '비난을 피하는 신소재 방탄복'이라고 말하고 싶다. 이것은 '사전 예견이론'이다. 이처럼 사전에 예견하면 놀라움과 분노, 실망과 짜증, 스트레스가 대폭 감소한다. 우선 사전 예견하여 미리 마음의 준비를 하기 때문에 실제 상황이 일어나면 대처할 수 있는 여유가 생기는 것이다. 사전예견이론은 분노와 증오로 인한 자기 파괴를 완화시키거나 방지할 수 있는 놀라울 만큼 신비한 마법의 주문이다.

부족한 자신을 드러내면 아무것도 숨길 필요가 없다. 동시에 무리해서 지켜야 할 것도 없다. 그럴수록 인간은 강해진다. 지금까지 양손양발을 칭칭 옭아매고 있었던 '겉치레'나 '체면'이 사라질수록 움직임이 가벼워지기 때문이다. 그런 모습이 진정한 당신을 보여 주며 모두에게 인간답고 매력적으로 다가간다.

버리고 비우라는 것은 돈이나 건강을 말하는 것이 아니다. 욕심과 탐욕, 더러운 욕망을 버리라는 것이지, 열정과 의지를 버리라는 것이 아니다. 돈과 건강, 웃음과 즐거움, 지혜와 지식은 나누어 주는 것이지 버리고 비우는 것이 아니기에 내가 갖고 있는 돈과 건강, 웃음과 즐거움, 지혜와 지식, 선함과 친절은 필요한 사람과 나눌 줄 아는 것이 진정한 버림이다.

'매몰비용이론'이라는 것이 있다. 한마디로 본전 생각이 나서 포기가 안 되는 것이다. 그래서 돈을 쏟아부은 애인도 포기 못하고, 사랑도 식고 정조차 남아 있지 않은 배우자를 포기하지 못하는 것이다. 우리가 화투판이나 경마장, 카지노에서 돈을 잃고 나서 쉽게 털어 버리지 못하는 이유 역시 잃어버린 것에 대한 미련이나 후회가 너무 크기 때문이다. 이는 이성이 아닌 감정에 의해 인간의 행동이 좌우되는 극단적인 경우이다.

합리적인 인간이라면, 제로베이스에서 다시 시작하면 된다. 물론 이성적으로는 가능하다. 하지만 인간은 현실에서는 이성보다는 비이성적인 행동, 감정의 비틀림에 의해 어리석은 행동을 하는 경우가 더 많다. 극단적인 경우에는 10억 원을 가진 사람이 몇 백만 원의 사기 때문에 괴로워하다가 목숨을 끊는 게 인간이다.

실제로 강남에 살고 있는 잘 나가던 직장인이 직장을 잃고, 이를 만회하기 위해 손 댄 주식에서 몇 억을 잃은 후에 객관적으로 살아갈 수 있는 충분한 재산이 남아 있음에도 불구하고, 가족을 몰살시키고 자신도 자살을 택하는 일이 발생했다. 매몰비용이론에 상대소득가설이 가져다주는 그 알량한 상대적 박탈감이란 '체면'을 견디지 못하고 이런 끔찍한 일을 실행한 것이다.

이처럼 매몰비용은 이미 쓰레기가 되어 회수할 수 없는 비용인데도 이를 포기하지 못하고 더욱더 깊은 늪에 빠지는 것이다. 그러므로 매몰비용은 과감하게 포기하기 위해서는 '이 상태로는 도저히 안 되겠다'고 정신을 차려야 한다. 화가 나면 화가 난다고 솔직하게 감정을 표현하고, 경마에 돈을 잃고 나서는 '잃어버린 돈이 아깝지만 더 이상 하면 내 인생이 완전히 망가지겠다'고 정신을 차려야 희미하게나마 살 길이 보인다.

파리가 먼지에게 말한다. "넌 날개도 없는데 어쩜 힘 하나 안들이고 그토록 우아하게 날아다니니?" 먼지는 말했다. "다 버리고 점 하나로 남으면 돼."

대중은 결핍에, 특히 나보다 잘난 사람이 가진 결핍과 빈틈에 대해 강한 공감과 공명을 불러일으킨다. 모든 면에서 완벽에 가까운 스타나 공인이 보여 주는 결핍 속에서 대중은 안도하고 자신이 편안하게 숨을 쉬는 공간을 발견하는 것이다.

완벽주의에 대한 강박관념, 이루어 놓은 것에 대한 아깝다는 생각을 내려놓으면, 삶 그 자체에서 즐거움, 관대함, 행복, 어울림이라는 마법이 일어난다.

부끄러움을 잃어버린
시대의 자화상

예전에는 부끄러움을 아는 것을 당연하다고 생각했다. 하지만 요즘에는 부끄러움을 알고 염치를 아는 사람을 만나기가 로또복권 1등 당첨만큼 어려워졌다.

자본이 주인인 자본주의 시대에 사람들은 손가락의 지문이 다 닳도록 돈을 세고 또 세면서도, 커피를 마시거나 우유를 마신 후에 씻어 두는 커피 잔이나 유리컵만도 관리되지 못한 마음은 먼지가 눌어붙은 대로 그대로 둔다. 이 시대는 부끄러움을 느끼지 않을 뿐만 아니라 부끄러움이 뭔지도 모르는 사람들로 넘쳐나고 있다.

나는 수억, 수십억의 돈을 받은 사람이 '나는 무죄'라고 국민 앞에 당당히 얼굴을 들고 주장하는 세상이 두렵고 공포스럽다. 살아가면서 몸통이라는 사람을 볼 기회는 거의 없다. 깃털과 꼬리라고 하는 사람들이 몸통을 대신해서 당당하게 책임지는 모습을 보일 뿐이다.

꼬리가 이 정도라면 몸통이 지닌 당당함은 어느 정도일까? 가늠이 되지 않는다. 꼬리가 위풍당당하게 책임을 지는 모습을 보고 흐뭇해할 몸통의 비열하고 당당할 정도로 뻔뻔한 얼굴을 떠올리면, 한없는 자괴감과 무력함이 밀려온다.

'Red face test'라는 것이 있다. 이는 부끄러울 때는 얼굴이 붉어진다는 의미에서 윤리적 삶을 진단하는 척도가 되기도 한다. 하지만 우리가 부끄러울 때 얼굴이 붉어지는 것이 아니라 얼굴이 붉어지는 것을 부끄러워하고 감추고 싶어 한다면, 이미 인간의 감정을 잃어버린 것이다. 인간의 양심을 팔아먹은 괴물이 된 것이다.

인간의 양심이 더 이상 기능을 하지 않는다면 다른 제어장치를 만들어야 하지만, 안타깝게도 현실 속에 다른 제어장치는 없다. 감시카메라나 인터넷 등이 제어장치 역할을 수행할 수 없다. 양심이 없는 인간은 세속적 의미의 성공을 이루기 쉽고, 지배 세력이 될 가능성이 대단히 높다.

성난 얼굴로 현실을 돌아보라. '양심이 없다는 것'과 '돈을 번다는 것', 그리고 '권력을 가진다는 것'은 깊은 연관관계를 맺고 있다. 슬프고 통탄할 현실이다.

부끄러움을 모르는 사람에게 부정과 부패는 발각되어 '처벌을 받느냐 받지 않느냐'의 계산만이 존재한다. 손익계산에서 부정과 부패의 이익이 지금처럼 대박을 계속 내는 한, 부정과 부패는 절대로 줄어들지 않을 것이다.

맹자는 "사람들이 닭과 개를 잃어버리면 찾을 줄 알면서도 마음을 잃어버리면 찾을 줄 모른다."고 했다. 그런데 현대인은 자신이 마음을 잃어버렸는지도 모른 채 살고 있다. 물건을 잃어버리면 다시 사면 되고, 길을 잃어버리면 찾으면 되지만, 부끄러워하는 마음을 잃어버리면 찾을 길이 없다.

후안무치가 판을 치는 시대다. 케인즈는 '동물적 충동', '야성의 정신'이라는 말로 기업가 정신을 발휘할 필요성을 주장했다. 하지만 현대의 인간은 '야성의 정신'을 잃어버린 지 이미 오래다. 오히려 짐승의 욕망만이 활개를 친다. 법을 어긴 파렴치한 정치인·기업인을 필두로, 아무도 자신의 잘못이나 책임을 시인하지 않는다. 더 나아가 명명백백한 증거를 들이대도 자신은 모르는 일이라며 모르쇠로 일관한다.

우리 사회에서는 기관단총과 권총은 두려워하면서 국민의 눈총을 두려워하지 않는 염치없는 사람만이 성공한다. '이름 밝혀 창피 주기'가 더 이상 통하지 않는 시대이다. 이른바 인면수심의 사회, 인두겁의 세상이다. 법공부도, 정치공부도, 부끄러움을 마비시키는 공부다. 공부를 성공과 출세의 무기로만 아는 사람들이다.

지위가 높으면 높을수록, 돈이 많으면 많을수록, 사람들의 인정을 받으면 받을수록, 아는 것이 많으면 많을수록, 가방끈이 길면 길수록 부끄러움을 느끼는 마음은 돌멩이처럼 딱딱하게 굳어져 간다. 동물에게서 배워야 할 야성(Animal Spirit)은 사라지고, 추악한 야만만이 남았다.

껍데기는 가고 알맹이는 남아야 하는데, 현실은 알맹이는 가고 껍데기만 남은 것이다. '껍데기들의 세상'이다. 부끄러움을 모르는 시대는 반성이 없고, 반성이 없는 세상은 미래가 없다.

양심의 리트머스가 작동하지 않을 때 우리는 '변종인간' 또는 '괴물'이라고 하고, 이를 완곡하게 표현하여 '철면피', '냉혈한'이라고 한다. 양심의 상실과 더불어 우리는 공감도, 눈물도, 진실도, 자신에 대한 사랑과 신뢰도 잃었다.

부끄럽지 않은 삶을 살면 명성은 아침에 해처럼 자연스럽게 솟아오르게 된다. 명성은 쌓고 세우는 것이 아니라 자연스럽게 드러나고, 저녁노을처럼 아름답게 번지고 퍼져 가는 것이다. 양심은 별과 같아서 사라져 보이지 않는 것 같아도 밤하늘의 별처럼 그 생명력을 유지하듯이, 부끄러움을 아는 마음, 양심이 살아 있는 사람만이 명성을 후대에까지 영원히 전할 수 있다.

성숙은 나이에 비례하기보다는, 나이에 반비례하는 경향이 더 강하다. 사회적 위치를 불문하고, 현실은 나이가 들어갈수록 도덕적으로 성숙해 가는 것이 아니라 자신의 탐욕과 이익을 위해 은밀하게 타인을 짓밟는 도둑놈으로 변질된다. 그래서 드러내 놓고 타인의 것을 노략질하고 약탈하는 도적놈 같은 삶을 부끄러워하지 않는다.

특히 가진 자, 지배층은 입만 열면 공정과 정의와 공평, 준법과 국민을 들먹인다. 위장전입, 탈세, 부동산투기, 병역비리 등 공정과 정의, 공평과 준법과는 담벼락을 쌓은 사람들이 앞 다투어 이기적인 혓바닥으로 아름다운 말들을 쏟아낸다. 오물통보다 더럽고 추한 언어의 폭력 앞에 할 말을 잃는다.

이름을 더럽히는 것을 '오명'이라 한다. 똥바가지를 뒤집어쓰는 꼴이다. 그러나 똥바가지를 뒤집어쓰면 시간이 지나면서 역겨운 냄새가 사라지지만, 오명은 씻을 수 없는 냄새로 영원히 남는다. 지워지지 않는 낙인이다. 이완용이 언젠가는 지워지겠는가. 하지만 요즘은 오명을 두려워하지 않는 사람들이 늘어나고 있다. 부끄러움을 모르는 신인류다.

앙심은 양심이라는 샘물에 독을 한 방울 떨어뜨린 것이다. 그 독이 나를 죽이지는 못하지만, 양심은 마비된다. 양심의 힘은 강하다. 맹자의 사단칠정 가운데 측은지심, 수오지심, 사양지심, 시비지심으로 일컬어지는 사단의 중심에는 '양심'이 있다. 특히 수오지심, 즉 부끄러워하는 마음은 인간의 본성에서 기인한 것으로, 본능이다. 이렇게 본능적인 감정인 양심의 힘은 강력하다.

하지만 뜨거워지는 비커 속에서 삶아 죽어 가는 개구리처럼 서서히 양심이 마비되면, 어느 순간 양심은 더 이상 그 본성을 발휘할 수 없게 된다. 양심의 죽음은 인간성의 상실이며, 양심을 잃어버린 인간은 더 이상 인간이 아니다. 그는 인간의 탈을 쓴 짐승, 털 없는 원숭이로 전락하고 만다.

불행하게도 잃어버린 양심은 복원이 불가능하다. 나아가 짐승의 차원으로 떨어진 이들은 오히려 양심 대신 사회에 대한 앙심을 품고 사회를 물어뜯고 피와 불화의 씨앗을 뿌리고 다닌다. 양심을 잃어버린 짐승들이 판을 치는 사회는 공포사회며, 위험사회다. 오직 날카로운 이빨로 상대방을 쓰러뜨려야만 내가 살 수 있는 정글이 되는 것이다.

오직 인간만이 남의 고통에 같이 아파하고 공감한다는 말에는 동의하지 않는다. 생물학자에 의하면, 어떤 종류의 개미는 동료개미가 굶주린 상태에 있으면 자기 몸속에 있는 것을 토해 내어 동료개미에게 먹인다고 한다.

하지만 그 어떤 동물도 부끄러움을 느끼지 못한다. 부끄러움은 오직 인간만이 가지고 있는 아름다운 본성이다. 하지만 슬프게도 지금은 부끄러움을 잃어버린 시대다. 부끄러움은 양심의 인디케이터 이다. 당신이 부끄러움에 민감할수록 그만큼 양심이 살아 있는 것이다.

자신에게 삶에 주어진 날을 내 자신답게 살면서, 내 삶의 그림자를 세차한 세상처럼 투명하고 푸르른 날의 저녁노을처럼 장엄하게 물들이는 삶을 살자.

Give and happiness

하인리히 법칙은 통계의 법칙이 아니다. 하인리히 법칙은 삶의 법칙이며, 자연의 법칙이다. 사고나 재해뿐만 아니라, 성공과 사랑, 인간관계와 신뢰 형성, 실패와 증오의 감정에 있어서도 이 법칙은 유효하다. 결국 '뿌린 대로 거둔다'는 진리를 숫자로 명확하게 보여 준 것이다.

그래서 하인리히 법칙은 인간사회의 작동원리에 가깝다. 결국 사소하고 작은 것이 모여서 큰 것이 된다. 그것이 좋은 쪽이든, 나쁜 쪽이든 간에.

하인리히 법칙의 가장 큰 걸림돌은 인간의 어리석음이다. 다른 말로 하면 '인간의 한계'이다. 인간은 자신이 직접 경험하지 않으면 그 어떤 조언이나 충고에도 귀머거리가 된다. 자신이 경험하지 않는 것은 절대로 그 위험성을 깨닫지 못하는 것이다. 경험하고 나서야 비로소 깨닫는 존재, 뒤늦은 후회가 자연스러운 존재가 바로 인간이다.

미래에 닥쳐올 후회를 예상하여 이를 준비하고 계획하는 존재란 이론 속에서만 존재한다. 따라서 인간의 어리석음 때문에 역사가 반복되듯이, 하인리히 법칙 역시 끝없이 반복될 것이다.

현실의 일상은 물리학의 법칙에 따라 돌아간다. 주먹이 날아오면 받아치고, 상대방이 돌을 던지면 나도 돌을 던진다. 작용 반작용 법칙이다. 상대가 던진 것보다 강하게 던진다. 가속도의 법칙이다. 날아온 만큼 돌려준다. 질량 보존의 법칙이다. 한쪽에서 멈추지 않으면 끝없이 계속된다. 관성의 법칙이다.

소통도 이와 같은 물리학의 법칙이 적용되기는 마찬가지다. 나아가 소통은 가슴에서 가슴으로의 흐름이며, 눈과 눈의 눈맞춤이다. 가슴과 가슴으로 끌어안기이며, 마음과 마음의 끌림이 바로 소통이다.

하나를 주고 하나를 받으면 불만이 없다. 하지만 하나를 주고 하나 이상을 받으면, 즐거움이라는 이자가 생긴다. 이에 반해 만약 하나를 주고 아무것도 받지 못하거나 그 이하를 받으면 불만이 생길 것이다. 다행히 '웃음 효용체증의 법칙'에 따르면, 일반적인 경우에 웃는 얼굴로 하나를 주면 하나 이상을 받게 되고, 주고받을수록 즐거움과 기쁨은 커진다.

따라서 재래시장에서, 마트에서, 모임에서, 강연에서, 학교에서, 회사에서 자신이 가진 것과 필요한 것을 열심히 주고받아라. 단, 서로에게 필요한 물건을, 칭찬을, 관심을, 지식과 정보를, 배려와 존중을 웃으면서 주고받아야지, 증오와 미움, 불만과 비난, 지적질과 고자질, 성냄은 주고받지 말라. 이런 교환은 짜증과 스트레스, 분노와 실망, 좌절감만 증가시킬 뿐이다.

'뿌린 대로 거둔다', '오는 말이 고와야 가는 말이 곱다.', '말 한마디로 천 냥 빚을 갚는다.'는 속담이 있다. 새로운 이야기도 아니고 지극히 당연하고 식상한 말이라 한 귀로 듣고 한 귀로 흘려들었는데, 가장 상식적인 말이 가장 마음에 새겨야 할 말이라는 것을 요즘 들어 새삼 더 강하게 느낀다.

주고받음에 있어 가장 시너지 효과가 큰 것이 바로 나 스스로와의 주고받기다. 내가 내 몸을 위해 하나를 주면 내 몸은 하나 이상이 아니라 몇 곱절로 돌려준다. 따라서 내 몸을 위해 운동하고, 좋은 음식을 먹고, 나를 사랑하고, 나를 칭찬하고 격려하고 위로하라. 나에게 웃음을 보내고, 내 몸과 마음이 즐거움으로 춤추게 하라. 나와 타인에게 유익하고 가치 있는 것의 주고받기는 무조건 남는 장사다.

인간의 기억력과 기억용량에는 한계가 있어, 적게 받은 것은 일상으로 받아들이고 기억에서 쉽게 사라질 수 있다. 하지만 꼭 필요했던 것, 기대와 생각을 뛰어넘거나 값비싼 것은 특별한 상황으로 받아들인다. 장기기억에 저장되어 망각되지 않기에 나중에 보답해야 한다는 마음이 생기는 것이다.

일반적인 상황에서는 적게 주면 더 적게 받고, 많이 주면 더 많이 받는다. 따라서 내 자신에게 줄 때는 기억에서 지워지지 않을 만큼, 나를 제외한 타인에게 줄 때에는 마음에서 잊히지 않을 만큼, 확실하고 제대로 진심을 담아 베풀어야 한다는 것이다. 이것이 베풂과 나눔의 한계효용체증 법칙이다. 그래서 이를 악용한 뇌물이 효과가 있는 것이다.

세상의 도전에 대한 '눈눈 이이' 법칙에 따른 응전은 적극적인 것 같지만, 알고 보면 소극적이고 손해나는 짓이다. 이보다 적극적인 방법은 내가 세상을 향해 미소를 던지는 일이다. 내가 주인공인 삶을 사는 것이다. 내가 먼저 웃음을 던지고, 내가 먼저 인사를 하고, 내가 먼저 따뜻한 눈빛으로 정겹게 말을 던지는 것이다. 할 수 있다면 웬수 같은 사람에게조차도 먼저 손을 내밀고, 용서하라.

대박집을 보라. 그들은 먼저 많이 준다. 하지만 준 것보다 더 많이 되돌려 받는다. "줄 때는 발가벗고 주라."는 말이 있다. 이 말이 시사하는 것처럼 제대로 주면 기대 이상으로 돌려받는다.

'퍼주고 망하는 장사는 없다'는 말은 '상호성의 원리', 즉 사람이 마음의 빚을 가지고 있으면 그것을 보상하고 갚으려는 본성이 일어난다는 것이다. 이것은 양심의 문제가 아니다. 본성이나 본능의 문제다.

따라서 먼저 주라, 그러면 얻을 것이다. 다른 사람에게 공(功)을 돌리는 것을 연습하라. 축구나 농구 같은 운동에서뿐만 아니라 삶과 일에서도, 상대방에게 준 공은 반드시 나에게 돌아온다.

나아가 얻기 위해서 주는 것이 아니라 주는 것 자체에서 즐거움과 기쁨, 행복을 느낄 수 있다면, 그것은 'Give and happiness'가 된다. 'Take는 덤'이다. 이것이 인생의 성공이자, 행복의 법칙이다.

행복과 즐거움의 비밀은 거울이고 메아리이다. 네가 세상을 보고 느끼고 대하는 것과 똑같이 세상도 너를 대할 것이다. 세상도, 거울도, 내가 웃으면 따라 웃는다. 내가 울면 따라 울고, 내가 화를 내면 따라서 화를 낸다. 내가 사랑을 주면 사랑으로 되돌려 준다. 그래서 삶은 뿌린 대로 거두며, 주는 대로 받는 것이다. 삶의 'Give and Take 법칙'이다.

이 세상은 같은 것끼리 모여 살기 마련이다. 모래는 모래끼리, 낙엽은 낙엽끼리 모인다. 기쁜 일, 행복한 일만 생각하는 것이 기쁜 일, 행복한 일을 불러 모으는 것처럼, 슬픔은 슬픔끼리, 불행은 불행끼리, 우울함은 우울함, 어두움은 어두움끼리 어울리고, 끌어당기는 것이 감정의 자석효과다.

아침 가족과 즐거운 밥상이 하루의 기분을 결정한다. 아침에 부부 싸움이나 자녀와의 언쟁 뒤에 남은 마음의 파문은 이성적으로 행동해야 할 출근길의 운전에, 업무에, 동료와의 프로젝트 협의에 거대한 파도로 돌변해 나를 덮친다. 감정의 눈덩이 효과, 감정의 연쇄폭발 현상이다.

손 안의 행복을 발견하는 어린 왕자처럼

어린 왕자의 삶은 일상의 즐거움을 만끽하면서 사는 삶, 소박하고 소소한 삶으로 보물찾기 하듯이 즐겁게 숨어 있는 즐거움을 느끼고 만지고 맛보는 삶이다.

우리 시대의 어린 왕자는 바보로, 착한 소로, 순수한 아이로 그 모습을 달리한다. 우리가 아이처럼 구름을 쳐다보고 구름 위에서 뛰어놀고, 산과 길가의 꽃을 보고 누가 더 환한 웃음을 지을 수 있는지 겨루고, 하늘과 별의 아름다움을 노래하고, 지는 석양의 장엄함에 눈시울을 붉힐 수 있다면, 그는 어린 왕자다. 보이고 드러난 세상보다는 보이지 않는 세상 속에 좋은 것, 아름다운 것들이 다 숨어 있게 마련이다.

세상은 내가 생각하는 것만큼 그렇게 말랑말랑하지 않다. 그래서 세상을 살아가는 즐거움이 넘쳐나는 것이다. 말랑말랑하지 않은 세상이기에 예상치 못한 즐거움, 기대를 뛰어넘는 즐거움과 알록달록, 오순도순, 알콩달콩한 삶의 소박하고 잔잔한 재미들을 끊임없이 맛볼 수 있는 것이다.

익숙함과 편안함은 안락함과 몽롱함을 가져오고, 나른함과 지루함을 지나 권태로움에 이른다. 그런데 대부분의 사람들은 이를 적극적으로 벗어던지려는 노력은 하기 싫고 게으름 속에서 지루함과 권태를 벗어나기 위해 더 강하고 깊은 자극에의 의존현상이 심해진다.

이처럼 권태와 지루함을 더 강한 쾌락에의 의존으로 해소하고자 하는 본능적인 욕망이 새로운 자극과 쾌락에 더 강하게 끌리는 것을 '쿨리지 효과'라고 한다.

관건은 즐거움이다. 누구에게나 한 평생 짊어지고 갈 고통의 무게는 동일하다는 고통총량균등법칙이 있듯이, 누구에게나 한 평생 만끽할 수 있는 즐거움의 무게도 동일하다는 행복총량균등법칙이 있다.

행복의 총량이 동일하다면 내가 좋아하는 일, 하고 싶은 일을 하면서 사는 삶을 살면서 느끼는 행복을 최대화하고, 고통의 총량이 동일하다면 고통을 즐겁게 받아들이면서 사는 삶을 최대화해야 한다. 이것은 고통을 행복으로 전환하는 마법이며, 행복의 총량을 두 배로 늘이고, 행복의 질을 높이면서 즐겁고 의미 있는 삶을 사는 길이다.

감당할 수 있는 배고픔은 몸에 긴장감을 주고, 고단하지만 자신에게 주어진 일을 하는 것은 생활의 긴장감을 주어 소박한 일상의 즐거움을 더 크게 만들어 준다. 약간의 배고픔은 몸의 긴장감을 높이고 기분을 고조시킨다.

먹고 싶은 만큼 양껏 먹어서 입으로 다시 쏟아져 나올 정도가 되면, 몸이 망가지는 것은 물론이고 기분도 급격히 가라앉게 된다. 술도, 운동도, 즐거운 감정조차도 계영배의 절제가 몸과 마음의 긴장감을 유지시켜 즐거움을 만끽할 수 있도록 적절히 해야 한다.

로또 같은 일확천금만으로 최상층부로 올라갈 수 없다. 우선 로또 당첨금 정도로는 최상층부에 편입될 자본으로 턱없이 부족할 뿐만 아니라, 그들은 최상층부의 '우리가 남이가'의 연대에서 왕따가 될 운명을 안고 있기 때문이다. 더불어 태양에 의해 초로 만든 날개가 녹아 추락하는 이카루스처럼 언젠가는 사라지거나 배제될 운명을 잉태하고 있기 때문이다.

일상의 즐거움을 지배하는 삶은 특별한 삶이고 별 볼일 있는 삶이다. 별 볼일 없는 삶이란, 버림받은 삶이고 버려진 삶이다. 오늘 생존을 위해서, 오늘 즐거움을 만끽하면서 작은 즐거움과 작은 행복을 누리는 소박한 삶이 별 볼일 있는 삶이다.

가난한 살림이지만 이웃의 누구라도 찾아오면 환대의 향기가 고소하게 피어오른다. 만족이란 발이 흙 속에 가득히 안기는 것이고, 현실에 뿌리박은 삶에서 행복이 가득 차오르고 부풀어 오르는 것이다.

그렇다고 해서 가난한 생활에 젖어서 살라는 의미는 아니다. 가난한 생활에서 즐거움과 행복을 찾아야 한다. 하지만 가난한 삶의 행복, 가난한 사람의 행복은 대부분 그림 속의 행복, 시 속의 풍경으로 남을 수밖에 없다. 가난의 고단함, 슬픔, 고통에 익숙해지고, 젖어들고, 무감각해지는 것은 가난에 중독되는 것이나 다름없다. 행복은 익숙함과 긴장감, 편안함과 고통의 경계에서 피는 꽃이고, 팽팽한 긴장감은 고통과 슬픔을 실은 화살을 당기고, 멀리 보내는 힘이다.

저녁시간은 하루 종일 미루었던 것을 행동으로 옮길 마지막 기회의 시간이다. 소시민이 자본주의에서 살아가는 유일한 방법은 가난해도 재미있게 사는 길뿐이다.

나이가 들면 보아야 할 즐거운 일상은 보이지 않고, 보이지 않아도 되는 두렵고 공포스런 일상은 크고 또렷하게 보인다. 이러한 일상에 겁이 부쩍 많아져서, 행동하기보다는 아무것도 하지 못하는 것을 후회하면서 시간을 보낼 뿐이다.

그러나 행복하다고 생각하면 세상에 수만 가지의 행복을 주는 소박한 일들이 끊임없이 이어진다. 매일 아침 정해진 시간에 일어났을 때의 기쁨, 기지개를 하면서 온몸에 찌르르 전기가 오는 짜릿한 느낌, 산에 오르기 위해 옷을 갈아입고 스트레칭을 하면서 드는 개운한 기분, 산에 올라갈 때와 내려올 때 만나는 사람과 주고받는 간단한 안부 인사에서 얻는 상쾌함, 산에 오르기 전과 등산 후에 마시는 약수의 시원함, 산에서 바라보는 시내의 전경과 뜨는 해의 장엄함 등……. 짧은 아침시간에도 나는 소소하고 소박한 기쁨들로 하루를 시작한다.

미다스의 손은 미다스의 비극이 되듯이, 내가 신과 같은 능력을 지닌다면, 아니 어쩌면 초능력을 갖는 순간, 일상의 즐거움을 잃어버리게 될지도 모른다.

상금을 타거나 사랑이 시작되면 사람은 행복감에 빠진다. 하지만 일상의 고단함과 공허함이 일순간 덮어 버리기 때문에 좋은 기분은 그리 오래 가지 못한다. 합격 뒤의 고단한 생활을 만나야 하고, 상금과 명성은 마치 신기루처럼 눈 녹듯 사라져 버린다. 사랑 또한 필연적으로 이별의 눈물을 흘리게 되거나, 지루한 날들을 이어 가다가 급기야 그때 땅을 치며 후회하게 된다.

1인당 국민소득 3만 달러 또한 행복을 주지 못한다. 체감하기도 쉽지 않을뿐더러 앞으로도 4만 달러, 5만 달러 등 그 목표가 끝없이 남아 있는데, 어떻게 행복할 수 있겠는가.

그래도 국가와 학교, 회사는 우리의 행복은 늘 미래에 있다고 말한다. 미래를 위해서 찍소리 말고 일하고 공부하라는 것, 그게 강압과 통제의 수단이다. 그러나 현실에서는 일자리를 가지고 있는 서민들조차 고용보호제도의 완화인 유연화, 조정과 정리를 통한 해고의 불안과 '묻지 마' 대출 등으로 인해 어깨가 무너진다. 등어리가 휘어지는 부채의 무게에 대한 고통, 흡혈귀 같이 무섭게 돈을 빨아가는 사교

육비의 두려움 속에서 〈잭과 콩나무〉의 콩나무처럼 커져만 가는 삶에 대한 공허함으로 일상의 소박한 즐거움을 맛보고, 느끼고, 누리는 삶을 잃어버린 지 오래다.

이처럼 생존에 목매는 삶이 가져다주는 고통스러움과 공허함, 불안을 견디기 어려워 자연스럽게 스마트폰과 TV시청에 매몰되고, 술과 담배에 의존하며, 적지 않은 사람이 주기적으로 로또를 구입하고 경마와 경륜 등 도박에 중독된 삶을 산다.

이는 결국 번 돈을 스마트폰을 중심으로 한 통신비로 가진 자들의 주머니에 마르지 않는 자본의 파이프라인을 제공하였고, 술과 담배로 몸과 마음의 건강을 해쳐 가면서 세금을 통해 국가 재정에 기여하며, 사행사업 유혹의 제물로 국가 재정에 커다란 기여를 하면서 하루하루를 민주주의의 주인이 아닌 자본주의의 도구로, 삶의 주인공이자 자유인이 아닌 허깨비와 노예 같은 삶을 살아가는 것이다.

그럼에도 불구하고 분명한 것은 아무리 생존에 목매는 삶이지만 일상의 즐거움은 최대한 만끽해야 한다는 것이다. 나아가 일상의 작고 소박한 즐거움 속에서도 아주 가끔은 블리스 포인트(Bliss Point, 환희의 순간), 즉 눈이 휘둥그레 질 정도의 놀람과 가슴이 터질 것 같은 기쁨의 쓰나미가 필요하다.

작은 행복, 큰 환희가 별도로 존재하는 것은 아니다. 결국 물방울이 모여 바다에 이르듯, 작은 기쁨이 모여 큰 환희에 이르는 것이다.

작은 기쁨들이 존재하지 않는 한, 큰 환희도 존재할 수 없다.

가장 아름다운 소리라고 말하는 달빛 아래 노랫소리, 바람 따라 들려오는 피리소리, 첫날밤 신부의 치마끈 푸는 소리는 결국 생활 속에서 느낄 수 있는 것이다.

뜨겁게 하루를 일하고 난 뒤, 더 뜨겁고 매콤한 김치칼국수가 목구멍을 타고 넘어가는 소리나 김훈 씨의 말처럼 밥상에 수저 놓은 소리가 아름답게 들리는 것은 그 소리 속에 눈물겹게 처절한 생존이 스며 있기 때문이다.

인생의 맛은 "어떤 날은 수박처럼 시원하고, 어떤 날은 딸기처럼 달콤하고, 어떤 날은 바나나처럼 부드럽고, 어떤 날은 배처럼 아삭아삭하다."는 말이 있다.

모든 마음이 다 괜찮듯이, 모든 날이 다 괜찮고 좋다면, 이것이야말로 스티븐 코비의 '일상 속의 위대함(Everyday Greatness)'이 아닐까? '다 괜찮아' 효과가 일상 속에 번질 때, 우리는 이를 '일상의 즐거운 혁명'이라고 한다.

우리는 작고 사소한 것에서 즐거움과 행복을 느끼는 감성을 회복해야 한다. 즐거움을 느끼는 세포가 웃음소리와 함께 하나하나 살아날 때, 행복한 삶은 뻥튀기처럼 부풀어 오른다.

말이 많으면 행동할 시간이 없다. 말이 어려우면 실천이 어렵다. 간단하고 명쾌한 말은 의지를 깨우고, 열정에 불을 붙이며, 작고 소박하며 단순한 삶은 웃음과 즐거움이 그림자처럼 따라 다닌다.

지금 해야만 할 일, 지금 해야 하는 일, 지금 할 수밖에 없는 일, 지금 놓치면 안 되는 일, 그것은 웃음이요, 즐거움이다. 내 주위와 자연의 호흡 하나하나를 만끽하는 일, 내 주위의 모든 선한 것들을 사랑하는 일이다. 오늘을 즐겁게 견디며 살아가는 삶이 사소해서 가장 기쁘고 소중한 '별 볼 일 있는 삶'이다.

손가락 사이를 빠져 나가는 모래처럼 손에 잡히지 않는 소박한 삶의 행복, 그래도 아직까지 손바닥 안에 남아 있는 모래라도 꽉 힘을 주어 움켜쥐어야 한다. 이는 그것이 황금 모래이기 때문이다. 삶은 오묘하기에 손바닥 안에 남아 있는 모래알의 즐거움만으로도 충분히 행복할 수 있다. 오히려 너무 작아서 더 소중하고 기쁜 것인지 모르겠다. 그것이 손 안의 행복이다

일상의 즐거움을 만끽하려는 여유가 없을 때, 지중해의 따사로운 햇볕도 그냥 덥다고 투덜댈 뿐이다. 바닷가에 사는 사람과 바닷가를 만끽하는 사람의 삶은 분명 천양지차로 다르다. 우리는 정말 인생을 만지며 맛보고 누리고 있을까?

순탄하게 살아왔지만, 행복하지 않았던 삶이라면, 그것은 평범한 삶이 아니라 평범에도 미치지 못하는 실패한 삶이다. 사회에 뿌려진 조그만 배려, 조그만 친절, 조그만 사랑의 말, 조그만 나눔은 가뭄에 단비처럼 사람들의 가슴을 적시듯이, 삶 속에는 그냥 내가 보고 듣고

만지고 할 수 있다는 것만으로도 마음이 환해지고 가슴 저리게 설레는 일들이 수없이 많다.

새벽 달리기를 끝내고 바라본 새벽하늘의 별들, 막 샤워를 끝낸 아들놈의 튼실한 허벅지에 절로 탄성이 나올 때, 일요일 오후 아내와 애완견 샛별이가 나란히 잠들어 있는 모습, 42킬로미터를 완주하고 나서 마시는 막걸리 한 사발이 주는 황홀한 기쁨을 알기에, '개똥밭에 굴러도 이승이 낫다'는 말처럼 이 세상보다 더 나은 세상이 어디 있는지, 나는 알지 못한다. 혹시 아는 사람이 있거든, 내가 가진 전 재산을 줄 테니 나를 죽이지 않고 그곳으로 데려가 다오.

'느낌 없는 책은 읽으나 마나'이고, '웃음이 없는 삶은 사나 마나'란 말처럼, 인생은 경주가 아니라 걸어가는 길의 한 걸음 한 걸음마다 웃음과 사랑 한 조각씩을 남기며 걸어가는 여행이다.

비교하지 말자고 한다. 우리는 비교라고 말하면 항상 상향 비교만 생각한다. 학창시절 때 배운 '상대소득가설'이란 것이 있다. 부자로 살다가 상대적으로 소득수준이 떨어지면 그것을 견디지 못하는 것이 인간이라는 것이다.

100억을 가진 자가 10억으로 재산을 줄어들면 엄청난 상실감에 자살까지 결심하게 되고, 전교 1등을 하던 아이가 전교 10등을 하면 역시 엄청난 좌절감에 아파트에서 뛰어내린다. 그들에게 있어서 비교는 내 삶의 최대치와의 비교나 상향 비교만이 있다. 하지만 하향 비교를 할 수 있다면, 사람의 행복지수는 엄청 올라갈 것이다.

TV에서 미얀마 사람들의 살아가는 얘기를 보았다. 마사지를 해 주는 사람은 흔하고, 한평생 남의 손발톱을 깎아 주면서 일하는 사람, 흰머리를 뽑아 주면서 일하는 사람도 있다. 한 사람이 말했다. 공부를 많이 한 사람은 많이 한 만큼 그에 맞는 일을 하면 되고, 자신들처럼 공부를 많이 못한 사람도 할 수 있는 일이 많아 행복하다고.

비교하는 것이 인간의 본성이라면 하향비교도 필요하다. 그것이 나를 행복하고 즐겁게 해 주며, 나의 성장과 성숙에 도움이 된다면 적극적으로 하향비교도 하라. 이것이 감정의 연금술이다.

비교를 피할 수 없다면 당당하게 맞서는 것이 좋다. 비교는 인간의 본성에 뿌리를 두고 있다. 따라서 비교는 인간의 벗을 수 없는 굴레요, 운명이다. 벗어날 수 없는 운명이라면 당당히 맞서서 비교를 나의 성장과 성숙을 위한 동력으로 활용함이 현명한 길이다.

하지만 이는 어려운 일이다. 왜냐하면 비교는 본질적으로 질투와 질시, 짜증과 분노의 감정을 동반하기 때문이다. 어차피 그림자처럼 나를 따라다니는 비교의 굴레에서 벗어나는 길은 적극적이면서도 선제적으로 존경할 만한 인물과 끊임없이 비교하면서 나의 성장과 성숙의 롤 모델이나 자극제로 삼는 것이다. 살면서 그 누구도 비교라는 괴물로부터 자유로울 수는 없다. 그러나 비교가 피할 수 없는 운명 같은 것이라면 받아들이는 것이 현명하다.

승부의 세계에서는 1등과 비교해야 상승이 있고, 자신보다 못한 사람과 비교해서는 발전이 없다. 이것이 비교의 역설이고, 비교의 함정이다. 하지만 즐거움과 행복의 세계에서는 다르다. 1등과 비교하는 것이 아니라, 내가 더 행복하고 즐겁게 살 수 있는가에 초점을 맞추기 때문이다.

세상에는 상대적으로 작은 것, 중간 것, 큰 것이 있다. 사람들은 본능적으로 큰 것을 좋아한다. 여기에는 두 가지 전제조건이 따른다. 하나는 큰 것이 나에게 피해를 주지 않고, 나를 두렵게 하지 않으며, 나를 불편하게 하지 않아야 한다는 것이다. 또 하나는 큰 것이 내가 가지거나 가질 수 있는 것이어야 한다는 점이다.

내가 이룰 수 있다면 큰 성공, 큰 돈, 큰 집을 좋아한다. 분명 나를 두렵게 하지 않는다면, 키가 크고 멋지게 생긴 배우, 큰 나무, 커다란 도시, 큰 쇼핑센터나 백화점을 좋아하는 것이 보편적이다.

'작은 것이 아름답다'는 말은 '큰 것보다 작은 것이 아름답다'는 말이 아니다. 위에서 말한 것처럼, 현실의 세계에서 대부분의 경우는 큰 것이 더 아름다울 것이다. 하지만 우리가 무시하고 놓치지 쉬운 작은 것도 소중히 여기는 것이 행복하고 즐거운 인생에 중요하다는 의미이다.

이 세상 대부분의 블루오션은 틈새시장에서 탄생했듯이, 잘 보이지 않고 놓치기 쉬운 작은 것을 소중히 여기고 관심을 가지는 것은 삶의 새로움을 더하는 창조의 과정이라고 생각한다. '수신제가치국평천하(修身齊家治國平天下)'란 말을 재해석하면, 작은 것을 소중히 생각하고 작은 행복을 느끼지 못하는 사람은 큰 것도 소중하게 여기지 않고, 큰 행복도 느끼지 못한다는 것이다.

처음부터 큰 행복이란 것은 없다. 큰 행복은 작은 웃음, 작고 사소한 행복이 모여서 만들어지는 것이다. 자연은 작고 사소한 것들이 모여서 이루어져 있다. 작고 사소한 것을 무시하고 보지 못하는 것은 자연이 제공하는 기쁨, 삶이 제공하는 즐거움의 거의 전부를 놓치고 사는 것이다.

상황에 따라 다를 수 있지만, 별 다섯 개짜리 호텔 커피숍에서 마시는 커피보다 산에 오르는 도중 휴식을 취하면서 벤치에 앉아 마시는 커피 한 잔이 주는 즐거움이 더 클 수 있다. 가족과 함께 호텔 레스토랑에서 스테이크를 써는 것도 멋진 시간이겠지만, 동네 공원에서 강아지가 뛰노는 가운데 떡볶이와 튀김, 순대를 함께 먹는 것도 행복하다.

"진정한 탐험은 새로운 풍경이 펼쳐진 곳을 찾는 것이 아니라 새로운 눈으로 여행하는 것이다."라는 마르셀 프루스트의 말처럼 평범한 삶은 아름다워야 한다. 이것은 지상명령이다. 이 세상에 태어난 대부분의 사람은 평범한 삶을 살다가 가야 한다. 그런데 평범한 삶이 불행한 삶이라면 너무 억울하지 않은가.

그래서 신은 평범한 삶을 위대한 삶으로 만들었다. 삶의 대부분의 즐거움을 일상의 작고 사소한 것들 속에 숨겨 놓은 것이다. 가장 대표적인 것이 '웃음'이다. 이것이 신의 한 수다.

지금 여기도 삶이다. "산봉우리만 삶이 아니다."라는 말처럼 어떤 경우에도 지금 자신의 삶을 사랑해라.

자연과의 조화로운 삶이
아름답다

자연과의 조화로운 삶은 느림과 비움의 여유, 살아 있는 모든 생명체들의 조화, 자연에 대한 사랑을 통해 얻는 삶을 말한다.

우리는 곡선을 벗어나 직선에 들어서면 생기가 살기로 변한다. 고속도로에 들어선 나는 이미 헐크로 변신한 두 얼굴의 사나이가 된다. 멈추고 돌아설 수 없기에 무조건 직진하면서 추월하고 추월당한다. 쫓고 쫓기는 살기로 뜨겁게 도로를 달군다.

이처럼 속도의 인질이 된 인간이 그 무서운 속도가 주는 몽롱함에 신이 된 착각에 빠져서 자연을 경시하고 파괴할 때, 분명 우리는 조만간 자연의 역습을 받아 엄청난 재앙을 맛볼 것이다.

사람에게 감동과 울림을 주는 힘은 나이 먹는다고 절로 얻어지는 게 아니다. 다음은 컬리스 스즈키라는 환경운동가가 아홉 살 때 유엔 환경회의에 참석하여 한 연설의 내용이다.

"저는 제 미래를 위해 싸우고 있어요. 저는 온갖 야생동물로 가득한 정글을 보는 게 꿈입니다. 하지만 그것들이 제 아이가 볼 수 있을 때까지 남아 있을지 의문입니다. 저는 어린아이에 불과하고 해결책이 없어요. 여러분도 마찬가집니다. 구멍 난 오존층을 고칠 수 있는 방법조차 모르잖아요. 고칠 방법을 모른다면 제발 더 이상 망가뜨리지나 마세요!"

자연과 조화를 이루면서 사는 사람들은 즐거움을 먼저 본다. "지리산의 운무나 막 비개인 이른 새벽에 팔공산 초래봉에서 바라본 운무, 정말 아름답습니다."라는 말에 "아직 중국 황산의 운무를 못 보셨군요."라며 트집을 잡는 꼬투리 잡기 사냥꾼은 차이점을 먼저 찾는다. 타인의 단점을 먼저 보는 사람보다는 타인의 장점을 먼저 볼 줄 아는 당신이 좋다.

기업은 완벽하게 이기적이고, 자연은 완벽하게 이타적이다. 따라서 대기업과 중소기업의 상생은 동등한 입장에서의 조화와 상생이 아니다. 현실은 안타깝고 비참하지만 대기업의 노여움, 사자의 수염을 건드리지 않는 범위 내에서의 상생만이 살 길이다. 자연과의 상생도 자연의 분노를 초래하지 않을 범위 내에서 인간의 겸손한 행동만이 자연과 함께 더불어 살아갈 수 있다.

아무리 흥미진진하고 흥미롭던 일도 해가 바뀌기도 전에 단조로운 일상이 되어 버린다. 그 일이 나이아가라 폭포에서 다이빙을 하는 일이든, 사하라 사막 마라톤을 완주한 일이든, 시간이 지나면 모두 익숙해지기 때문이다. 첫 경험의 감동과 희열은 사라진다. 습관이란 익숙함이 발휘하는 망각과 관성의 위력을 우리는 벗어날 수 없다.

복잡함에는 많은 생각과 걱정이 고구마 줄기처럼 달라붙어 있다. 단순함은 이러한 복잡함이 아닌 다양함 속에서 나온다. 나아가 다양함이든 단순함이든 매몰되기보다는 다양함 속에서 단순함을, 단순함 속에서 다양함을 끊임없이 모색하는 삶일수록, 매일매일 순간순간이 새롭고 향기롭고 즐거우며, 그런 사람이 머문 자리는 향기가 난다.

그래도 단순함과 다양함 중에서 하나를 선택하라고 한다면 다양함 쪽으로 마음이 기운다. 생각해 보자. 만약 이 세상 사람이 모두가 천사라면 얼마나 재미없고 무미건조하며, 만약 이 세상 사람이 모두가 악마라면 얼마나 지옥 같을까. 아무리 이상적인 것도 다양함이 존재하지 않는 인간세상은 지루하다.

모든 위기는 현실의 망각에서 일어난다. 다음은 새를 잡으러 숲으로 간 들새 사냥꾼의 일화다. 사냥꾼이 숲에 다다르자, 운 좋게도 나무 위에 지빠귀 한 마리가 앉아 있었다. 온 정신을 집중한 채 하늘만 쳐다보고 있었기에 그에게는 발밑을 살필 겨를이 없었다.

그런데 갑자기 무언가가 사냥꾼의 발목을 물었다. 아뿔싸! 독사였다. 사냥꾼은 자신도 모르게 잠자고 있던 독사를 밟아 버린 것이다.

사냥꾼은 목숨이 위태로운 상황에 빠지자 한숨을 쉬었다. "슬프도다. 나도 모르는 사이에 나 스스로 죽음의 올가미에 빠지다니⋯⋯."

못 가진 자일수록 현실을 망각하고 망상과 공상, 환상에 빠지기 쉽다. 왜일까. 그들에게 꿈은 하늘의 별처럼 현실적으로 도달하기 어렵기 때문이다. 그래서 그들에게는 망상과 공상, 환상 속에서라도 꿈꾸고 싶고, 꿈을 이루고 싶은 본능이 작동한다.

꿈과 현실의 차이가 건널 수 없을 만큼 벌어진 사회적 약자나 빈자일수록 생생한 꿈, 대지에 발을 굳건히 딛고 한 계단씩 꿈으로 가는 계단을 밟고 올라가는 것, 실현할 수 있는 꿈과는 멀어질 수밖에 없고, 공허함과 허망함을 채워 줄 것 같은 유혹의 손길을 뿌리치지 못하고 중독의 늪에 빠지는 것이다.

자연과 멀어질 때 사람들은 공상에 빠지고 환상에 의존하게 된다. 따라서 실현 불가능한 소망은 일찍 버릴수록 좋다. 이에 관한 재미있는 이야기다. 어떤 젊은이가 호두나무 밑에 누워 이런 생각을 했다고 한다.

'신도 머리가 좋지 않군. 기왕이면 이 나무에 달린 호도 열매를 수박덩이만큼 크게 만들었다면 얼마나 좋았을까? 그렇다면 호도 한 개만 먹어도 그 고소한 맛을 마음껏 즐길 수 있을 텐테⋯⋯.'

곰곰이 생각하던 젊은이는 곧 스르르 잠에 들었다. 그러다 무엇인가가 머리에 떨어졌고, 그는 놀라서 벌떡 일어났다. 바람에 가지가 흔들리면서 호도 한 개가 그의 이마로 떨어진 것이었다. 이마를 만져 보니 조그마한 혹이 부풀어 올라 있었다. 젊은이는 안도의 한숨을 내쉬며 이렇게 생각했다.

'휴, 다행이다. 만일 이 호도가 수박만큼 컸다면, 지금쯤 나는 어떻게 되었을까?'

자연은 다름을 인정하고 포용하고 함께 공존한다. 사자와 얼룩말은 서로의 다름을 인정하면서 함께 공존하고 공생한다. 인간세계도 서로 다름을 인정하지 않을 때보다 서로 다름을 인정할 때, 함께 공존하고 어울리는 세상이 실현될 수 있다.

다름을 인정하면 공감이 쉬워진다고 한다. 머리로는 이해되지만 마음으로 공감하기는 어렵다. 본능적으로 안 된다. 왜냐하면 사람은 본능적으로 비슷한 것, 비슷한 느낌에 수긍하고 공감하기 때문이다. 그래서 인위적으로 다름을 인정하기 위해서는 피나는 노력이 필요하다. 한 예로, '튀는 옷차림이나 머리 스타일을 하면 날라리'라는 고정관념은 다른 것을 나쁜 것으로 착각하게 만든다. 다른 것은 나쁜 것이 아니다. 단지 취향이 다르고 관점이 다를 뿐이다.

모두 같아야 한다는 강력한 믿음은 거기서 조금이라도 벗어난 것에 민감할 수밖에 없고, 그러다 보니 정상의 범위는 더욱 좁아진다. 사람들은 마치 좁은 통 속에 들어간 통 아저씨처럼 좁은 틀 속에 갇혀 있다. 그래서 우리나라에서는 스티브 잡스가 나오지 않는 것이다.

밥 대신 라떼를 마시거나 한 달 월급을 달랑 구두 한 켤레에 바치는 걸 이해할 수 없다고 하는 사람이 있는가 하면, 다른 누군가는 밤새 거리를 쏘다니며 축구 경기 중계에 열광하는 빨간 티셔츠 무리를 이해할 수 없다고 한다.

하지만 사람들은 하늘의 별만큼이나 다양한 취향과 관심이 있기 마련이다. 자신이 경험하지 않았고, 공감하지 못하고, 이해할 수 없다는 것만으로 타인의 행동에 대한 손가락질을 하는 것만큼 경박하고 어리석은 짓이 또 어디 있으랴.

가끔은 호텔 레스토랑에서 다소 사치스러운 가족식사를 하고, 호텔 커피숍에서 만 원짜리 커피를 마시면서 친구들과 공부하고, 책을 읽고, 담소를 나누고, 최신 유행의 멋진 구두를 사고 나서 어깨춤을 추고, 좋아하는 팀을 응원하면서 웃고 노래하고 뜨거운 함성을 지를 수 있는 열정과 함께 파티가 끝난 뒤에 남은 쓰레기를 깨끗이 치울 줄 아는 차가운 이성을 유지할 수 있다면, 누구하고라도 함께 어울리고, 함께 일어설 수 있다.

같음이 나쁨이 아니듯이, 달라야 할 때 같고, 같아야 할 때 다른 것이 잘못된 것이고 나쁜 것이다. 논산 훈련소 제식훈련을 할 때 혼자만 틀린 발동작을 하는 것, 녹색 신호등에 급하다고 혼자만 무단 횡단하는 것, 지정된 학교 교복을 무시하고 다른 복장을 하고 등교하는 것은 같아야 할 때 달라서 잘못된 행동을 하는 것이다. 이것은 얼이 빠진 것이며, 다름이 아니라 '틀린' 것이다.

• 뷰티풀라이프 88 ❶ •

반대의 경우는 더욱 심각하다. 달라야 할 때 모두 같은 행동을 하는 것이다. 검증되지 않는 모험사업 진출에 대한 의견에 100명의 참가자가 전원 사장의 생각과 동일한 의견을 표출하는 것처럼, 권위에의 무조건적인 복종이나 다양성의 부재는 창조와 창의력을 질식시키는 침묵의 살인이다. 진보와 보수, 격렬함과 평화로움, 아우성과 침묵, 감성과 이성, 들이댐과 신중함, 엉뚱함과 치밀함, 감수성과 논리성 등 수많은 가치들이 공존할 수 있을 때, 비로소 창의력과 창조력이 생성되는 것이다. 진정한 창조경제는 한 명이 천 명을 먹여 살리는 것이며, 일보다 사람이 먼저인 경제다. 창조는 기계가 하는 것이 아니고 사람이 하는 것이다.

인간은 다르면서 같음을 추구한다. 다름과 같음의 균형점은 인간이 흔들리면서도 중심을 잃지 않을 수 있는 좌표이다. 이와 달리, 다름이 틀림이라는 편견이나 선입견에 사로잡혀 있으면, 이는 필연적으로 나와 다름을 악으로, 적으로 관계 설정함으로써 사회와 세상을 대결과 갈등, 불신과 불안의 위험하고 병든 사회로 변질시킨다.

하지만 관점을 바꿔서 다름을 아름다운 것이라고 생각한다면, 다름은 창조의 뿌리이고 아름다움의 원천이며, 활기찬 소통과 명랑한 관계의 원천이 된다.

산사태처럼 쏟아지는 중상모략에도 진흙 속의 진주처럼 순수함의 빛을 잃지 않고, 해가 진 후의 어둠처럼 소리 없이 덮쳐 오는 권모술

수에도 더러움으로 물들지 않는 사람은 이성과 감성의 경계를 포용하면서 자연과 조화로운 삶을 사는 사람이다.

자연은 다가가면 언제나 반겨 주는 무한 사랑을 지닌 애인이다. 꽃과 이야기하고 여인의 허리를 안 듯 나무의 허리를 쓰다듬고, 달을 즐기고, 별과 만나고, 종종 산에 올라가자.

지혜의 눈으로 세상 바라보기

마쓰시다 고노스케는 "가난함은 부지런함을, 허약함은 건강의 중요성을, 배우지 못함은 배움의 절실함을 일깨워 줬다."고 말했다. 이처럼 단점을 강점으로 바꾸는 태도, 이것이 삶의 연금술이자 지혜로움이다.

지혜로움은 또한 보이지 않는 진실을 볼 줄 아는 능력이다. 플라톤의 동굴의 비유에서 묶인 쇠사슬을 끊고 뒤로 방향을 돌려 환영이 아닌 본질과 진실을 볼 줄 아는 것은 지혜이다. 그 본질과 진실의 방향은 빈자와 약자, 국민들, 지금 내 옆에 있는 사람에게 얼마나 최선을 다하고 있느냐, 유익함과 즐거움을 주고 있느냐에 달려 있다.

"책은 얼어붙은 내 감수성을 깨는 도끼다."라고 했다. 반찬 없는 밥처럼 책 없는 삶은 밍밍하고 무미건조하다. 가장 측은해 보이는 사람은 책 없는 인생을 사는 사람이다. 배움의 즐거움을 아는 사람은 의자를 당기고 앉아서 책장을 넘길 수 있다.

이것이 변화이고 혁신이며 혁명이다. 실천으로 이어지지 않는 어떤 행위도 무한 반복일 뿐, 새로움을 창조하기 위해 매일 새로운 삶을 창조하는 일상의 혁명을 만들어가는 무한 도전에 이를 수 없다. 그래서 지혜란 다른 말로 '지식이라는 껍데기에 진실한 마음을 입힌 것'이다.

일본에서 반세기 전 한 어촌마을의 촌장이 높이 15미터가 넘는 방조제를 고집했기에 그 마을은 최근 일본을 덮친 쓰나미에서 무사할 수 있었다고 한다.

그 당시에는 그 방조제는 너무 높다는 비판을 받았지만, 그는 메이지 시대에 15미터 높이의 쓰나미가 밀려왔었다는 사실을 기억하고 자신의 신념을 굽히지 않았다. 조롱받고 반대에 부딪혔던 그의 믿음은 결국 자명한 진리가 됐고, 수많은 사람들의 목숨을 구한 것이다.

지혜는 감성의 힘과 인간의 어리석음을 직시하고 인정하는 태도에서 발현된다. 현실의 삶에 있어 대부분의 결정은 이성보다는 감성에 휘둘린다는 의미다. 수많은 두뇌들이 모여서 추진한 거대한 프로젝트나 정책도 뭔가 잘못된 방향으로 가고 있음에도 불구하고, 이미 들어간 비용과 노력을 포기하지 못하는 인간의 어리석은 감정 때문에 끝까지 가다가 추락하는 경우를 종종 보았다. 주식 실패, 사업 실패, 결혼 실패도 다 이런 감정의 매몰비용효과를 극복하지 못한 어리석음 때문이다.

사람들은 본인이 냉철한 이성과 합리적인 판단에 의해 결정하고 행동한다고 생각한다. 하지만 이것은 위대한 착각이다. 마치 풍선을 계속 불면 터진다는 것을 알면서도 풍선 불기를 멈추지 않거나, 모래 속에 머리만 처박고 몸 전체를 숨겼다고 생각하는 타조와도 같다. 왜냐하면 99%는 냉철한 이성과 합리적인 판단일지라도 결정하고 행동하게 만드는 것은 1%에 해당되는 감정의 장난질이기 때문이다.

우리는 지혜로운 사람과 환상 속에 빠진 사람을 비교할 줄 알아야 한다. 세르반테스는 문학을 통해 우리가 꿈꿀 수 있는 세계를 이렇게 묘사하고 있다. "이룩할 수 없는 꿈을 꾸고, 이루어질 수 없는 사랑을 하고, 싸워 이길 수 없는 적과 싸움을 하고, 견딜 수 없는 고통을 견디며 잡을 수 없는 저 하늘의 별을 잡자."

개인적으로 이것은 무지개를 좇는 삶이고, 문학을 통해서만 꿈꿀 수 있는 세계를 현실의 삶 속에서 꿈꾸는 것은 환상 속에 빠져 있는 사람이다.

현실의 삶 속에서 나는 죽을힘을 다해 이룩할 수 있는 꿈을 꾸고, 이루어질 수 있는 사랑을 하고, 싸워 이길 수 있는 싸움을 하고, 견딜 수 있을 때까지 고통을 견디며 닿을 수 있는 데까지 올라갈 것이다. 이처럼 현실 가능한 꿈을 죽을힘을 다해 실현시키는 사람이야말로 지혜로운 사람, 위대한 사람이다.

디지털 환경, 스마트폰에 매몰될수록 생각은 분절되고 파편화된다. 디지털은 지식이란 당의정을 주는 대신에 지혜를 앗아간다. 학벌과 치열한 석차 경쟁 속에서 이성과 논리를 담당하는 머리는 발달할지 몰라도, 전체를 보는 안목, 보이지 않는 것을 느낄 줄 아는 지혜를 담당하는 가슴은 쪼그라든다.

군림과 지배, 아집과 독선의 뱃살이 생기지 않도록 자신을 단련하라. 이성과 합리, 타협과 설득의 근육이 단단한 몸짱이 진정한 대장부이다.

비 오는 날, 농부가 누렁소를 끌고 붉은 노을이 지는 구비진 산길을 걸어갈 때, 이것은 화가에겐 아름다운 한 폭의 그림이다. 하지만 막상 농부는 고단하고 힘들고 고통스럽게 보낸 하루의 무게에, 어깨가 무겁고 온몸이 무너질 것 같이 피곤하며 뼈마디는 저리고 무릎은 무너져 내릴 것만 같다.

늦은 저녁 남편을 따뜻하게 맞이하는 아내, 어깨동무하고 막걸리 잔을 나누면서 크게 웃음 짓는 친구들, 이 장면만을 캡처 하면, 이것은 하나의 아름다운 예술사진이다. 하지만 비정규직인 남편은 이 짧은 휴식을 위해 하루 종일 치열하고 격렬한 질주를 하였기에, 그의 몸이 솜처럼 젖고, 눈은 고단함으로 가득 차 있으며, 마음은 총 맞은 사자처럼 고통스럽다.

우리가 스틸사진 뒤에 감춰진 것을 바라볼 수 있는 지혜로움을 가질 수 있다면 충분하다. 꿀벌에게는 복권보다는 꽃이, 파리에게는 꽃보다는 똥이, 생존에 목매는 가난한 자에게는 가족과 먹을 따뜻한 밥 한 그릇이 더 소중하다. 왜냐고 묻지 마라. 그게 꿀벌이고 파리고 생존에 목매는 삶이다. 이미 많은 것을 가진 자들은 가장 높은 곳에서 인간을 조롱하고 짓밟고 경멸에 찬 시선으로 내려다본다. 왜냐고 묻지 마라. 그게 자본주의다.

보이는 부분과 보이지 않는 부분을 같이 볼 줄 아는 조화와 균형 잡힌 시각과 삶의 태도가 혜안이요, 지혜로움이다. 지혜로움이란, 보이지 않는 것을 보고 느낄 줄 아는 것이다. 어린 왕자처럼 보이지 않는 것을 느끼고, 다가오고 부딪치는 모든 것에 공감하면서 즐거움을 만끽할 수 있다면 우리는 미래를 두려워하지 않는다. 그는 모든 것에 맞설 수 있고, 모든 것과 어울릴 수 있기 때문이다.

〈바보는 당하고 화를 내지만 똑똑한 사람은 준비를 한다〉라는 글에서 가져온 내용으로 이 주제를 끝맺고자 한다.

"'지만(持滿)'이라는 말이 있습니다. 활을 끝까지 당긴 채 화살을 쏘지 않는 형상을 지만이라고 합니다. 만반의 준비를 다하고 대기하고 있는 상황을 일컫지요. 똑똑한 사람들은 준비를 합니다. 활시위를 힘껏 당겨야 합니다. 언제든 화살을 가장 멀리까지 날릴 수 있도록 힘을 비축해야 합니다. 그 활줄처럼 마음가짐도 늘 팽팽하게 유지해야 합니다."

타는 목마름의 삶에서
무지개를 보다

타는 목마름의 삶은 간절하며, 절박하고 절실한 마음으로 사는 것이다. 그것이 생존에 대한 목마름이든, 정의나 진리의 실현에 대한 목마름이든 말이다. 그런 사람이라면 간절한 꿈을 이룰 가능성이 높다. 삶은 안락함보다는 긴장감에서, 고요한 침묵보다는 격렬한 몸부림 속에서 강한 생명력으로 피는 꽃이기 때문이다.

사람을 막 대하는 비열하고 잔혹한 세상에서 부딪치면서 힘겹게 살아가는 인생이지만, 내가 좋아하고 하고 싶은 꿈을 향해 죽을힘을 다해 달려 보겠다는 마음을 먹고 최선을 다하는 순간, 그는 자신만의 신화를 만들어 가는 가치로운 존재, 큰 바위 얼굴이 된다. 어떤 경우라도 자신이 갖고 있는 가능성을 제로로 만들어 버리는 것은 스스로에게 가장 부끄러운 삶이다.

　인간의 행동은 불완전한 관성의 법칙에 따라 움직인다. 과학이론에
서의 관성의 법칙과 달리 인간 행동의 관성의 법칙은 한쪽 방향으로
만 작용한다.
　관성의 법칙이 움직이는 것은 계속 움직이려고 하고 멈추어 있는
것은 계속 멈춰 있으려는 성질을 말하는 것이라면, 인간 행동의 관성
의 법칙은 움직이려는 성질에는 적용이 안 되고 멈추어 있으려는 성
질에만 적용되는 불완전한 관성의 법칙이다. 이런 불완전한 관성의
방향을 거꾸로 돌려서 멈추어 있는 것을 움직이게 하기 위해서는 간
절함, 절박함과 절실함을 추진 동력으로 삼아야 한다.
　호랑이를 잡으려면 호랑이 굴로 들어가야 하듯이 절박함과 절실함
을 가지기 위해서는 내 자신을 절박함과 절실함의 늪에 던져야 한다.
스스로 만든 절박함의 굴레, 감옥에 자신을 집어 던져 혹독하게 담금
질하고, 치열하게 노력하고 강하게 나를 채찍질해야 한다.
　남들이 미쳤다고 손가락질 하는 상태에까지 이르지 못하면, 나를 성
장하고 성숙시키는 절박함과 절실함을 가질 수 없다. 그것은 인간의
본성, 인간 행동의 불완전한 관성법칙을 넘어서는 길이기 때문이다.

　어떤 동기가 나를 더 절박하고 절실하게 하는가? 결핍인가, 아니면
성장 동기인가? 당연히 결핍, 즉 생존이다. 하지만 결핍은 치명적인

약점을 가지고 있다. 그 결핍이 채워지는 순간, 절박함과 절실한 질주로 인한 죽음 같은 고통의 시간을 보상받기 위해 안일함과 나태함의 나락으로 떨어진다. 이런 추락을 막기 위해 절박함과 절실함은 즐거움과 동행해야 한다.

절실함과 절박함은 목표를 이루게 한다. 하지만 절실함과 절박함은 나를 피곤하게 만들기도 한다. 절실함과 절박함은 들숨이고 안락함과 편안함은 날숨이다. 이 둘의 리드미컬한 순환이 인간을 가장 생기 있게 만드는 것이다.

절박함을 통해 목표를 달성한 후에는 반드시 안락함에 젖어 들어라. 안락함에 젖어 편안함을 가졌다면, 반드시 벌떡 일어서 절박함을 향해 달려들어야 한다. 그런데 나태함이 마치 먹이를 발견한 한 마리 사자처럼, 샘물을 발견한 목마른 사막의 여우처럼 밀려온다면, 절실함은 초원을 집어삼킬 듯한 굉음을 울리는 들소 떼처럼 나태함을 깔아뭉갤 수 있는 무서운 속도로 질주해야 하다.

조직폭력배, 다른 말로 깡패와 해병대나 특전사의 차이점은 무엇일까? 언제인가, 조직폭력배와 특전사들이 술자리에서 길거리에서 싸움을 했다는 짧은 기사를 본 적이 있다. 싸움의 결과는 조직폭력배들이 특전사들을 혼내 주었다는 내용으로 기억한다.

그렇다면 왜 이런 일이 생길까? 조직폭력배들이 실제 싸움을 더 잘하는 인적구성을 갖추었기 때문일까? 그럴 수도 있고, 아닐 수도 있다. 조직폭력배에게 주먹의 승부는 절박한 생존의 문제이기에 그들에게 주먹은 존재의 이유이고 삶의 방식이다.

가방끈이 짧은 조직폭력배들은 학벌사회에서 공부 때문에 무시받고 인격적으로 모욕당하고, 처벌받으며 살아왔기에 오로지 주먹과 힘과 깡과 체격을 삶의 무기로 삼아 살아갈 수밖에 없다. 이들에게 특히 일반인이건 군인이건 간에 주먹으로 밀리고 싸움에서 진다는 것은 치명적일 뿐 아니라 생존의 위협이며, 조직원으로서의 사형선고나 다름없다. 그렇기 때문에 불가피한 싸움을 할 경우, 이들에게서는 생존을 건 독기가 뿜어져 나온다.

물러설 곳이 없는 이들과 달리 특전사나 해병대는 돌아갈 자대가 있다. 이들은 특전사나 해병대라는 특권의식으로 목과 어깨에 기부스를 한 자존심 세우기의 문제다. 생존이 달린 독기로 무장한 자와의 싸움은 싸우기 전에 이미 승부가 결정된 것이다. 생존이 달린 독기는 싸울 때 주먹만이 아니라, 칼과 각종 흉기를 독기를 품으면서 거침없이 휘두른다. 마치 내일이 없는 사람들처럼. 결국 해병대나 특전사의 자존심 세움도 독기를 품은 독종 앞에서는 고양이 앞의 쥐일 뿐이다. 결국 이들은 묵사발 난다.

원빈의 영화 〈아저씨〉에 이런 대사가 나온다. "니들은 내일만 보고 살지? 난 오늘만 산다!" 내일을 사는 사람, 내일이 있는 사람은 독하게 행동하지 않는다. 내일의 나를 위해 쉽게 목숨을 걸지 못하는 것이다.

빈자와 사회적 약자, 서민 중에서 오늘만 사는 사람, 내일이 없는 사람은 독하게 행동한다. 즉각적이고 바쁘고 치열하게 산다. 마치 천일을 기다려서 하루를 사는 하루살이처럼. 이것이 긍정적인 방향으로 작용할 때, 자기한계를 극복한 비범한 사람의 영웅담으로 탄생한다. 하지만 이것은 극히 소수의 이야기일 뿐이다.

오늘의 삶에 목숨을 거는 사람에게는 거칠 것이 없다. 앞을 가로막는 것은 미식축구선수의 보디체크처럼 강하게 깔아뭉개고 전진한다. 전후좌우를 살펴볼 겨를도 관심도 없다. 그래서 무섭다. 지금의 삶에 모든 것을 다 던지고, 목숨을 거는 독종은 그래서 무섭다.

부정적인 방향일 때 대부분 성난 얼굴로 사회를 적대시하면서 죽지 못해 하루하루를 살아지는 대로 살고, 일부는 잔혹한 범죄자로, 일부 유리 심장을 가진 사람은 자살한다.

그래서 절실함과 절박함은 방향이 중요하다. 독사가 가진 것은 독이다. 독종이 가진 기가 독기다. 살인자가 가진 기가 살기다. 독기는 나를 살리는 기고, 살기는 나를 죽이는 기다. 독기와 살기의 차이는 기의 방향에 있다. 기가 자신의 가슴을 향해 뿜어져 나오면 독기이고, 기가 타인의 심장을 도려내기 위해서 내뿜어지는 것이 살기다.

스스로 자신의 심장을 벨 수 있는 사람이 독기를 지닌 사람, 독한 사람이다. 그런 의미에서 안중근 의사는 물론 할복하는 일본 무사에게도 우리는 극한의 독기를 본다. 당연한 말이지만 살기보다는 독기가 낫다.

하지만 안중근 의사처럼 특별한 상황이 아닌 일상 속에서 기를 뿜어내야 한다면, 활기와 생기를 뿜어내는 것이 가장 좋다. 사람의 옷을 벗게 만드는 것은 강한 태풍이 아니라 따뜻한 햇살이듯 말이다.

절실함과 절박함이 가져다주는 몰입 속에서 배움의 즐거움도, 삶의 기쁨도 피어나는 것이다. 여행지에는 만난 놀라운 경치를 구경할 때 정신을 놓은 상태에서 편안한 마음으로 한번 휙 둘러보는 것과 '이 놀라움 경치를 마음속 깊은 속에 영원히 담아두어야겠다'는 간절함과 절실한 마음으로 만끽하는 것 중에 누가 여행의 가치를 더 느끼고 살겠는가?

안락함과 편안함에 간절함과 긴장감이 없을 때 편안함은 나른함과 나태함으로 이어지고, 흐리멍덩하고 무기력한 상태로 변질된다. 편안할수록 절박함과 절실함, 치열함과 간절함을 가져야 한다. 그래야 인생이 풍부해지고 화려해지고 충만해지고 깊어진다.

벼락치기 공부가 통하는 것은 절박함이 주는 초인적인 능력, 집중력 때문이며, 절박한 상황에서의 사랑을 그린 〈만추〉, 〈로미오와 줄리엣〉이 애틋하고 감동적으로 다가오는 것은 이루어질 수 없는 사랑이 주는 절박함과 절실함 때문이다.

이처럼 절박함은 소수의 예외적인 사람들에게 초인적인 힘을 발휘하는 동력이 되지만, 평범한 장삼이사들에게는 이루어질 수 없는 한계상황이 왔다는 신호이다.

그런데 치열한 삶, 타는 목마름의 삶을 지속하기 위해서는 반드시 쉼이 필요하다. 그것이 '휴식의 역설'이다. 끊임없이 흐르는 것이 인생이지만, 인간은 기계가 아니기에 쉼표가 필요하다.

몰입과 쉬어감의 균형, 이것이 활기찬 삶을 지속하는 유일한 비법이다. 하지만 절대로 멈추어 서지는 마라. 쉼과 멈춤을 가르는 획일적인 잣대는 없다. 그것이 하루가 되었든, 한 달의 되었든, 다시 웃으면서 박차고 일어서 힘차게 발걸음을 내디딜 수 있다면 그것은 쉼이다.

하지만 다시 발걸음을 내딛지 못하고 그 자리에 다시 주저앉는다면 그것은 멈춤이다. 한 번 멈춤은 영원한 멈춤으로 굳어질 가능성이 있으므로 항상 이를 경계해야 한다. 쉴 때 쉬지 못하는 사람은 영원히 멈추게 된다. 쉴 줄 아는 것은 그래서 대단한 용기가 필요하다.

쉼은 짧지만 내 몸과 마음을 가볍게 하고 에너지로 충전시켜야 한다. 쉼이 길고, 너무 달콤해서 안락함과 편안함 속으로 빠져들면, 그곳에는 죽음이라는 이름의 괴물이 입을 벌리고 기다리고 있을 것이다.

타는 목마름은 갈망이자 열정이다. 지금까지와 다른 무언가를 자신의 삶 속에 집어넣고, 새롭게 살아 보려는 꿈이다. 노래든, 춤이든, 여행이든, 봉사 혹은 꼭 하고 싶은 일이나 가슴 설레는 연애이든 누구에게나 남몰래 가지고 있는 꿈이 있다. 특히 중년과 노년에 이른 이들은 자신에게 주어진 시간이 많이 남아 있지 않기에 이제 더 이상 꿈을 감춰둘 수도 감춰둘 필요도 없다. 절박함과 무모함은 다르다. 절박함

• 뷰티풀라이프 88 ❶ •

에는 자기사랑이 있고, 무모함에는 자기파괴가 있기 때문이다.

타는 목마름은 타는 듯한 아픔을 견딤이다. 위대한 성취는 모두 견딤의 시간을 통해 축적한 내공이 적절한 시기에 폭발한 성과다. '끝까지 견디라'는 말은, 잠재울 수 없는 격렬한 욕망과 목마른 결핍으로 치열하게 질주하는 인생도, 그 삶의 지속은 담금질의 시간과 연마의 강도에 달려 있다는 것이다.

하지만 더 중요한 것은 뜨거운 열정으로 벌떡 일어섬이다. 죽기 살리고 덤비는 사람을 보면 사람들이 본능적으로 피하듯이, 죽기 살기로 자신의 일에 최선을 다하는 사람을 보면, 운명도 길을 내어주고, 신도 감동을 하는 것이다.

130킬로그램의 몸무게에서 70킬로그램으로 변신한 한 남자가 있다. 국가대표 상비군 헤비급 레슬러였던 김민철, 그는 무려 60킬로그램의 몸무게를 감량한 뒤 최고의 권위를 자랑하는 파리의 오트쿠튀르 무대에 당당히 선 세계 최초의 남자이다.

"다들 미쳤다고 했지만 하고 싶은 일에 매달리다 보면 언젠가 결실을 보게 될 날이 반드시 올 거라는 확신이 있었습니다. 몇 번 포기할까 생각도 했지만 아무것도 이루지 못하고 여기서 포기한다면 인생의 마지막 순간까지 아쉬움으로 남을 거라는 생각이 들었어요. 이왕 달리기 시작했으니 끝까지 한번 가 보자고 생각했습니다. 나는 나를 넘어섰습니다."

세상에 의지로만 되는 것은 없다. 왜냐하면 의지는 머리에서 나왔기 때문이다. 의지에 절박함과 간절함, 그리움 같은 경험에서 우러나오는 감정이 결합되어야 한다. 따라서 밑바닥까지 떨어져 보지 않는 사람의 의지는 하룻밤에 쌓은 모래성과 같다. 삶의 밑바닥에서 생의 처절함을 경험한 사람의 의지만이 무너지지 않는 철옹성처럼 단단하다.

소리꾼 장사익이 대한 이야기다. 그가 소리꾼이 되기 전까지 스스로 '참 별 볼일 없는 인생'이었다고 말한다. 43세 때인 1992년, 별다른 기술 없이 카센터에서 청소하고 주차하는 일을 몇 해째 하던 어느 날, 소설 〈달과 6펜스〉의 주인공 스트릭랜드처럼 단 한 번뿐인 삶, 하고 싶고, 좋아하는 일을 하고 싶은 간절함이 그의 잠자고 있는 야성을 깨워 벌떡 일으켜 세웠다고 한다.

그 뒤에 〈찔레꽃〉, 〈봄비〉, 〈님은 먼 곳에〉, 〈동백아가씨〉를 가지고 눈물겨운 어려움과 우여곡절의 시간을 보낸 끝에, 1994년 홍대 앞 소극장 무대에서 처음 소리꾼으로 오르게 된다. 그의 나의 46세 때였다. 그는 말했다.

"몇 십 년을 돌아 길을 찾았구나. 인생이란 이런 거구나. 일찍 피는 꽃도 있지만 늦가을에 피는 국화도 있구나."

역사 속에서 우리는 치열하게 저항했고, 격렬하게 항거했던 이단아들이 역사의 흐름을 제자리로 돌려놓은 것이다. 얼마 전에 아들 학교 과제 때문에 서대문형무소를 견학하였다. 잘 짜인 견학코스의 마지막은 독립투사들과 민주열사들이 취조받고 고문을 당한 현장을 재현한 곳이었다.

만일 같이 활동한 동지를 배신했다면, 그들 중 많은 사람들은 생각만 해도 끔찍한 고문과 감금 생활에서 벗어날 수도 있었을 것이다. 하지만 그들은 지옥 같은 고통을 감수하면서 차디찬 감옥에서 죽었으며, 고문을 견디지 못하고 죽었다. 그들의 고통에 지옥 같은 아픔과 한 만이 서려 있었을까? 어쩌면 그들은 스스로 선택한 고통 속에서 행복하고 아름답게 죽음을 맞이했을 것이라 생각한다.

죽음보다 더한 고문을 당하고 차디찬 감옥소에서 생을 마친 독립투사들을 떠올려 보자. 그들이 불행했을까? 아니면, 행복했을까? 아무도 모른다. 단순히 독립투사로 비인간적이고 지독한 고문을 당하면서 죽음을 맞이했다고 모두다 기꺼이 죽음을 맞이했을 것이라 단정할 수 없다.

하지만 적어도 고문을 피할 다른 길, 다른 삶을 살 수 있었음에도 불구하고 기꺼이 스스로 선택해서 고문이라는 지독한 고통의 길을 감수했다면, 적어도 그는 불행한 삶을 산 사람이라고 말할 수 없을 것이다.

소주 한 병에 수명이 한 달씩 줄어든다면, 하루 운동을 30분 이상 하지 않으면 몸무게가 매일 5킬로그램씩 불어나고, 하루 책을 100페이지씩 읽지 않으면 다음 날 아이큐가 10씩 내려간다고 해도 사람들이 독주를 마시고, 운동을 안 하고, 책을 읽지 않을까?

그렇지 않다. 엄청난 결과가 눈앞에 바로 보인다면, 틀림없이 금 100냥을 주울 수 있다면 천리를 마다않고 걸어가듯이 그토록 하기 싫어하고 미루기만 했던 것도 단번에 실천할 것이다. 불행하게도 현실은 이처럼 엄청난 결과를 눈앞에 보여 주지 않는다.

시계초침이 가는 것을 잘 느끼지 못하는 것처럼 변화는 아주 서서히 진행되기에 그들에게 지금 바로 행동하려는 절실함과 절박함을 앗아간다. 그렇기 때문에 대부분의 사람들은 중간에 포기한다. 앞으로도 그럴 것이다.

분명한 것은 내 짧은 삶의 여정의 마지막 종착역에서 나는 좋아하고, 하고 싶은 삶의 길로 달려가기 위해 치열하게 몰입했고, 내 자신을 뜨겁게 사랑하면서 살지 못한 것을 땅을 치며 후회할 것이다.

그래서 나는 다시 마음먹는다. 나는 지금부터 더 '절절하고' 더 '열렬하며' 더 '치열하게' 살겠다고. 분명 세상은 살아 볼 만한 구석이 있다.

시련이며 고통이란 어둠의 그림자는 아침이 되면 나를 강하게 하고 힘차게 일어서게 만드는 태양의 빛으로 변한다.

매 순간을 전성기로 만드는 비결,
푸르른 젊음

　'푸르른 젊음이 아름답다'는 의미는 죽기 전까지 모든 시기가 다 전성기이기에, 자신의 나이를 사랑하면서 죽기 전까지 즐겁게, 활활 타오르는 열정으로 매일매일을 내 삶의 전성기로 만들어 가는 삶에 대한 태도이다. 하지만 현실의 삶 속에서 중년은 변화를 거부하거나 변화할 힘을 잃어버린 마른 갈색의 계절이다.

　좋아하는 이성을 보면 두근두근 심장이 요동치는 것을 느낄 수 있다. 중요한 시험을 볼 때도 두근두근, 사람들 앞에서 말해야 할 때도 우리의 가슴은 두근두근 뛴다. 우리는 안다. 이 세상 모든 두근거림은 기회가 왔다는 신호라는 것을, 그리고 막상 해 보면 생각한 것보다는 해 볼 만할 뿐 아니라, 별것 아니라는 것을. 산다는 것은 즐거움이요, 설렘이며, 그리움이다. 설렘과 그리움은 심장을 뛰게 만들고 걱정과 두려움은 가슴을 오그라들게 만든다.

국가와 사회의 열정 총량은 정해져 있다. 열정총량의 법칙이다. 청년의 열정이 내려지면, 나이든 세대의 열정은 올라간다. 청년의 열정 온도가 올라가면, 나이든 세대의 열정온도가 내려간다. 지금은 청년의 열정온도가 내려간 시대다.

청년은 반발하고 반항만 하기보다는 끊임없이 반해야 한다. 세상에 반하고 문학에 반하고 친구에 반하고 이성에 반하고 자연에 반하고 꿈에 반해야 한다. 반함이 없으면 꿈이 없고 꿈이 없으면 도전도 없다. 세상의 모든 것에 반하는 사람은 세상의 모든 것에 호기심을 가진 사람이다. 사람을 움직이는 가장 큰 동력은 호기심이며 관심이다.

이 세상에 '여기까지'라고 말하면서 주저앉지 않는 푸르른 마음이 있다면 푸르른 삶은 언제나 지금부터 시작이다. 푸르름이 사라질수록 익명과 어둠 속에서 손짓하는 쾌락과 자극의 유혹에 더 쉽게 넘어가고, 그 유혹의 대가는 위험하고 치명적이다.

어둠은 일시적이지만 유혹에 넘어간 비굴한 나의 얼굴을 가려 준다고 착각한다. 하지만 어둠은 태양에 의해 사라지듯, 어둠으로 가려지는 것은 없다. 어둠 속에서의 유혹을 허리춤에서 뱀을 집어 던지듯 할 수 있다면, 그는 분명 푸르른 젊음이다.

우리가 착각하는 것 중의 하나는 나이가 들어 갈수록 인내심이 강해진다고 생각이다. 현실은 그 반대다. 특히 배가 고픈 것도 잘 참지 못하고, 배가 아픈 것은 더욱 참지 못하며, 몸이 아플 때는 참을 생각조차 하지 않는다. 인생에서 약국과 병원을 가장 많이 다니는 때이다. 나이가 들어갈수록 육체적·정신적 아픔을 더 견디지 못하는 것은 육체적으로는 약해지고, 감성은 메말라 가는 대신에 돈에 대한 탐욕은 끝없이 커지기 때문이다.

사람들은 "나이는 숫자에 불과하다."고 말한다. 하지만 인정해야 한다. 나이 들어도 젊게 살 수는 있어도 젊어질 수는 없다. 만약에 나이 들수록 젊어질 수 있다면, 아들이나 딸보다 젊은 아빠, 엄마가 생겨날 것이다.

희극이 아니라 비극이다. 아울러 젊은 세대를 인정하고 격려하고 젊음이 더욱 푸르러질 수 있도록 도와주자. 이것이 나이 든 생각에 젊은 마음의 무늬를 입히는 비법이다.

아저씨란 이름은 멋있고 매너 있는 신사보다는 무식하고 무례하고 거칠고, 옹졸하며 끈적거리며, 뱃가죽은 늘어지고 걸음걸이는 건들거리며 옷차림은 풀어진 이미지, 불쾌하고 불결한 모습이 먼저 다가온다. 나는 아저씨가 되고 싶지 않았다. 나는 좋은 아빠로, 나는 나이가 들어도 멋지고 매력적인 남자가 되고 싶었다.

그래서 나는 브래드피트나 권상우 같은 멋진 몸매는 아니더라도 그와 비슷한 화려한 몸매를 지닌 선망의 대상이 되고 싶었다. 지성과 야성을 겸비한 나의 마지막 꿈이자 몸부림이다. 이를 온몸으로 증명하고자 '2014년 맨즈 헬스 쿨가이'에 도전했고, 본선에 진출한 최종 24인에 뽑힌 것도 이런 나의 몸부림 중의 하나였다.

주어진 젊음의 절정기를 디딤돌 삼아, 나이 들수록 타는 목마름으로 감성과 마음을, 자신의 삶을 더 촉촉하고 말랑말랑하게 만들어 갈 수 있다면, 푸른 마음에 끊임없이 생기가 샘솟는 푸르른 젊음을 살 수 있기 때문이다. 100세 시대에 너무 일찍 겪어 버린 청춘의 절정은 신의 실수가 아니라 오히려 신의 한 수일 수 있다.

기본적으로 사람은 스스로가 생각하는 것보다 훨씬 멋지다. 끊임없이 미래를 호기심을, 꿈을 이야기하는 사람은 결코 늙지도, 녹슬지도 않는다. 푸르른 젊음은 시원시원한 사람이며, 시원시원한 사람이 시원한 세상을 만든다. 나잇값 못하는 것이야말로, 역설적으로 인생을 즐기는 것이다. 주책이라는 말을 듣더라도, 하고 싶은 것을 즐기면 그것으로 족하다.

자신의 나이를 사랑하는 사람은 인생의 모든 시기를 기꺼이 받아들이며 항상 새로운 도전을 즐기는 사람이다. '멋이 있다'는 것은 '무언가 있다'는 말인 것처럼, 그 나이만의 깊은 멋이 풍기는 사람은 자신의 나이를 사랑하는 사람에게 느껴지는 무언가 깊은 매력이 있다는 것이다. 오래되어 숙성된 술에서 전해지는 깊은 향기처럼, 그것이 바로 푸르른 젊음이다.

'이 나이에 봐 줄 사람도 없는데 멋을 내서 뭐해?'라는 안일한 생각과 싸워 이겨라. 멋을 내라. 이 나이에도 멋과 매력을 뿜어낼 수 있다는 것을 보여 줘라. 분명한 것은 멋이란 내면의 젊음을 밖으로 끌어내는 마법의 묘약이란 점이다.

나이가 들수록 사람들은 '나잇값'이나 '체면' 같은 굴레나 올가미로 스스로를 옥죄는 경향이 있다. '이 나이에 무슨'이라는 말을 입에 달고 살거나 자신의 꿈과 목표를 잃어버린 채 사는 동안 그가 가지고 있던 푸르름마저 갈색으로 변한다.

비굴하고 비겁하고 비리하고 비열하고 불만과 비난만 쏟아내며, 비만하게 살아서 비릿하고 비참하며 비탄에 가득 찬 우울한 얼굴의 중년남자가 우리 시대 남성들의 자화상이다.

거죽은 언젠가 늙고 허물어지지만, 중심은 늘 새롭게 하여 푸른 마음을 가질 때, 우리는 이를 가리켜 '푸르른 젊음'이라 한다. 이처럼 거죽이나 주변에서 살지 않고, 중심에서 사는 사람은 어떤 세월 속에서도 시들거나 허물어지지 않는다.

식어 가는 커피처럼, 세상엔 오래 겪어 볼수록 다양한 맛과 멋을 느낄 수 있는 것들이 많다. 나이 들어가는 길거리에서 느껴지는 향수, 함께 늙어 가는 애완견이 주는 정, 빈티지 가구나 찻잔의 아름다움, 젊을 땐 무심히 지나쳤던 고전 소설의 한 구절에서 우러나오는 진한 깨달음, 오래될수록 그 깊은 매력이 배어나는 것들이 나는 좋다

20대의 객기는 다듬어지지 않은 패기, 30대의 객기는 다듬어지지 않는 혈기지만, 40대의 객기는 럭비공 같아서 목표와 만날 때 빛나는 패기와 열정이 되지만, 방향을 잃을 땐 광기가 된다. 50대 이후의 객기가 새로운 꿈이나 도전과 만날 땐 세상에서 가장 빛나는 패기와 열정이 되지만, 방향을 잃을 땐 망령기나 노망기가 된다.

그래서 40대 이후의 객기는 아름다울 수 있는 가능성만큼이나 추해질 수 있는 가능성도 동시에 잉태하고 있다. 그래도 시체처럼 움직임도 없고 무기력한 40대 이후의 삶보다는 추해질 가능성이 있더라도 객기를 뿜어내는 나이 듦이 훨씬 신선하고 매력적인 것만은 분명하다.

착한 아내가 옆에 있어 고맙고, 무뚝뚝하지만 착하고 정직하며 정의감에 불타는 아들이 듬직하고 쉰 살이 넘은 나이에도 28인치 청바지가 어울리는 내 몸에 감사하며, 젖가슴을 만질 수 있는 '엄마'가 살아 있어 너무 고맙다. 개그콘서트에 '감사합니다'라는 코너가 있었다. 긍정적인 삶이 가져다주는 플러스 행복은 내 즐거운 삶에 보너스이다. 감사하는 마음으로 긍정적으로 살 때, 나이 들수록 푸른 마음을 지닐 수 있게 되는 것이다.

성공이나 성취에 대한 즐거움과 기쁨의 맛을 느낄 줄 알되, 익숙함에 저항하고, 안락함에서 벌떡 일어서고, 실패에 핏대를 올릴 수 있는 힘, 흥분의 도가니에 빠져 자만하지 않는 마음이 젊고 푸른 마음이다. 마음이 젊을 때 누구나 이순신이 된다. 더 이상 꿈꾸고 저항하고 도전하지 않는 마음은 늙은 마음이다. 마음이 늙으면 누구나 선조가 된다.

세상의 변화는 내 마음 그릇의 크기만큼 변한다. 내 마음 그릇이 커서 그 미치는 영향력이 넓고 깊으면, 그 만큼 세상을 변화시킬 수 있다. 내가 내 자신을 사랑한 만큼 사랑을 받을 수 있으며, 내가 나를 믿고 인정하는 만큼 타인으로부터 믿음과 인정을 받을 수 있다. 자기 인정, 자기 칭찬, 자기 사랑만큼 타인의 인정, 타인의 칭찬, 타인의 사랑을 받을 수 있다.

하루살이는 자신에게 주어진 하루가 비가 오건 태풍이 몰아치건, 타는 듯한 햇빛이 쏟아지든 상관없이 하루를 천년처럼 치열하고 열정적으로 살다가 후회 없이 생을 마감한다. 하지만 사람들 중에는 마치 10년 전의 강의노트를 지금도 우려먹는 교수처럼 백년을 하루처럼 똑같은 삶을 반복하면서 무의미하고 죽음 같은 삶을 살다가 나는 백년을 살았다고 말하면서 삶을 등진다.

분명한 것은 얼마나 삶을 치열하고 열정적으로 살았느냐와 얼마나 무의미하고 허무한 삶을 살았느냐의 차이가 하루를 천년처럼 사는 삶과 천년을 하루처럼 사는 삶을 가르는 모세의 지팡이가 된다는 점이다.

사람들은 생활의 속도를 자동차의 속도에 비교하곤 한다. 스무 살은 시속 20킬로미터의 속도로 달려가고, 서른 살은 30킬로미터로 달

려가고, 마흔 살은 40킬로미터로 예순 살은 60킬로미터로 달려간다
고들 한다.

어렸을 때 뛰놀던 운동장이 나이가 들어 보았을 때 아주 작아 보이
는 것과도 같은 이치다. 눈높이가 달라지듯이 시간이 가는 속도도 그
만큼 빨라져서인지 모른다. 조금 시선을 비틀어 50대에 50킬로미터
로 질주하는 삶을 살고, 60대는 60킬로미터로 격렬하게 질주하는 삶
을 산다면, 정말 멋진 삶이 펼쳐지지 않겠는가.

인생 100세 시대다. 예전에 40세, 50세에 죽었고, 많이 산 사람이
60세에 죽었다. 평균수명이 70세니 80세니 한 것이 최근의 일 같은
데, 이제 벌써 인생 100세 시대가 도래했다. 분명한 것은 인생 100세
시대를 넘어 평균 수명 100세 시대가 현실화되는 것은 시간문제라는
점이다.

중년 멋쟁이들이 많아지고 있다. 앞으로는 중년을 넘어 나이대로
보면 노년에 해당되는 멋쟁이들, 몸도 마음도 건강한 사람들이 더욱
더 많아질 것이다. 그럴수록 젊은 시대와의 불화와 충돌은 피할 수 없
다. 아들세대, 손자세대에게 양보와 배려를 요구하기는 어렵다.

결국 몸과 마음은 청춘이더라도 나이 상으로 중년 및 노년세대는
젊은이들에게 양보와 배려를 해야 하고, 기회를 주어야 한다. 그래야
공존과 화해가 가능하다.

얼굴 표정에는 그 사람의 삶이 스며들어 있다. 나이 들어 좀 더 여

유롭고, 너그러운 얼굴로 표정이 살아 넘치는 사람이 있는 반면, 표정을 잃어버린 사람도 있다. 나이 들수록 표정이 살아 있는 얼굴은 행복한 사람이다.

푸르른 젊음은 마음의 젊음, 생각의 젊음, 행동의 젊음을 의미한다. 누구나 즐겁고 웃으면서 스스로와 타인에게 즐거움과 건강한 웃음을 꽃피우게 할 수 있다면, 그것이 바로 푸른 젊음이다. 따라서 이런 제2의 푸르른 젊음은 누구에게나 주어진 생물학적인 젊음보다 훨씬 깊고 풍요롭고 가치롭게 빛나는 것이다.

군중 속의 고독을
즐기는 삶

일상의 즐거움과 나 홀로의 즐거움을 잃어버린 사람들이 자극과 쾌락에 의존하는 삶을 택하면서, 우리 사회는 점점 정신이 병든 사회가 되어 가고 있다. 도처에서 현란한 네온사인은 눈을 멀게 하고, 소리는 양심을 마비시키며, 냄새는 이성을 졸도시키고, 음식은 혀를 찢어 놓고 손가락은 쾌락을 더듬는다.

강렬한 자극은 몸과 마음의 조화를 파괴한다. 고도로 발달한 미디어와 밤의 문화는 자극적이고 엽기적인 쾌락의 탐닉으로, 타인에 대한 공감의 가슴은 오그라들고 말초신경의 자극과 쾌락만을 강화한다.

엽기적이고 기괴한 것에만 시선이 쏠리는 자극의 시대에 '막말녀'와 '된장녀' 동영상의 확산은 더 엽기적이고 기괴하게 진화할 것이며, 인간은 점점 인면수심이 될 것이다. 음식도 매운 음식을 넘어 핵폭탄 같이 폭발하는 매운 맛을 찾는다. 극적이고 도취적이고 쾌락적인 것에 대한 쏠림현상이 점점 심해진다.

시선이 머물 곳을 찾지 못한 사람들에게 스마트폰은 관계의 혁명적 변화를 가져온 가장 큰 요인이다. 공동체문화에서 나 홀로 문화, 함께하기에서 나 홀로 생활로의 변화로 무게 중심을 옮기게 한 근본적인 변화를 가져왔다.

이제 시선 둘 곳을 찾아야 하는 두려움과 스트레스에서 진정으로 해방되었다. 그런데 과연 정말 그럴까? 자극과 쾌락의 시대에 우리는 홀로 지내는 즐거움보다는 홀로 있음의 외로움과 무서움을 덕지덕지 붙이고 산다.

문화의 트렌드가 변하고 있다. 떼거리로 몰려다니는 집단문화에서 가족문화, 나 홀로 문화로 변하고 있다. 하지만 가족문화도 가족 해체와 더불어 중심문화로 자리 잡고 못하고 주변문화로 전락할 것이다. 결국 맨 나중에 살아남는 문화는 나 홀로 문화이다.

나 홀로 문화의 시대에 우리에게는 두 갈래 길이 있다. 나 홀로 버려진 왕따로 사는 외롭고 쓸쓸한 삶과, 홀로서기를 함으로써 나 홀로 길을 개척해 가는 당당한 삶, 여유와 자유 속에서 나 홀로 있음의 즐거움을 만끽하는 삶이다. 홀로 있음을 두려워하지 않는 사람이 최후의 승자가 될 것이다.

가장 중요한 것은 홀로 살기, 나 홀로 삶이 대세이며, 나 홀로 문화가 주도적인 문화라는 점이다. 개인에게도 비즈니스도 사회도, 위기이자 기회다. 홀로 설 수 있는 사람은 누군가의 반쪽이 아니라 스스로 일어설 수 있는 사람이기에 성숙한 인간이다.

혼자 있는 것이 문제가 아니라, 혼자 있지 못하는 것이 우리의 큰 문제다. 혼자서도 잘 할 수 있고, 잘 지낼 수 있다는 것은 건강하다는 증거이며, 자신감이 충만해 있다는 의미다. 스스로에게 설렘과 흥미와 만족감을 찾지 못할 때 사람들은 외롭다고 말한다.

홀로 있음의 즐거움을 알기 위해서는 혼자 있는 것을 견뎌 낼 수 있고, 감당할 수 있어야 한다. 분명한 것은 나 홀로 있는 즐거움을 알지 못하는 사람은 자신만의 성찰의 시간을 가질 여유가 없으며, 이미지가 보여 주는 환상의 세계나 자극과 쾌락의 유혹에 쉽게 빠져든다는 것이다.

우리는 말한다. 나에게 관심을 갖지 말라고, 내 일에 상관하지도, 신경 쓰지도 말라고. 그러나 사실 다른 사람들은 나에게 별 관심이 없다. 사람들이 나의 안부나 내 일에 대해 묻는 것은 그저 일상의 습관이다. 그들은 대화할 수 있는 화젯거리나 이야깃거리가 없다. 그래서 인사하듯이 습관적으로 묻는다.

습관의 가면을 벗고 나면 그들은 너무 잔인할 정도로 나에게 관심이 없다. 그들에게 나는 매일 거리에서 스쳐 지나가는 그저 그런 사람에 불과한데, 내가 너무 지나치게 그들을 의식해 내 자신을 옥죄고 두려움에 떨었던 것이다. 혼자 사는 걸 스스로 선택했든, 혹은 살다 보니 그렇게 되었든, 1인 가구는 우리 사회의 일상이 되었다.

홀로 사는 사람들이 점점 증가하는 시대에 역설적으로 사람들은 왜 떼로 몰려다니는가. 힘과 권력, 돈이 있어도 혼자는 두렵다. 그래서 산으로, 골프장으로 공원으로 행사장으로 식당으로 떼로 몰려다닌다.

혼자 있을 때 강한 사람이 함께할 때 더욱 강하고, 혼자 사는 삶이 즐거울 때 어울리는 삶이 더욱 즐거운 것이다. 하지만 대부분의 경우는 홀로 있으면 즐거운 감정보다는 우울하고 외로운 감정이 먼저 밀려온다. 외로움은 무기력과 나태와 쾌락에의 중독과 친하고, 이런 우울한 감정이 커지면 분노로 변한다. 결국 범죄와 증오가 더욱 만연하게 되고, 가족 간, 이웃 간의 흐르는 정은 자연스럽게 단절된다.

이처럼 현실적으로는 1인 가구의 급속한 팽창은 결국 세상을 더욱 차갑고 황량하며, 위험하게 만들고, 감정의 사막화, 마음의 사막화는 더욱 가속화되어 늘어나는 유령가족, 침묵가족은 침묵사회, 유령사회를 만든다.

다만 1인 가구의 팽창은 경제적으로 생존이 가능하고 좋아하고 하고 싶은 일을 하는 삶을 살아갈 수 있는 소수의 사람들에게만큼은 혼자여도 불안하지 않고, 그 어떤 시대보다도 깊고 푸르른 여유와 자유로움 속에서 즐거움과 웃음이 번지는 삶을 만끽하는 황금시대가 될 수 있다.

사람들과 어울려 진심으로 즐거웠다면, 혼자 있을 때 진한 외로움과 허무함, 쓸쓸함에 휩싸일 수 있다. 자연스런 감정의 흐름이다. 만약에 사람들과 어울려 웃고 즐거워한 사람이 혼자 있을 때도 계속 웃고 즐거워한다면 결국 미쳐 버릴 것이기 때문이다.

반면에 공허한 잡담이 난무하는 뒷담화 모임에 휩쓸려 거짓웃음과 어정쩡한 대화로 의미 없는 시간을 보냈다면, 반드시 나 홀로 입가에 미소가 번질 수 있는 나만의 즐거운 시간을 가지는 것이 좋다. 만약 그렇지 않으면 생각과 감정을 잃어버린 유령이 될지도 모른다.

군중 속에서 고독한 사람은 홀로 설 수 있는 사람이며, 홀로 삶을 즐길 줄 아는 사람이며, '고독한 책임감'을 끌어안고 갈 수 있는 사람이다. 진정한 외로움은 외로움의 끝에 찾아오는 달콤한 고독이며, 나를 성장시키는 자양분이다.

고독은 타인의 시선으로부터 자유로운 상태이지만, 고립은 타인의 시선으로부터 멀어지는 상태이다. 함께함의 시대에서 홀로 섬의 시대, 고독의 시대, 나 홀로 문화의 시대로 바뀌고 있다. 이러한 시대에 나 홀로 생활하지 못하고 고독을 즐기지 못하며 홀로 섬을 두려워하는 사람들 중에서 부와 권력을 가진 사람들은 집단으로 몰려다니면서 생활을 하고, 빈자와 약자, 서민들 대부분은 절대 고립의 생활로 추락한다.

이에 따라 왕따나 소외되는 사람도 늘어날 수밖에 없다. 다르게 생각하고 다르게 사는 것이 받아들여질 때 함께할 수 있고, 다르게 생각하고 다르게 사는 삶이 타인과 사회생활 속에서 받아들여지지 않을 때, 우리는 나 홀로의 길을 간다. 고독의 길이다.

　우리는 홀로 서느냐, 홀로 남겨지느냐의 기로에 서 있다. 홀로 서는 사람은 함께 가는 것도 쉽다. 홀로 서는 사람은 자기중심을 가진 사람이다. 그는 얽매이지 않는 삶을 살고, 자유로운 삶을 추구하는 사람이다. 함께함과 홀로 섬이 낮과 밤의 바뀜처럼 일상 속에서 자연스럽게 이루어지는 삶을 살아간다. 진정한 자유인이다.

　이때의 고독은 나를 성장·발전시킨다. 사회의 편견에 맞서 저항하고, 때로는 받아들이면서 자신의 길을 걸어가기는 어렵다. 이는 착한 사람이 되기보다 올바른 사람이 되기가 어렵다는 말과 같다.

　현실에서 자신이 가고자 하는 길, 양심이 가리키는 길을 걸어가는 사람에게는 같은 편이 되어 줄 사람이 거의 없다. 그래서 나 홀로 길을 걸어가야 한다. 그 길은 아무나 갈 수 있는 길이 아니며, 힘들고 고통스러운 길이 될 수 있다. 그래서 나 홀로 길을 걸어가는 사람은 고민하고, 질문할 줄 알아야 한다.

　혈연과 지연, 학연을 근간으로 하는 "우리가 남이가"는 그 집단에 속한 그들만을 중심으로 만들고, 그 집단에서 소외된 사람을 주변으로 내몰았다. "우리가 남이가!"라는 생각이 오히려 왕따 문화, 배제 문화를 만든 것이다.

부와 권력의 지배체계는 역사와 함께 살아남을 것이기에 배제의 문화는 사라지지 않을 것이다. 차라리 킬리만자로의 표범처럼 홀로 죽을지라도 내가 먼저 그들을 배제시키고 왕따 시켜라.

어우러짐의 문화는 그 무게중심을 잃었다. 이제 어우러짐의 문화는 문화의 변방으로 밀려날 것이다. 1인가구가 2인·3인·4인가구를 제치고 가구 구성의 중심에 위치하듯이 나 홀로 문화가 현대 사회에 있어 문화의 중심축이 될 것이다. 우리 사회의 슬픈 자화상이지만, 새로운 역동성의 시대, 다양성의 꽃핌이 만개하는 시대가 될 수도 있다.

나 홀로의 문화, 개별화의 문화는 함께하는 문화를 거부하지 않는다. 따라서 나 홀로 문화와 공동체 문화가 공존할 수 있다. 하지만 가진 자들만의 변질된 공동체 문화, 이너 서클 문화는 나 홀로의 삶을 사는 사람을 소외시키고 왕따로 만든다. 그들의 이런 배제의 문화는 끼리끼리 문화, 패거리 문화로의 변질이다.

하지만 패러다임의 변화하고 있다. 소수자의 주변문화로 취급받던 나 홀로의 문화는 변종문화나 하위문화가 아니라 변화된 시대의 중심문화로 자리 잡고 있는 것이다. 개성화와 자신만의 차별화된 삶을 꿈꾸는 당당한 사람들이 늘어 가면서, 나 홀로 문화를 즐기는 사람이 급속도로 늘어나고 있다.

외국 여행을 가 보면 깃발을 따라 단체로 우르르 몰려다니는 국가는 일본과 한국뿐이다. 이처럼 여행을 패키지로 함께하고, 직장이나 학교 식당에서 함께하는 공동체 문화가 전 세계적으로 소리 없이 무너지고 있다. 우리가 이상하게 여긴 '나 홀로 문화'로 무게중심이 이동하고 있는 것이다.

나 홀로의 문화를 낯선 문화로 경시하고 두려워하고 불안해한다면 우리 사회의 갈등은 피할 수 없다.

나 홀로의 문화를 받아들이고 적극적으로 끌어안음이 우리 사회의 아름다운 전통인 어우러짐의 문화를 나 홀로 문화와 함께 상생·공존하게 하는 유일한 길이다.

자신이 정한 기준에 따라 좋아하고, 하고 싶은 일을 하는 삶을 살아가는 사람이 되려면 홀로 있음을 두려워하지 않고, 나 홀로의 생활을 즐길 줄 아는 사람이 되어야 한다. 사회가 정한 기준에 맞추어 사는 삶이 주는 안락함과 달콤함에 매몰되어 있다면, 나 홀로 삶이 가져다주는 진정한 자유로움과 즐거움에 도달할 수는 없다.

현재의 즐거움을 지배하는 사람이 세상을, 삶을, 시간을 지배하는 사람이다. 주체할 수 없을 만큼 많은 돈을 가진 자는 그저 돈 많은 왕자에 불과하다. 즐거움과 행복을 지배하는 자만이 행복한 왕자에 오를 수 있다.

아름다운 외모

Part 2.

당신이 닮고 싶은
몸매는?

　갱년기의 남자들이 기하급수적으로 늘어나고 있다. 이들은 언제라도 파국으로 치달아갈 수 있는 불안한 열차의 탑승권을 쥐고서 '가정'이라는 이름의 플랫폼을 서성거리고 있다. 파국은 이들이 일을 그만둘 때, 퇴직할 때 빠른 속도로 진행된다. 마치 하강하는 롤러코스터처럼.

　일터의 제복인 양복과 작업복, 군복, 제복 등 삶의 전쟁터에서 전투복을 벗고 누운 모든 남자는 쓸쓸하다. 특히 전투복을 벗은 그들이 사우나에서 동태살처럼 풀어진 몸의 때를 밀거나, 해파리처럼 늘어진 배를 위로 하고 피곤에 지쳐 죽은 생선처럼 잠자는 모습은 너무 외롭고 쓸쓸해 왈칵 눈물이 난다.

내가 가장 두려워하는 건, 뱃살 늘어진 중년이 편안하게 느껴지는 것이다. 중년에 뱃살이 늘어지고 탄력을 잃어 삼겹, 오겹으로 접혀도 불편하지 않게 느껴질 때, 우리의 삶은 긴장감을 잃고 물에 불어터진 생선살처럼 허물어진다.

〈인간시대〉에서 박종팔이 말한다. "권투에서 가장 힘든 것은 체중 조절이다. 그래서 국이나 찌개를 먹지 않는 습관을 가졌다." 나 역시 체중조절을 위해서 국이나 찌개를 멀리한다.

누군가 짧은 단식을 끝낸 감상을 짜릿하게 표현했다. "4일을 물하고 주스만 먹고서 견디자니 죽을 것 같더라고요. 따뜻한 미음 한 숟갈이 입안에 들어가니 하늘이 바로 파래집니다. 정말 탄수화물의 힘은 놀라워요."라고.

하지만 가장 나중에 빠지는 뱃살의 가장 큰 적도 탄수화물이다. 그래서 빼기가 가장 어렵기에, 탄탄하고 군더더기 없는 복근과 몸매는 자기를 잘 가꾸었다는 증거이다.

왜 50~60대가 되면 보수적으로 변하는가. 자연의 이치인가? 아니다. 소부랄처럼 한없이 늘어진 열정과 차디차게 식어 버린 감성이 인간의 몸을 해파리처럼 늘어지게 만드는 것이다. 분명한 것은 몸이 늘어지면 마음도 늘어지고, 몸이 식으면 열정도 식는다는 점이다.

사람이라면 누구나 여자 남자 가릴 것 없이 거울을 본다. 그리고 자신의 벗은 몸을 본다. 벗은 몸에서 가장 먼저 눈에 들어오는 것이 배다. 그래서 근육질의 미끈하고 탄력 있는 복부는 모든 사람들의 선망이다.

그리스나 로마의 조각상도 마찬가지다. 다비드상도, 헤라클레스상도 모두 아름다운 복부를 드러낸다. 시원한 가을바람에 웃지 않을 사람이 없듯이. 거울에 비친 뱃살이 쭉 빠진 멋지고 탄력 있는 자신의 복부를 보고 얼굴에 웃음을 담지 않을 사람이 있겠는가.

그런데 나이 들어 가장 관리가 안 되는 부분이 바로 이 뱃살이다. 가장 중요한 이유는 술자리와 음식 조절이 안 되기 때문이지만, 나이 들수록 급격하게 줄어드는 운동량과 이보다 더한 속도로 줄어드는 운동 효과 때문이다.

또 다른 이유는 어쩔 수 없는 자연의 법칙으로 일명 '나잇살'이란 것 때문이다. 김희애 씨 등 일부 불가사의한 자기관리 화신을 제외하면, 일반 시민들은 자투리 시간을 쪼개서 하는 병아리 눈곱만큼의 운동과 기껏해야 약간의 돈을 투자해서 지방제거, 얼굴 주름살 펴는 수술을 받거나 보톡스 주사를 맞는 정도일 것이다.

이런 어려움과 자연의 법칙을 알고 있기에 이를 극복하고 나이가 들어 감에도 식스팩을 지닌 청년의 몸을 유지한 사람에게 박수를 보내는 것이다.

"쉰 살에도 28인치 청바지가 잘 어울리는 남자"라는 가슴 설레는 멘트는 내가 2014년 20대와 30대를 주축으로 한 맨즈헬스 주최 쿨가이 선발대회 본선에서 유일한 50세로, 자기소개를 할 때 했던 말의 일부다.

28인치의 허리는 쉰 살이 넘은 나이와 177센티미터에 근육질 몸매를 감안하면, 상위 1% 속하는 몸매다. 어느 정도 타고난 것도 있지만, 꾸준한 관리의 결과임을 부인하지 않는다.

어느 날 배우 박중훈 씨가 안성기 씨와 헬스클럽에서 만나서 했다는 얘기가 생각난다. 처음에는 멋지고 날씬한 몸매를 유지하고 있는 안성기 씨에게 "살 안찌는 체질이라서 좋겠습니다."라고 했다가 한 달 뒤엔 "선배님, 운동을 많이 하시는군요."라고 수정했다고 한다.

하면 할수록 어려운 것이 있다. 다이어트다. 정말 내 몸에 좋은 것만 먹는 것이 왜 이렇게 힘든 것인지, 음식에 대한 탐욕처럼 강하고 인간을 병적인 집착으로 몰아가는 것이 또 있을까.

어쨌든 식욕, 수면욕, 성욕 중에서 그중에 으뜸은 식욕이라고 생각한다. 성욕과 수면욕은 성적 욕망만 있다고 아무 때나 할 수 있는 것도 아니고, 수면도 자고 싶다고 아무 때나 잘 수는 없지만, 상대적으로 식욕은 욕구를 쉽게 충족시킬 수 있기 때문인지도 모르겠다. 그래서 적어도 나는 신문이나 매체를 통해 접한 놀라운 다이어트 소식에 대해 진정으로 대단함과 초인적인 노력에 박수를 보낸다.

나이 들어서 젊은이와 다른 것이 젊은 피부의 탄력이다. 같은 30인치 허리라도 젊은이의 허리는 탄력이 있고 팽팽한 데 반해, 나이 든 사람의 허리와 뱃살은 주름이 잡혀 있고 조금은 바람 빠진 풍선처럼 늘어진다.

따라서 나이 든 사람이 허리 줄이기와 함께 신경을 써야 할 부분이 탄력을 유지하고 강화하는 일이다. 이는 자연의 흐름을 거역하는 것이기 때문에 굉장히 어려운 일이다. 하지만 저 거친 강물을 거슬러 오르는 연어의 힘찬 몸부림처럼 마음먹고 노력하면 결과는 분명 기대 이상이다.

나는 담배는 안 피고, 술은 거의 마시지 않는다. 매일 규칙적으로 유산소 운동과 근력운동을 게을리 하지 않는다. 멋진 스타일의 옷을 소화하고 비싸지 않은 면티 하나로도 옷맵시가 사는 즐거움은 술자리가 가져다주는 순간의 쾌락에 비할 바가 아니다.

몸매에 대한 관심이 높아진 시대다. 우리는 입으로 몸보다는 마음이 아름다움을 얘기하고, 거울을 보는 시간보다 책을 보는 시간이 많아야 함을 강조하지만, 어느새 눈동자는 눈앞에 걸린 달력의 아름다운 여인의 몸을 스캔하듯이 훑고 있고, 섬세한 근육으로 살아 숨 쉬는 식스팩을 뽐내는 매력적인 남자의 몸을 더듬고 있다.

본능에 좋고 나쁘고가 어디 있겠는가? 본능은 본능일 뿐이다. 착한 미모, 착한 식성과 착한 죽음, 착한 수면이란 있을 수 없다. 미소녀들을 팬티에 가깝게 입혀 놓고 광고를 하는 것이나 남자 틴그룹이 예쁜 외모를 내세우며 노래 부르는 거나, 섹시한 건 섹시한 거고 끌리는 건

끌리는 거다.

그것이 본능이다. 원래 인간은 외양에 끌리게 되어 있다. 그렇지 않으면 여성들이 그렇게들 몸매관리에 신경 쓸 리도 없고, 남성들이 초콜릿복근을 만들어서 경쟁하듯 셔츠를 벗어 올릴 이유도 없다.

사랑은 끌림이다. 사랑은 섹시한 끌림이다. 섹시한 끌림이 없는 사랑은 플라토닉 사랑에도, 격정적인 사랑에도 이를 수 없다.

미친 몸매에 대한 현대 사회의 관심은 거의 광적이다. 미친 몸매에 대한 표현처럼 다양하고 진화에 진화를 거듭한 것도 없다고 본다. 특히 남자보다 여자에 대한 몸매를 지칭하는 용어가 많다. 미스코리아 몸매, 날씬한 몸매, 예쁜 몸매, 쭉쭉빵빵, S라인, 미친 몸매, 착한 몸매, 몸짱녀, 콜라병 몸매, 명품 몸매, 완소 몸매, 몸매 종결자, 군살 종결자 등…….

인간의 아름다운 몸에 대한 열망은 이미 열망을 차원을 넘어섰다. 병적인 집착의 단계다. 아름다운 몸에 전 인생을 거는 사람이 늘어나고 있다. 마약에 빠지는 것과 같이 아름다운 몸에 대한 중증의 중독이다. 이렇게 아름다운 몸에 대한 집착은 인간을 위태롭고 위험하게 만들어 궁극적으로 자기파괴나 파멸의 길로 이끌기도 한다.

허물어지는 것은 잠깐이라는 말이 있고, 둑이 무너지는 것도 한 치 틈에서 시작되듯이, 건강한 몸매를 가지느냐 마느냐는 둘 중의 하나로 결정된다. 아이스크림, 초콜릿, 치즈케이크, 갓 튀겨낸 양념치킨 한 조각, 쫄깃쫄깃하고 뜨겁게 매운 족발과 시원한 맥주 첫 잔의 유혹에 "아니오!"라고 뿌리치는 것이다. 타협은 없다.

　몸은 관성의 법칙이 작용한다. 움직이지 않으면 움직일 수 없는 이유가 수만 가지 생기는 것이다. 그래도 운동화 끈을 묶어라. 중년의 늘어진 뱃살을 아무리 튕겨 봐야 소용없다. 운동화를 신고 뛰는 수밖에 없다. 막상 뛰다 보면 운동하지 못한 수만 가지 핑계거리가 핑핑 쓰러지는 것을 눈으로 확인할 수 있을 것이다.

달리기, 고통에서
즐거움으로의 질주

　달리는 사람은 움직이는 조각상이다. 달릴 때 온몸의 근육이 펄떡이고 움직임이 살아 있다. 달리기는 언제나 즐거운 일이다. 시작할 때 즐겁지 않았더라도, 끝날 때는 반드시 즐거움이 밀려온다. 고통 속으로 뛰어들 때 고통은 의미 있는 경험이 된다. 달리기는 고통 속에서 즐거움 속으로 질주하는 것이다.

　내가 사랑하는 취미인 마라톤은 온몸으로 하는 운동이지만, 그래도 발에게 가장 미안하고 고맙다. 발바닥의 굳은살에서 발의 소중함을 느낄 때, 나는 내 상처투성이 발을 보면서 목이 멘다.

　산악훈련 중 돌부리에 채이고, 고되고 강한 훈련으로 일 년에 몇 차례나 발톱이 빠지고 새로 나는 고통의 시간을 묵묵히 견뎌 준 발이 겨울 산의 굳건한 견딤만큼 나는 믿음직하고 또한 미안하기에, 자주 발을 씻으며 만져 주고 안아 주고 위로해 준다.

비와 산길은 한여름의 마라토너에게 더할 수 없이 반가운 손님이다. 비에 젖을까 봐 겁내는 러너를 나는 도저히 상상할 수 없다. 왜냐하면 그는 이미 땀으로 젖어 있을 테니까. 여름의 러너, 그 역시 비에 젖지 않는다. 러너는 비를 두려워하지 않는다.

20년 넘게 달리기를 하면서 때로는 나 홀로, 때로는 마라톤 동우회 회원들과 함께 그 여름을 거리로, 도로로, 산으로 비를 맞으면서 달렸다. 비 맞으면서 달리는 동안, 누구도 우울하고 짜증나는 얼굴을 한 사람은 없었다. 누구나 그 옛날 물장구치며 놀던 아이 때처럼 웃으며 즐겁게 달린다. 여름의 러너는 비를 두려워하지 않는다. 그는 빗속에서 더욱 뜨거워진다.

에밀 자토팩의 말처럼 오늘이 내 인생의 마지막 날인 것처럼 내 안의 에너지를 쏟아붓는 것이 필요하다. 실제로 그렇게 달리기 훈련을 하고 나니, 내 몸의 상태가 한 단계 업그레이드 된 느낌이 든다. 이처럼 때로는 우리가 생각한 것보다 육체적으로 충분히 감당할 수 있다.

몸은 정직하다. 내가 한 발짝 더 뛰고, 좀 더 강하고 빠르게 질주하면 몸은 반드시 그것을 기억한다. 15년 전부터 해 온 마라톤에서 초기에는 1년에 한 번씩 풀코스에 도전했고, 마라톤 동아리에 가입한 7년 전부터는 매년 평균 4회 정도 풀코스를 뛰었으나 기록은 크게 향상되지 않았다.

나이를 먹어 감에 따라 서브쓰리를 포기해야 한다는 현실을 받아들일 수가 없어, 나는 동우회 회원들과의 합동훈련 외에 2013년 겨울부터 2014년 봄까지 내가 할 수 있는 최선을 다했다. 한 달에 350킬로미터를 달리면서 인터벌과 산악훈련도 병행했다. 다시 하라고 해도 마찬가지다.

하지만 아무리 에밀 자토펙의 말을 가슴에 새기면서 숨이 목까지 차서 질식할 것 같고, 훈련 후에 발걸음이 떨어지지 않을 정도로 연습을 해도 안 되는 것은 안 되는 것이다. 나는 50세가 되던 2014년 동아마라톤에서 마지막 목표로 한 서브쓰리에 실패했다. 내 최고기록을 2013년 11월에 손기정 마라톤에서 세운 3시간 13분 4초에 묶어둔 채로……

달리기는 부수적인 선물을 준다. 늘씬한 몸매, 다리의 강인한 힘줄이 그대로 드러나는 철각과 군살 없는 복부가 만들어진다. 내가 2014년 맨즈헬스 쿨가이 선발대회에 도전을 결심한 이유도 동아마라톤에서 서브쓰리에 실패하고 난 뒤에 밀려오는 공허함과 격한 슬픔을 잊고자 함이 컸다. 결과적으로 달리기로 단련된 몸 덕분에 나는 2014년 쿨가이 본선에 나가는 최종 24인에 들어갈 수 있었다고 자부한다.

달리기는 내 몸과의 교감을 통해 세상과 당당하게 맞서는 것이기에, 힘든 달리기가 끝나면 뻐근하면서도 가슴 뿌듯한 행복이 밀려온다. 일본의 소설가 무라카미 하루키는 "42.195킬로미터를 달리는 일은 결코 지루한 행위가 아니다. 그것은 매우 스릴 넘치는 비일상적이고도 창조적인 행위다. 달리다 보면 평소에는 따분하기 이를 데 없는 사람이라도 뭔가 특별해질 수 있다."고 했다.

땅바닥에 내 존재를 알리는 발 도장을 찍는 달리기에는 말로 다 할 수 없는 즐거움이 있다. 달리기는 신발 하나, 가벼운 운동복만 있으면 언제 어디서든 즐길 수 있다. 달리면서 긴장과 이완이 수시로 교차된다.

나는 삶을 몸으로 부딪치면서 이루고 싶다. 몸뚱어리의 배반을 모르는 정직성이 좋다. 삶과 몸이 맞닿아 있는 곳, 나는 달릴 때 내 삶과 몸이 가장 가깝게 교감하는 것 같다.

몸으로 나를 이루어 가는 과정은 뻐근하고 고통스럽지만 즐겁고 행복한 꿈의 길이다. 그 길을 폭풍처럼 질주하면서 나는 살아 있음을 느낀다. 나는 내 의지와 내 몸 사이에 흐르는 짜릿하고도 팽팽한 긴장감이 정말 좋다. 기쁨을 생성하는 전류가 내 몸속으로 흘러드는 느낌이다. 달림은 내 삶의 축제다.

마라톤에 대한 이야기를 그린 국내 영화를 두 편 보았다. 하나는 김승우 주연의 〈말아톤〉이란 영화로 장애인의 또 다른 삶을 보여 주는 이야기이고, 또 다른 영화는 〈페이스메이커〉로 다른 선수를 위해서 30킬로까지만 달리는 마라토너의 이야기다.

냉정한 시선으로 보면 만화 같은 이야기일 수도 있지만, 나는 보면서 중간중간 눈물이 흘렀다. 다른 영화 속 이야기보다 마라톤을 좋아하는 내 가슴에 공명의 울림이 컸기 때문이리라. 영화 속에서 나온 대사 중에 좋아하는 것과 할 수 있는 것에 대한 이야기가 나온다.

좋아하는 것이 할 수 있는 것이라면 가장 이상적이지만, 둘 중 하나를 선택한다면 당신은 어느 길로 가겠는가? 내 스스로 자문해 본다. 나는 좋아하는 것을 하겠다. 좋아하는 것을 하다 보면 내 열정의 에너지를 폭발시켜 이룰 수 있는 일, 할 수 있는 일이 될 가능성이 높기 때문이다.

땀에는 소금기가 있다. 그래서 썩지 않는다. 그래서 땀을 흘리는 사람은 썩지 않는다. 자신이 하고 있는 일에 땀이 흘러내리는 것도 모르고 몰입하는 사람은 누구라도 충분히 멋있다. 땀 흘리면서 일하는 농부도, 있는 힘을 다 쏟아부으면서 노래하는 가수도.

당뇨와 고혈압을 앓고 있는 소아들, 허리 디스크와 난청, 노안을 앓고 있는 청년들. 적어도 질병에 있어서 세대 간 장벽은 사라진 지 오래다. 청년들에게 노인의 저주라는 기억력의 증발, 치매 발생도 일상화되었다.

암기와 암송을 잘 하기 위해서는 운동 이빨과 턱을 움직여야 하고 사지를, 특히 발바닥을 움직여야 한다. 몸보다 더 확실한 건강의 비법은 없다. 터치의 시대에 가장 필요한 것은 몸의 움직임이다. 몸의 움직임이 없는 터치의 경연장에는 숨만 쉬는 송장들만 산다.

인간의 천국에는 팔팔 살아서 움직이는 몸이 전제되어야 한다. 이때의 몸은 야성의 깨어남이다. 싸움이나 패륜의 현장에 휴대폰만 들이댈 것이 아니라, 약자를 돕기 위해 가슴이 먼저 움직이고 온몸으로 반응하여 그 싸움을 말려야 한다.

요즈음엔 통통한 것조차 용인하지 않는 사회가 되어 다이어트가 열풍이다. 하지만 다이어트 방법이 지방흡입술, 성형수술, 금식에 주로 의존할 때, 아름다워지려다 더 추하게 되거나 날씬해지려다가 저체중으로 죽음에 이르기도 한다. 분명한 것은 그냥 날씬한 것이 아니라, 건강하고 탱탱한 몸매를 가지면서 날씬해지는 것이 중요하기에 운동은 필수라는 점이다.

땀처럼 정직한 것은 없고 땀을 흘리면서 만든 몸은 절대로 썩지 않는다. 아울러 운동과 신체활동을 통해 흘린 땀으로 아름답게 자신의 몸을 조각해 가는 사람이 죽음에 이를 확률은 비행기 사고로 죽을 확률보다 적다.

마라톤은 자신의 모든 땀과 열정을 쏟아부으면서 한 걸음 한 걸음 가야 하는 가장 정직하고 순결한 운동이다. 그래서 마라톤 하는 사람 중엔 나쁜 사람이 없다. 마라토너처럼 극한의 고통을 참고 이기는 사람은 부패나 부정, 반칙과는 친하지 않다.

인간의 몸과 마음은 약간의 결핍이 원하는 상태나 목표가 더욱 크고 명확하게 보이게 하여, 자신이 가진 모든 것을 쏟아붓게 만든다. 반면에 수분과 체지방, 영양이 지나치게 과다하거나, 결핍되면 자신이 원하는 모습이나 상태가 되고자 하는 목표를 쉽게 포기한다.

인간의 얼굴과 몸은 다이어트나 체중 조절이라는 이름으로 수분도 체지방도 적당히 결핍된 상태가 가장 아름답기에, 나 역시 2014년 맨즈헬스 쿨가이 본선대회 참가 시 6주 동안은 혹독한 식이요법과 운동을 통해 체중을 66킬로그램까지 줄였다.

최종 본선진출을 기대하지 않았기에 최종 참가자 24인에 선정되어 무척 기뻤고, 달리기로 유지된 평상시 몸무게가 70킬로그램 전후여서 목표로 하는 체중과 크게 차이가 없어서, 가고자 하는 목표가 크고 명확하게 보여 스스로도 놀랄 만한 엄청난 열정을 쏟아부을 수 있었다. 나아가 체지방을 줄이고 몸에 탄력과 선명한 근육을 만들기 위해 탄수화물과 염분 섭취를 최대한 줄이면서도 건강한 음식과 운동을 병행하는 노력을 할 수 있었다.

비록 내 나이를 핑계 삼고, 내 부족한 사교성 때문에 같이 연습하고 생활했던 젊고 멋진 쿨가이 23명과 돈독한 관계를 이어 가지는 못하고 있지만, 삼성동 인터콘티넨탈 호텔에서의 쿨가이 본선대회 행사 참가는 내 생애 잊지 못할 추억의 한 페이지로 남았다.

유오성 주연의 영화 〈챔피언〉에서 유오성이 말한다. "권투만큼 공평하고 정직한 것이 있는 줄 아니? 팔 세 개 달린 사람은 없어. 두 팔로 하는 거야."

나 역시 말한다. "마라톤만큼 정직한 운동은 없다. 두 발로 하는 거야." 사람들이 정치나 경제, 예술보다도 스포츠를 더 좋아하는 이유는 스포츠는 공정하기 때문이다. 일부 승부조작이란 것이 있는 것이 사실이지만, 다른 어떤 분야보다도 스포츠는 땀과 노력과 재능에 의해 승부가 결정되는 지구상에서 가장 공정하고 짜릿한 승부다.

인생의 마라톤은 골인 지점에 먼저 도착했느냐가 중요한 것이 아니고, 어떤 길을 달려왔느냐에 달렸다는 말, 삶은 속도가 아니라 방향이라는 누군가의 말이 가슴을 흔든다.

시선과 마음을 사로잡는
얼굴이 아름답다

거울은 역사상 가장 훌륭한 발명품 중의 하나로, 누구나 거울 앞에서 마음을 여미고, 가장 좋은 표정으로 얼굴을 담는다. 내가 만나는 모든 사람은 나를 비춰 주는 거울이라 생각하면, 나는 더욱 좋은 인상과 모습으로 사람을 대할 수 있을 것이다.

좋은 거울을 앞에 두고 내 모습을 비춰라. 비뚤어진 거울에 내 몸을 비추면 비뚤어져 보이고, 난쟁이나 거인거울에 내 몸을 비추면 난쟁이나 거인처럼 보이고, 홀쭉이나 뚱뚱이 거울에 내 몸을 비추면 나 역시 홀쭉이와 뚱뚱이처럼 보인다. 더럽고 지저분한 거울에 내 얼굴을 비추면 마음까지 우울해지고, 맑고 깨끗한 거울, 명징한 거울에 내 얼굴을 비추어 보면 내 마음까지 맑고 깨끗해짐을 알 수 있다.

세상은 거울이다. 나를 둘러싼 만인은 나의 거울이다. 나의 따뜻함이 나의 거울 속으로 스며들 듯이, 내 옆에 있는 사람, 내 주위에 있는 모든 것이 나의 거울이다. 나를 비추는 만인의 거울이 맑고 밝고 깨끗하고 따뜻해야 그것에 비친 내 얼굴도 마음도 맑고 밝고 깨끗하고 따뜻해지는 것이다. 이것이 거울의 마법이다.

누군가는 말한다. 백설공주에서 나쁜 왕비는 거울에게 배신을 당했다고. 거울은 있는 모습을 그대로 보여 주는 것이지만 이를 통해 사람들은 타인과 비교를 할 수 밖에 없는 숙명에서 벗어날 수 없다. 백설공주에서 왕비도 결국 외모의 비교를 통한 타인의 시선에 구속되어 백설공주를 죽이려 한다.

사실 백설공주를 죽이는 것은 자신을 죽이는 것과 같다. 왜냐하면 설사 백설공주를 죽였다 해도 백설공주가 없는 세상에서는 자신이 가장 아름다운 여자가 되기에, 결국 누군가의 질투와 시샘의 화살을 맞고 죽을 운명이기 때문이다.

스스로 자신의 모습을 사랑하고 멋지고 아름답게 생각하는 사람일수록 삶의 만족도와 행복도는 더 커질 수밖에 없다. 그래서 거울 앞에 선 내 모습을 가장 멋지게 생각하는 사람이 가장 아름다운 것이다. 백설공주에서 왕비도 외모에 대한 누군가와의 비교 없이 그냥 거울에게 자신이 아름답냐고 물었다면 행복했을 것을, 구태여 이 세상에서 누가 제일 예쁘냐고 물었기에 결국 자신의 거울에게 배반당하는 어리석은 인간이 된 것이다.

인간은 비교의 본능이 있다. 그렇다면 비교의 대상이 되지 말고, 비교의 준거가 되라. 나르시시즘보다는 타인의 아름다운 몸에 너무 마음을 빼앗기고 추종하는 현상 역시 병든 모습이다. 오히려 행복한 나르시시즘이 병적인 과대망상으로 흐르지 않는다면 더 건강한 마음이라고 할 수 있다.

나는 화장을 안 한다. 면도 후 스킨도 거의 바르지 않는다. 지금은 스킨은 바르려고 한다. 그런데 언제부터인가 화장한 얼굴에 눈이 더 간다. 자기관리 하는 것을 떠나 우선 광합성작용에 의해 식물이 햇빛을 향하듯이, 자연스럽게 화장한 얼굴이 더 매력적이고 예쁘게 보인다.

나이 탓인가. 정성들여 화장을 하고 옷을 맵시 나게 차려입는 사람은 주위를 밝게 하고, 제복도 멋지게 느껴진다. 자신을 멋지게 꾸밀 줄 아는 사람이 자신을 사랑하고 자기관리를 잘하는 사람처럼 느껴진다.

아름다움을 추구하는 것은 본능이다. 우리들 모두 화장품을 바르지 않는가? 배우들은 결국 아름다움을 파는 사람들이다. 단정한 아내를 원하는가, 아니면 부스스한 아내를 원하는가? 멋진 남편을 원하는가. 아니면 까칠하고 지저분한 남편을 원하는가?

"얼굴이 착하다."라는 말처럼, 이미 외모는 인격으로 간주되고 수

입, 인기, 결혼, 계급, 문화적 수준 등 외모가 사회적 위치를 결정하는 중요한 요소가 되고 있으며, 이는 더욱 가시화되고 확산될 것이다. 외모 지상주의, 외모 권력주의 앞에서 여성은 물론 남성들도 성형에 목숨 거는 이유가 충분하지 않은가.

외모의 비교효과에 의해 가르치는 직업은 결혼 생활에 지장을 줄 수 있다. 이는 고등학생이나 대학생을 가르치는 남자 선생님들의 이혼율이 높다는 것인데, 그 이유는 매년 젊고 예쁜 여학생들을 새로 만나는 선생님들이 그런 여학생들을 자기의 중년 부인과 비교하면서 자기 부인이 늙고 못생기게 보여 이혼한다는 것이다.

그렇다면 남자들은 왜 미인을 좋아하는가. 미인을 꽃에 비유한다. 우리는 봄에 꽃구경을 가고 가을에 단풍구경을 간다. 사람들이 꽃과 단풍을 구경 가는 것은 단 하나의 이유다. 아름답기 때문이다.

미인을 좋아하고 미인에게 눈길을 가는 것은 벌이 꽃을 좇는 것이며, 식물들이 빛을 좇는 것과 같이 지극히 자연스런 현상이다. 왜냐하면 아름다움은 그 자체로 사람에게 기쁨과 즐거움과 웃음을 가져다주기 때문이다. 그래서 우리는 연기력이 전혀 안 되는 아름다운 여배우에게조차 많은 개런티를 주는 것을 인정해 주고 그 여배우가 주연한 드라마나 영화를 보는 것을 합리화한다.

얼짱 간첩, 얼짱 강도, 얼짱 거지, 얼짱 테러리스트 등 미모가 김수현이나 김혜수라면 '국가의 적'이든 '공공의 적'이든 문제되지 않는 세상이다.

기 드보르(Guy Debord)의 저서 〈스펙타클의 사회〉에서는 사건의 사실성이나 사물의 실용성보다는 그것들의 시각적 효과가 더 실질적이다. 텍스트가 했던 기능을 이미지가 대신하면서 정치적 혹은 윤리적 아버지의 역할은 미의 여신에게로 넘어간다. 그런 사회에서는 예쁘면 모든 것이 용서되고 못 생기면 뭘 해도 죄가 된다. 루키즘은 마력을 지닌다.

영화 〈프라이멀 피어〉, 카알기 폭파범 김현희 씨의 사례에서 보듯, 배심원들의 결정에 가장 중요한 요소의 하나가 외모다. 꼭 미남, 미녀가 아니라도 사람들의 마음을 끄는 외모의 소유자는 사형이 중형으로, 중형이 가벼운 징벌로 경감될 가능성이 높다.

반대로 사람들에게 혐오를 주는 외모의 소유자는 가벼운 징벌이 중형으로 변하는 결정적 기준이 되기도 한다. 사람에게 주어진 가장 불공평하고 부정의한 것이 타고난 외모라고 생각한다. 이런 외모의 부모 결정론, 외모 운명론이 자본주의 사회에서 외모 자본결정론으로 바뀌고 있다.

"타인은 지옥"이라는 사르트르의 말에는 불만스러운 자신의 외모에 대한 타인의 시선을 두려워하는 마음이 들어 있다. 그래서 외모에 대해서는 자기 평가니, 내면의 아름다움이니 떠드는 것보다는 돈을 모아 자신이 매력적이라 생각하는 모습으로 성형을 하는 것이 좀 더 현실적일 수도 있다. 이것은 정말 불편한 진실이다.

결국 돈이 외모까지도 결정한다는 것을 받아들여야 할 때 가난한 사람들의 슬픔과 절망감, 자기연민을 넘어 자기경멸과 비애감은 극에 달할 것이다. 아울러 돈을 가진 자들 사이에서는 자신들이 가진 돈과 권력의 힘으로 외모에 대한 자신감까지 강화하려는 욕망은 들불처럼 번져 갈 것이다.

얼굴의 뜻은 '얼이 담긴 꼴', '영혼이 담긴 그릇'이라 한다. 얼굴만 예쁜 사람은 자신보다 더 예쁜 사람이 나타나는 순간에 빛을 잃지만, 마음이 예쁜 사람은 만나면 만날수록 빛이 나기 때문에 마음이 예뻐야 한다고 한다. 맞는 말이다. 하지만 요즘에는 얼굴이 예쁘면 마음도 예뻐진다는 말이 힘을 얻어 성형외과는 더욱 번창한다.

외모도 군중심리다. 외모로 인한 열등감은 인간의 마음도 비틀리게 만들기에 성형을 통한 외모의 자신감 강화는 필요하다고 본다. 그런데 안타까운 것은 성형으로 미에 올인 하면서 진과 선을 갖추려는 노력은 점점 사라지고 있다는 점이다.

〈Let 미인〉이란 프로그램이 있다. 우리나라 대표 미인인 황신혜 씨가 진행하는 프로그램이다. 성형수술과 뷰티, 스타일 전문가의 도움을 받아 아름답게 변신한 모습은 놀라움을 넘어 경탄스럽다.

앞으로 성형시장에 불황을 없을 것 같다. 성형미인은 아름다움을 창조하는 시대에서 아름다움을 찍어내는 시대로의 이동을 의미한다. 자신의 땀과 노력으로 진선미를 갖춘 미인에서 기술의 도움으로 미를 쉽게 얻을 수 있게 되어, 인간의 절대노력이 필요한 선과 진의 아름다움을 얻으려는 시도를 포기할 것이다. 거리엔 바비인형들만이 활보하고, 진실한 따뜻함, 친절함은 깊은 바다 속으로 침몰해 간다.

인형 같은 외모에는 마음이 보이지 않는다. 그래서 인형 같은 외모가 나이 들면 더욱 볼품없이 보이는 경우가 많다. 오드리 헵번도 남을 위한 봉사의 삶을 살지 않았다면, 나의 이런 편견에게 자유롭지 못했을 것이다. 나의 편견과 선입견을 깨고 나이 들수록 더욱 아름답고, 성숙해질 수 있다는 것을 온몸으로 보여 준 그녀가 정말 아름답다.

우리는 착각의 거울을 깨고 진실의 거울 앞에 마주 서야 한다. 거울 앞에서 당당한 몸은 사람들 앞에서, 세상 앞에서 부끄럽지 않은 마음을 만든다. 자신의 몸을 빛나게 만드는 사람은 자신의 마음을 맑고 투명하게 닦으며 사는 사람이다.

얼굴은 표정을 담는 그릇이다. 그리고 표정은 감정을 비추는 거울이다. 얼굴보다 더 잘 그 사람의 속마음을 보여 주는 것은 없다. 세상을 살며 자신의 얼굴을 아름답게 다듬어 가는 것보다 큰일은 없고, 가장 크고 원대한 평생의 도전 중의 하나이다. 나의 얼굴을 큰 바위 얼굴로, 아름다운 작품으로 조각하는 것은 단 한 번뿐인 삶이 내린 최후의 지상명령이다.

진정한 아름다움을 위한
스타일링의 시작

고(故) 만델라 대통령은 실제보다 겉모습이 중요하다고 생각하는 사람이다. 상황에 따라 옷을 입을 줄 알았다. 그는 인생의 모든 단계에서 자신이 어떤 사람이 되고 싶은지 이미지를 결정하고, 그에 따라 겉모습을 만들어 내면 그것은 실체가 되었다. 그것이 '만델라 매직'이다.

미국인이 가장 좋아하는 대통령의 면면을 보면 케네디, 레이건, 클린턴 등 잘 생기고 매력적인 용모를 가진 사람들이다. 이왕이면 다홍치마라고 앞으로도 이 추세는 지속될 것이다.

햇살이 좋으니까, 바람이 부니까, 꽃이 피었으니 정장을 입듯이,

오늘 일단 셔츠나 바지부터 바꿔 입어 보라. 외모가 바뀌면 마음이 따라온다. 멋이란 내면의 젊음을 끌어내는 마음의 묘약이다. '옷이 날개', '입은 거지는 얻어먹어도 벗은 거지는 못 얻어먹는다', '신은 마음을, 사람을 겉모습을 먼저 본다'라는 말에 전적으로 공감한다.

　잘생긴 남자가 추근대면 호감 표현, 못생긴 남자가 추근대면 성희롱 당하기 쉽다는 것이 예외적인 경우인가? 아니다. 일상에서 쉽게 경험하고 목도할 수 있는 엄연한 현실이다. 이것은 만유인력의 법칙처럼 인간의 본성에 기인한 자연스러운 감정이다.

　"잘생긴 남자는 위험하다. 잘생긴 외모에 속지 말자."고 아무리 주문을 외우고 이성적으로 판단하고 행동하려고 해도, 도무지 되지 않는다. 잘생긴 외모에 대한 이끌림은 인간의 본성, 즉 감성에 뿌리를 두고 있기 때문이다. 허술한 외모가 필요할 때도 있다. 하지만 대부분의 경우에 깔끔하고 단정한 외모, 깔끔한 차림과 외모도 상대방에 대한 예의이자 배려이다.

　남자들에게는 미모의 기준이 다양하다. 얼짱으로 대표되는 얼굴뿐만 아니라, 키, 스타일, 유머스러움, 몸짱으로 표현되는 멋진 몸매 등이다. 미모에서 매모(매력적인 외모)로 가려면, 미모에 자신만의 독특한 스타일과 색깔이 있어야 한다. 그리고 매모에서 마모(마력적인 외모)로 가려면, 여기에 진정성인 진실과 성실함이 깃든 성격을 갖추어야 한다.

맛이 있는 음식처럼, 맛이 있는 사람이 되라. 깨물어 먹고 싶을 만큼 매력적인 사람이 되면 더 좋다. 맛이 있는 음식을 좋아하듯, 맛이 있는 사람을 좋아함은 자연스러운 현상이다. 인간의 본능적인 욕망이다.

맛있는 음식은 내용물도 훌륭해야 하지만 겉모양이 멋지게 디자인되어 보기가 좋아야 한다. '보기 좋은 떡이 먹기도 좋다'는 말처럼 사람도 맛있는 사람이 되기 위해서는 겉모습도 멋져야 한다. 화장을 하거나 자리에 맞는 멋진 옷차림과 좋은 인상이 굉장히 중요하다.

결국 '맛대가리 없는 사람'이 아니라 '맛깔스러움과 멋이 느껴지는 사람'이 되어야 한다. '푸드스타일리스트'라는 직업이 있다. 음식도 스타일을 가질 때 더욱 맛깔스럽게 느껴지듯이, 사람도 자신만의 스타일을 가질 때 훨씬 멋스러움이 느껴지는 것이다.

나는 옷을 잘 못 입는 편이다. 하지만 맘만 먹으로 옷을 잘 입을 수 있다고 생각을 했다. 착각이다. 별것 아닌 것 같지만, 유독 옷을 잘 입는 사람, 맵시 있게 옷을 입고 다니는 사람이 있다. 〈TV 인생극장 김갑수 편〉에서 연기자 김갑수 씨는 독특하고 젊은 취향의 옷을 즐겨 입는 마니아다. 이처럼 자신이 확실히 좋아하는 취향의 옷을 시간과 노력과 돈을 투자해서 찾는 데 즐거움을 느끼는 사람은 다른 사람의 눈에 띄는 패셔니스트가 된다.

어쨌든 이들에게는 자신의 노력이든 타인의 도움이든 맵시에 들어

가는 투자가 있다. '뿌린 만큼 거둔다'는 말은 패션에도 적용된다. 개인적으로 패션에의 투자는 가장 적은 비용으로 가장 높은 가치를 창조하는 현명한 투자라고 생각한다.

최근까지 나는 옷 입는 스타일에 조금 둔감한 편이었다. 이제는 파격까지는 아니지만, 나름대로 내 개성과 몸매를 살리는 옷차림을 하려고 한다. 나에게 맞는 스타일의 옷을 입을 때 나는 새롭게 태어나는 기분이 든다. 바지통을 줄이고, 터틀넥을 입고 있는 내 자신이 편안하고 자유롭다. 옷을 내 스타일에 맞게 입으면 몸도 자유롭고 마음도 날아갈 것 같다.

'왜 사람들이 옷차림에 그렇게 목을 맬까?' 하고 생각했던 적이 있었다. 이제는 이유를 알 것 같다. 형식이 내용을 결정한다. 내용만큼 형식도 중요하다는 말이 공감이 간다. TV에서 보여 주는 각종 실험을 보자. 사람은 형식에 구속되고, 겉모습에 따라 그 사람에 대한 통합적 판단을 달리한다. 분명한 사실이며, 불변의 진실이다.

절대로 형식을 경시하지 마라. 형식에 상황 적합과 상대방에 대한 배려가 묻어 있으면, 우리는 그것을 예의 · 예절 · 교양이라고 말하는 것이다.

사람들은 자기 스타일을 가지라고, 스타일 있게 살라고 말한다. 스타일, 멋있는 말이다. 스타일은 폼이다. 멋진 옷차림도 폼이 나고, 쿨하고 화끈한 성격도 폼이 난다. 멋진 웃음과 따뜻한 말도 스타일을 살린다. 어떤 식으로든 인생을 즐겁게 맛있게 사는 사람에게는 멋이 풍긴다. 그런 자기만의 개성을 품어 내는 사람을 우리는 '스타일이 멋지다'고 말한다.

이처럼 스타일 있게 살라는 말은, 폼 나게, 자신만의 '보랏빛 소'와 같은 스타일을 창조하고 만들어 가는 삶, 자기 욕망을 가지고 멋지고 즐겁게 살라는 말이다. 구질구질하고 지저분하지 않게 산뜻하고 매력적인 삶을 살라는 말이다. 분명한 것은 스타일은 옷이나 신체적인 멋들어짐에서 발산되는 매력뿐만 아니라 생각이나 행동의 멋스러움을 넘어, 좋아하고 하고 싶은 꿈으로의 질주까지 포함하는 것이다.

이처럼 진정한 아름다움이란 자기만의 개성, 일에 대한 열정, 인간다운 따스함까지 아우르는 매력이다. 하지만 이런 진정한 아름다움을 보여 주기 위해서는 우선 겉모습에서 사람들의 감탄과 경탄, 찬탄을 자아내게 해야 한다. 그렇지 않으면 진정한 아름다움을 보여 줄 기회조차 갖지 못한다.

개인적으로 스타일의 시작은 걸음걸이에 있다고 생각한다. 차승원의 말처럼 멋진 걸음걸이의 비결은 첫걸음을 씩씩하게 걷는 데에 있다는 말이 마음에 와 닿는다. 그렇게 한번 해 보라. 정말 멋진 걸음걸이가 된다.

몸 전체가 즐거워지는 감동,
웃음

셰익스피어는 "힘들 때 울면 삼류다. 힘들 때 참으면 이류다. 힘들 때 웃으면 일류다."라고 했다. 햇살의 미소를 가진 사람을 보면 주위도 환해진다. 하지만 환한 미소는 마음먹기로 되는 것이 아니다. "속 깊은 아름다운 웃음은 그냥 절로 생성되지 않는다. 속 깊은 아름다운 웃음은 생애를 두고 가꾸는 것이다."라는 최두석 시인의 말에 공감한다.

"웃는 얼굴에 침 못 뱉는다."는 말처럼 웃음은 종종 문제를 해결하는 가장 쉽고도 강력한 무기가 된다. 설사 그런 실리적인 목적이 아니더라도 즐겁게 살기 위해서 웃어라. 분명한 것은 우그러지고 찌그러진 얼굴을 펴기만 해도 마음이 마치 다림질한 것처럼 펴진다는 것이다.

'희로애락'이라고 한다. 즐거움과 기쁨이 슬픔과 분노를 감싸고 있는 것이다. 누구나 웃고 싶어 한다. 톨스토이의 소설 〈안나카레리나〉에서 "그녀는 아까부터 밖으로 나오고 싶어 발버둥치고 있던 그 생기를 마침내 미소로 나타내면서 말했다."는 표현이 있다. '넛지(Nudge)'란 말처럼 내 마음 속에서 올라오려고 발버둥치는 생기 넘치는 웃음과 미소가 밖으로 터져 나올 수 있도록 한 번 툭 건드려 주어라.

사람들은 말한다. 꽃은 활짝 필 때가 가장 아름답고 사람은 활짝 웃을 때가 가장 아름답다고. 맞는 말이지만, 나는 조금 다르게 생각한다. 삶에서 가장 행복한 순간은 꿀을 입에 넣기 바로 전이고, 여행은 준비하면서 기다리는 시간이 가장 즐겁듯이, 꽃은 꽃봉오리를 터뜨리기 전이 가장 아름답고, 사람은 활짝 웃음을 터트리기 직전의 그 짜릿한 순간이 가장 황홀하다고 생각한다.

야성을 잃지 않은 개와 마주쳤을 때 가장 좋은 해결방법은 무엇일까? 어떤 사람은 웃음이라고 답한다. 웃음은 인간만 아니라 개의 적대감을 누그러뜨리는 데에도 마법 같은 효과가 있다.

하지만 감정노동자의 웃음은 마음에서 우러나오는 웃음이 아니라 의식적으로 하는 가짜웃음이다. 강제된 웃음이고, 즐겁지 않은 웃음이며 불편한 웃음이다. 매뉴얼대로 하는 이성의 웃음이다. 그래서 이성의 웃음은 짧아야 한다. 적어도 학교수업과 휴식시간처럼 주기적인 휴식시간이 절대적으로 필요하다.

그럼에도 불구하고 세상에서 가장 무서운 표정은 무표정이다. 그래서 감정이 시키는 환한 웃음, 맑은 웃음이 아니라 이성이 시키는 가짜 웃음, 억지웃음일지라도 무표정보다는 낫다. 억지로라도 웃는 웃음이 웃지 않는 얼굴보다는 훨씬 더 좋다. 사실 보통 사람의 경우 억지로 웃지 않으면 웃을 일이 많지 않기 때문이다. 웃는 것도 인위적인 노력과 연습이 반드시 뒤따라야 한다. 이왕 웃는 것, 크게 웃자. 길게 웃자. 온몸으로 웃자. 함께 웃자.

축제는 웃음이다. 그래서 축제는 같이 웃고 즐거워하는 사람이 없으면 물에 떨어진 눈송이처럼 짧고 허망한 것이다. 축제를 축하해 주고 함께 기뻐해 줘. 세상에서 가장 불행한 사람은 밥을 굶는 사람이지만, 세상에서 가장 가난한 사람은 미소가 없는 사람이다.

엘라 휠러 윌콕스의 말이다. "살아간다는 것은 매 순간 다시 태어나는 것이다. 진짜 가치 있는 사람은 웃는 사람이다. 모든 것이 잘 안 흘러갈 때도 웃는 사람 말이다." 불행과 고통 앞에서도 웃어라. 분명 세상도 함께 웃어 줄 것이다.

피 튀기는 치열함과 처절한 절박함 속에서도, 뜨거운 사랑에 온몸을 태우고 치열한 도전에 숨이 끊어질 듯해도 한 줄기 샘물처럼 환하고 맑은 웃음을 토해 낼 수 있다면, 맑고 밝은 웃음을 토해내라. 고주망태가 될 때까지 마신 술과 거짓되고 무의미한 말로 차마 견디기 어려운 비린내와 역겨움을 토해 내지 말고.

어긋나기만 하는 인간관계에 지칠 때, 김밥처럼 서로 다른 사람들 끼리 어울려 살아야 한다는 말이 생각나서 합숙소에 있는 냉장고에서 이것저것 남은 것들을 가지고 세상에 존재한 적이 없는 명작의 탄생을 기대하면서 김밥을 만 적이 있다. 아니, 제대로 말지 못했다. 말면서 김밥은 옆구리만이 아니라 사방으로 터져 버렸기 때문이다.

그래도 터져 버린 김밥을 꾸역꾸역 먹다 보니 살며시 웃음이 터져 나와서 좋았다. 즐거움과 웃음이 샤넬 향수처럼 은은하게 번져 나갔다.

이탈리아의 철학자이자 작가인 움베르토 에코(Umberto Eco)는 인간이 웃을 수 있는 유일한 동물이라고 했다. "나는 인간이 죽는다는 것을 알고 있기에 웃음을 터뜨린다고 생각한다. 동물들은 자기 동족이 죽는 것을 보면서도 자기 또한 죽을 거라는 사실을 깨닫지 못한다."

악마에 대한 두려움, 실패에 대한 두려움, 배반과 배신, 조롱과 무시, 소외됨에 대한 두려움, 왕따, 거절에 대한 두려움에 당당히 맞서거나 받아들일 때, 실패와 거절, 배신에도 웃을 수 있게 된다. 웃으면 다시 일어설 수 있다. 인간은 웃을 수도 있지만, 웃길 수 있고, 웃음거리도 되는 유일한 동물이기에 웃음거리가 될지라도 웃어라. 웃을수 있는 한 웃음거리가 되면서도 남을 웃음거리로 만들 수 있다.

속도전은 다수의 존엄성을 무너뜨리면서 자본을 움켜쥔 소수가 지탱하는 승자독식으로 가는 지름길이다. 단기적으로 소수가 승리자가 된다. 장기적으로 모두가 패배자다. 파멸의 길이다.

활기찬 학교, 즐거운 학교, 웃음이 꽃피는 학교에서는 학생들 누구나 시인이 된다. 그런 사회는 모든 사람이 시인인 아름다운 세상이다. 활기를 잃어버린 학교, 즐거움과 웃음이 사라진 학교는 영화 제목처럼 '죽은 시인의 사회'가 될 수밖에 없다.

사람이 꽃보다 아름답다는 말의 강조는 반어법이다. 사람이 꽃보다 아름답기는 하늘의 별따기 만큼 어렵다. 다만 '사람이 꽃보다 아름답다'면 '그런 세상은 얼마나 아름다울까?'라는 희망을 담고 있다. 사람이 꽃보다 아름답기 위해서는 아이들이 건강하고 아이들에게 웃음꽃을 되찾아 주어야 한다. 아이들이 웃지 않는 세상처럼 슬픈 사회는 없다.

거리에서, 지하철 안에서, 버스 안에서 앳된 얼굴의 여학생, 남학생들이 '시발'을 연발하면서 대화하는 사회에서 쓴웃음과 슬픈 웃음을 짓게 되는 것은 정말 슬프다. 낙엽 구르는 소리에도 까르르 까르르 웃고, 어린 아이의 얼굴을 보면서 환한 웃음을 건넬 수 있는 건강한 웃음꽃이 만발한 사회가 되었으면 좋겠다. 아이들이 웃는 사회는 부모가 웃는 사회며, 부모가 웃는 사회는 건강하고 활기가 넘치는 사회이기 때문이다.

다이애나 왕세자비 죽음을 애도하는 눈물이 우울증 환자를 절반으로 줄어들게 했다는 것에서 생긴 말이 '다이애나 효과'다. 남성이 수명이 짧은 이유는 여성보다 잘 울기 않기 때문이다. 분명한 것은 잘 우는 사람이 잘 웃는다는 것이다. 울 줄 모르는 사람은 웃을 줄도 모른다. 웃음과 울음은 하나의 감정으로 연결되어 있다.

웃음의 명인 봅 호프의 말이다. "웃음은 전염된다. 웃음은 감염된다. 웃음은 거의 참을 수 없는 슬픔을 참을 수 있는 어떤 것으로, 더 나아가 희망적인 것으로 바꾸어 줄 수 있다."

슬픈 미소는 있지만, 슬픈 웃음은 없다. 슬픈 마음속에서도 너털웃음을 터뜨리다 보면, 슬픈 마음이 조금씩 사라진다. 웃음이 가져다주는 마력이다. 이것이 미소와 웃음의 차이다.

입을 벌리지 않은 채 웃는 작은 웃음인 미소는 슬픔이 밖으로 나가지 못하고 몸 안을 빙빙 돌 수 있다. 하지만 입을 크게 벌려 웃는 웃음은 그것이 슬픔 속에서든, 기쁜 속에서든 상관없이 사람에게 기쁨을 가져다준다. 슬픔은 밖으로 날아가고, 기쁨은 몸 안에서 순환하여 가슴에 행복감으로 부풀어 오르게 만들기 때문이다.

도산 선생은 '훈훈한 마음으로 빙그레 웃는 얼굴'을 강조하였다. 이것이 우리가 갖고 싶은 새 사회의 모습이요, 새 나라의 표정이다. 갓난아이도 빙그레, 늙은이도 빙그레, 모두다 인생의 아름다운 표정이다.

즐거움, 행복과 재미를 넘어서는 삶의 가치는 없으며, 웃음과 웃는 얼굴을 넘어서는 가치도 없다. 오아시스가 없는 사막이 죽음의 땅이듯이 웃음을 잃어버린 얼굴은 죽은 사람이다. 이처럼 두려움과 공포 앞에서 먼저 사라지는 것은 웃음이다.

우리는 무거운 분위기에서든, 가벼운 분위기에서든 "실없이 웃지 마.", "지금 웃을 때야?", "어떤 놈이 분위기 파악 못하고 시시덕거려?"라는 웃음에 대한 부정적인 말을 자주 듣는다. 하지만 대부분의 경우 '웃는 낯에 침 못 뱉는다'는 속담처럼 웃음은 나와 상대방의 감정이 악화되지 않게 만드는 강력한 방탄조끼다.

사람들은 꽃을 보면 미소 짓고 웃는다. 이것은 본능처럼 자연스러움이다. 산에 가면 기분이 좋듯이, 꽃을 보면 기분이 좋아지는 것이다. 그래서 웃음을 꽃에 비유한 웃음꽃이란 말이 일상화된 것이다.

데일 카네기의 말이다. "미소는 만물의 영장인 사람만이 가지고 있는 특권적인 표현법이다. 이 귀한 하늘의 선물을 올바로 이용하는 것이 사람이다. 문지기에게도, 심부름꾼에게도, 안내양에게도, 그 밖의 누구에게도 이 미소를 지음으로써 손해나는 법은 절대로 없다. 미소는 일을 유쾌하게, 교제를 명랑하게, 가정을 밝게, 그리고 수명을 길게 한다."

남아프리카공화국의 넬슨 만델라는 최고의 미소쟁이다. 그는 미소의 힘으로 세계를 바꾸었다. 그가 성공할 수 있었던 것은 자신을 최고의 명품으로 만들었기 때문이다. 만델라는 "강철 같은 의지와 필요한 기술만 있다면 세상의 어떤 불행도 행복으로 바꿀 수 있다."고 말한다. 환경을 극복하려는 자신의 의지와 태도에 따라 결과가 달라지기 때문이다.

〈사람을 얻는 기술〉에 미소의 영향력을 실험한 이야기 있다. 여성 연구자들이 조그만 바에 앉아 술집을 찾은 남성들과 눈이 마주쳤을 때, 그때 남성들이 보이는 반응이 매우 흥미롭다. 여성연구자들이 남성들과 눈이 마주쳤을 때 미소를 지으면, 약 60%의 남성들이 정중하게 다가와 이른바 '작업'을 걸어왔다. 물론, 눈만 마주쳤을 때는 약 20%만 작업을 걸었고 말이다.

풀크 그레빌의 말처럼 "웃음이란 몸 전체가 즐거워지는 감동이며 그 감동을 있는 그대로 표현하는 것"이다. 미소 짓는 동물을 본 적이 있는가? 미소는 만물의 영장인 사람만이 가지고 있는 특권적인 표현법이고, 미소는 일을 유쾌하게, 교제는 명랑하게, 감정은 화목하게, 인생을 화목하게 해 주는 최고의 방법이다.

아기나 아이 웃음소리가 없다면 죽은 가정이고, 직장에 웃음소리가 없다면 죽은 조직이다. 웃음은 삶을 긍정하는 사람이 지닌 가장 빛나는 몸짓이다.

'한 번 웃고 들어오세요.'

사무실 문 앞에 작은 쪽지가 붙어 있듯이, 집 현관 문 앞에도 작은 쪽지를 붙여 놓자. 한 번 웃고 들어오라고……

고운 주름이
아름답다

　주름살도 집안 내력이다. 나는 아버지를 닮아 주름이 많은 얼굴이다. 〈허삼관 매혈기〉를 원작으로 한 영화 〈허삼관〉을 보던 중, 내가 학생이었을 때 돌아가신 아버지가 전쟁고아로 고아원과 떠돌이 생활이 하다가 밥 사먹을 돈이 없어 피를 팔았다는 얘기를 해 준 적이 있는데, 그때에는 웃으면서 들었던 이야기가 생각나서 영화를 보면서 새삼 가슴이 미어지고 아버지에 대한 그리움에 눈시울을 붉혔다.

　40대를 지나 50대가 된 요즘 들어 살이 조금 빠지면서 얼굴이 갸름해지고, 눈주름이 더욱 선명해졌다. 영락없이 돌아가진 아버지의 모습을 닮아 간다. 나는 내 눈가에 잡힌 주름을 좋아한다. 다행인 것은 눈가의 주름에도 불구하고 내 나이로는 봐 준다는 것이다.

게다가 눈가의 주름 때문에 더욱 친근하고 부드러운 인상을 주는 것 같아, 나는 매일 아침 눈가의 주름을 더욱 자연스럽고 예쁘게 만들기 위해 엘리베이터 안에서 화장실에서 최대한으로 눈빛을 부드럽고 선하게 하면서 '와이키키'를 몇 번씩 반복하곤 한다.

요즘 자연스런 주름에 대한 얘기가 많이 회자된다. 특히 철의 여인에서 대처 수상을 연기한 메릴스트립의 자연스러운 주름을 칭찬한다.

TV 드라마에서 엄마와 할머니 역할을 하는 나이 든 여배우들의 주름 하나 없는 팽팽한 얼굴 때문에 가끔씩 드라마 스토리에 몰입이 안 되는 경우가 있다. 보톡스와 성형, 화장술의 힘이라고는 하지만, 내 어머니와 주위에서 만나는 나이 든 사람과 피부와 외모에서 느껴지는 차이가 너무 크기 때문일 것이다.

분명한 것은 이런 부작용이 있음에도 운동은 물론 성형과 보톡스 등으로 팽팽한 피부를 되찾으려는 추세는 막을 수 없다는 것이다. 그럼에도 불구하고 나는 나이에 어울리는 친근함이 새겨진 고운 주름을 가지고 있으면서도, 내 이웃에서 느낄 수 없는 세련된 멋과 분위기를 지닌 매력적인 사람을 만나고 싶다.

내가 선정한 주름살이 매력적인 사람은 안성기, 장사익, 그레이스 캘리, 숀 코네리, 제레미 아이언스, 넬슨 만델라, 폴뉴먼, 클린트 이스트우드, 오드리 헵번, 캐서린 헵번, 김혜자, 고두심, 수잔 서랜든 등이다. 나 역시 그렇게 나이 들고 싶다.

이미지는 인상이다. 이미지가 대세인 시대이다. 이미지를 만드는 데 팽팽한 얼굴이 먹힐 경우도 있다. 하지만 표정이 살아 있는 인상, 부드럽게 따뜻하며 신뢰를 주는 이미지는 표정이 생생하게 살아 있는 얼굴이다. 자연스럽게 주름골이 패인 편안하고 친근한 이미지가 전해질 수 있다면, 관계 맺기의 9부 능선은 넘은 것이다.

바비인형 같이 팽팽하고 아름다운 얼굴도 표정을 잃어버린다면 상대방에게 감정을 전달하기가 어렵다. 볼수록 질리고, 만날수록 거북함과 불편함을 더하는 피하고 싶은 이미지를 주게 된다. 치명적인 패착이다.

요즈음 남자보다는 여자배우 중에서 나이와 전혀 어울리지 않는 얼굴을 가진 사람이 많다. 다른 말로, 나이에 비해 얼굴 주름이 거의 없다. 내 편견인지 모르지만, 우리나라 여배우들이 부쩍 더 심한 것 같다. 그래도 외국배우는 남자든 여자든 화면에 주름진 얼굴이 그대로 보이는 경우를 비교적 많이 볼 수 있다.

단순하게 주름진 얼굴과 주름이 없는 얼굴 중 어느 것이 좋으냐고 물으면, 당연히 주름이 없는 얼굴이 좋다고 답할 것이다. 하지만 나이가 들어 감에 따라 함박웃음과 따뜻한 인격의 선을 따라 흐르는 고운 주름은 약품이나 성형의 힘으로 근육을 마비시켜 유지되는 주름 없는 얼굴과는 다르다.

물론 직업적인 특성과 타고난 미모, 동안피부, 믿을 수 없는 자기관리로 나이를 무색하게 하는 매력적이고 탱탱한 얼굴과 몸매를 유지하는 사람에게는 경탄과 경의를 보낼 뿐이다. 이러한 예외를 제외하고는 고운 주름의 얼굴이 더 좋은 얼굴, 호감 가는 얼굴이다. 자연을 닮은 주름진 얼굴이 더 좋은 이유는 자연이 인공보다 더 아름다운 이유와도 같다.

예전에 어느 라디오 프로그램에서 우리나라에서 가장 선하고 성실해 보이는 연예인 설문조사에서 안성기 씨가 선정되었다는 내용을 들었다. 안성기 씨가 환하게 웃을 때 눈가의 선명한 주름을 떠올려 보라. 저절로 기분이 좋아지지 않는가?

매력적이고 멋지게 나이 듦의 첫 번째 비결은 고운 마음, 정겨운 마음씨를 주위에 뿌리고 다니는 것이다. 이 마음씨가 뿌리를 내리고 자라 열매를 맺을 때, 나이 든 사람의 얼굴과 눈가에는 멋지고 아름다운 주름이 훈장처럼 선명하게 빛날 것이다.

보톡스를 맞는 것보다 매일 아침 엘리베이터 안이나 화장실에서 '와이키키'와 '위스키'를 내뱉으며 입꼬리를 한껏 올려 보자. 아름다운 주름은 아름다운 나이 듦의 필요충분조건이다.

따뜻한 눈빛이
아름다운 이유

몸에서 풍기는 당당함은 턱을 안으로 당기고 머리를 꼿꼿이 세운 다음에 씩씩한 걸음으로 걸어가는 모습에서 결정되지만, 외모에 나타나는 얼굴 표정은 눈빛에서 결정된다.

눈빛과 얼굴에는 행복과 슬픔의 모든 것이 담겨 있다. 그래서 눈빛과 얼굴은 걸어 다니는 인생명함이며, 어떻게 살아왔느냐를 보여 주는 삶의 이력서요 신용증이며, 행복과 건강의 증명서이다. 아내의 표정이, 아들의 표정이 내 삶의 표정이 된다. 반대로 나의 눈빛과 표정이, 아내와 아들의 눈빛과 표정이 된다.

눈빛은 따뜻함을, 열정과 의지를, 사랑과 용서를 담고 있다. 그래서 눈이 빛나는 사람은 따뜻함과 열정과 사랑이 넘치는 사람이다. 불 꺼진 창처럼 눈에서 빛이 빠져나간 사람, 눈에서 빛이 사라진 사람은 감정이 말라 버린 좀비나 유령과 같은 시체와 다름없다. 눈이 그 사람의 모든 것이기 때문이다.

그래서 사랑하는 사람이 생기면 그 사람의 고운 눈빛을 봐야 한다. 눈에서 빛이 나고, 이마에서 빛이 나고, 가슴에서 빛이 난다. 가장 아름다운 빛은 눈에서 뿜어져 나오는 따뜻한 눈빛이다. 따뜻한 눈빛이 담아 미소로 인사하고 악수를 나눌 때마다 정성을 다하라.

영화 〈황금연못〉에서 각각 76세, 74세의 헨리폰다와 캐서린 헵번이 아카데미 남녀 주연상을 받았다. 그들은 나이 든 모습대로 아름다웠다. 나이 들어도 여유를 즐길 줄 아는 마음과 함께 열정의 불꽃을 태울 줄 아는 사람이 좋다. 멋지게 나이 든 사람의 공통점은 깊고 맑으면서도 그윽한 눈을 가지고 있다는 것이다.

과거 명화극장에서 클래식 영화 주인공들은 외모가 눈빛을 지배했고, 현대 영화의 주인공은 눈빛이 외모를 지배한다. 동서양을 막론하고 클래식영화 주인공은 무엇보다 외모가 중요했다. 하지만 요즘은 개성시대로 영화배우 주인공들의 살아 있는 눈빛, 독특한 눈빛으로 상징되는 개성을 중시한다.

눈빛을 보고 체력을 알 수 있다. 흐리면 피곤한 것이고, 밝으면 건강한 것이다. 따라서 호랑이처럼 살아 있는 눈빛을 가져라.

맹수의 눈을 보라. 사자의 눈도, 호랑이의 눈도, 표범의 눈도, 독수리의 눈도 모두 형형한 빛을 띠고 있다. 살아 있는 눈빛을 가지고 있다. 맹수의 눈만이 아니다. 집에서 키우는 강아지의 눈도, 고양이의 눈도 그 눈빛은 살아 있다. 애완견도 눈빛이 맑고 살아 있어야 더욱 사랑스럽다.

사람 역시 마찬가지다. 우선 형형한 눈빛, 살아 있는 눈빛은 보기에도 좋다. 나아가 살아 있는 눈빛을 가진 사람에게는 말로 표현하지 않더라도 그 마음속에 있는 열정을 읽을 수 있고, 따뜻한 눈빛을 가진 사람에게는 그 마음속에 있는 사랑과 관심을 읽을 수 있는 것이다.

사람들은 가끔 말한다. 그 사람은 눈빛이 살아 있다고. 여기에서 '눈빛이 살아 있다'는 표현은 다의적이다. 빛나는 눈빛, 다정한 눈빛, 따뜻한 눈빛, 타인의 아픔에 공감해서 글썽거리는 눈에 어린 영롱한 빛까지도 다 살아 있는 눈빛이다. 표정이 없듯이, 감정이 메마르고 삭막한 사람, 삶의 의욕과 열정이 없는 사랑은 눈빛이 죽어 있다.

살아 있는 눈빛과 죽어 있는 눈빛을 구분하는 가장 좋은 방법은 칠흑 같은 어둠 속에서다. 살아 있는 눈빛을 가진 사람은 고양이의 눈처럼 형형한 색을 발하지만, 죽은 눈빛을 가진 사람은 어둠의 힘이 눈빛을 묻어 버린다.

우리나라 사람의 가장 부자연스런 행동 중의 하나가 눈맞춤이다. 아이컨택(Eye-Contact)은 연습의 열매이고 습관이다. 미국이나 유럽 등에서는 어릴 때부터 눈맞춤이 자연스럽게 습관화되었다. 그러나 우리나라 사람들은 그렇지 못했다. 그래서 마주하는 사람의 얼굴을 제대로 응시하지 못하고 사시 눈으로, 삐딱하게, 시선을 피하면서 대한다. 그런 행동이 습관화될 때 좋은 인간관계에도 악영향을 미치지만, 개인적으로 자신감 있게 따뜻한 시선으로 타인을 바라보지 못함으로써 밝고 맑은 눈빛을 잃어버리는 것이 더 큰 손실이라고 본다.

〈라이투미〉란 미드가 있다. 마이크로 익스프레션, 즉 사람의 미세한 표정을 읽어 냄으로써 그 사람이 거짓을 말하는지 진실을 말하는지 알아내 범인의 단서를 찾아내는 것이다. 사람의 얼굴 표정은 그 사람의 감정을 반영하는 거울이기 때문이다.

따라서 얼굴 표정을 감추는 사람은 진실과는 반대방향으로 걸어가는 사람처럼 느껴지기에, 나는 눈을 마주보면서 얘기하지 않는 사람을 신뢰하지 않는다. 하지만 무서운 눈, 의심의 눈빛을 레이저처럼 쏘아대는 사람도 좋아하지 않는다. 나는 따뜻한 눈빛으로 내 눈을 정면으로 응시하면서 얘기하는 사람을 좋아한다. 따뜻하고 빛나는 눈빛, 맑은 눈빛은 상대방의 눈을 따뜻한 시선으로 바라보는 데서 시작된다.

무섭게 휘몰아치는 태풍에도 눈이 있다. 경향신문의 김태관 논설위원은 글에서 "위성사진으로 본 태풍은 커다란 바람개비를 닮아 있다."고 했다. 또 "그 한가운데에 자리한 태풍의 눈은 영락없는 신의 눈동자이다."라고 말했다. 내가 사진으로 본 태풍의 눈은 폭풍 속에서도 고요함을 유지한 모습을 하고 있었다. 흔들리는 가운데 자기중심이 있다. 사람의 눈동자로 치면 강하면서도 흔들리지 않는 깊고 맑은 눈동자를 닮은 것 같다.

상대의 눈을 사로잡아라. 심리학자들의 연구한 결과를 보면 '인간의 마음은 눈과 밀접한 관계가 있다'고 한다. 따라서 마음이 먼저 열리기 위해서는 눈이 먼저 열려야 하고, 눈이 열리면 마음도 열린다는 것이다. 비근한 예로, 여성을 사로잡는 마력을 지닌 남성들을 어두운 곳을 즐겨 찾는다. 사람은 누구나 어두운 곳에서는 본능적으로 눈을 크게 뜨고 사물을 보려고 한다. 자연히 동공이 커지고, 동공이 커지면 마음의 문도 열린다.

하루의 시작을 따뜻한 아침햇살과 커피 한 잔으로 시작할 수 있는 여유와 따뜻하고 맑은 눈빛을 가진 순한 사람과의 즐거운 인사로 시작할 수 있다면 더할 수 없이 좋을 것이다.

시선은 눈총이며, 감시이며, 권력이다. 눈길은 눈빛이며, 따뜻함이며, 함께하는 동행이다. 눈높이를 맞추는 것은 따뜻한 눈빛의 맞춤이다. 눈길이 꽃길이다. 눈총이 아니라 눈길을 주어라. 따뜻한 눈빛으로 사람과 세상에 관심과 애정의 눈길을 보내라.

인격을 담는 그릇,
목소리

자존심을 짓밟는 잔인한 말이 죽을 때까지 풀어지지 않는 깊은 마음의 응어리를 만든다. 남을 인정하고 의기소침한 사람을 격려해 주는 것은 결국 친절한 말 한마디, 따뜻한 말 한마디에서 시작된다. 마치 가슴시린 연애가 처음으로 애인의 손을 잡을 때의 짜릿함에서 시작되듯이.

얼굴이 얼을 담은 그릇이라면, 말은 생각을 담는 그릇이다. 생각이 맑고 고요하면 말도 맑고 고요하게 나온다. 생각이 야비하거나 거칠면 말도 또한 야비하고 거칠게 마련이다. 그러므로 "말은 존재의 집"이라는 말처럼 그가 하는 말을 통해 그의 인품을 엿볼 수 있다.

"곰은 쓸개 때문에 죽고 사람은 혀 때문에 죽는다."는 말이 있다. 맞는 말이다. 칼과 총에 맞아 죽거나, 자동차나 자연재해로 죽는 것보다 훨씬 많은 사람들이 혀를 잘못 놀린 탓에 죽는다. 잘못된 혀 놀림의 대표게임인 뒷담화는 술처럼 만족은 짧고 후회는 길다.

사람들은 누군가에 대한 칭찬을 하면 의혹의 시선을 보낸다. 사람들은 누군가에 대한 비난과 험담을 하면, 공감대가 번지면서 분위기가 환해지고 친밀감이 서로를 감싼다. 그래서 끼리끼리 모임의 대화에서는 칭찬과 배려의 마음과 말이 오고가기보다는 90% 이상은 타인에 대한 험담, 불만, 비난, 비평, 험담, 욕설의 말이 오고간다.

뒷담화의 유혹은 은밀하고 자극적이다. 뒷담화가 타인에 대한 험담이나 중상모략에만 매몰되는 것이 아니라 가벼운 가십에 그친다면, 뒷담화는 수다처럼 사람들의 딱딱하게 굳어진 마음을 말랑말랑하고 쫄깃쫄깃하게 만들고, 긴장을 완화시켜 스트레스를 감소하게 하는 등 감정에 긍정적인 효과를 준다. 이처럼 뒷담화는 사람들이 자극적인 동영상에 본능적인 흥미를 느끼고, 때가 되면 뒷간에 가야 하듯이 일상에서 자연스러운 행동이다.

뒷담화는 감정의 은밀한 공유로 친밀감을 높인다. 뒷담화는 어두운 공감과 비슷하다. 비슷한 공간이나 위치에서 공통에 적에 대한 험담이나 비난, 자신과 수평적 관계에 있는 누군가를 비하하고, 깔아뭉개면서 자신들의 위치를 끌어올리고, 외로움과 상처받은 자존심을 위로하려고 하는 생존 본능이다. 돈과 권력을 가진 최상층부에서 그들끼리도 서로 쪼개진 집단끼리 모여 "우리가 남이가!"를 외칠 때, 뒷담화는 험담을 넘어 누군가 희생양을 만들어, 소리 없는 침묵의 살인을 모의하는 현장이 되기도 한다.

대개 뒷담화는 대상이 되는 사람이 지금 옆에 있으면 할 수 없는 얘기다. 그런 뒷담화 자리라면, 할 수 있다면 되도록 끼지 마라. 면전에서 할 수 없는 얘기라면 뒷담화로도 하지 않는 것이 좋다. 뒷담화는 굽은 칼날이다. 휘어진 화살이다.

수다를 즐겨라. 하지만 뒷담화는 피해라. 뒷담화는 입안에 피를 머금고 남에게 뿜어대는 것이다. 자기 입이 먼저 더러워진다. 뒷담화는 뜨거운 석탄을 손에 쥐고 남에게 던지는 것이다. 먼저 자기 손이 화상을 입는다. 뒤에서 누군가의 피를 말리는 사람이 되지 말고, 그 누군가의 피그말리온이 되라. 누군가에게 시선의 칼날을 날리는 사람이 되지 말고, 누군가에게 봄바람에 날리는 꽃잎처럼 따뜻한 눈길을 주는 사람이 되라.

말 한마디가 사람을 주저앉히기도 하고 다시 일으켜 세우기도 한다. 말은 곧 힘이고 에너지이다. 사랑하는 아내에게 "당신이 좋다.", "당신은 나의 봄이다.", "당신 힘들지?" 하면서 안아 줄 때, 이 말은 그냥 말이 아니라 애틋한 사랑이다.

살아오면서 내가 가장 많이 들은 말 중의 하나가 목소리가 좋다는 말이다. 그래서였는지 나의 어릴 적 꿈 중의 하나가 성우였다. 아침마다 사무실에서 만나는 청소 아줌마에게도 다정한 목소리로 인사를 한다. 아줌마는 나에게 목소리가 정말 좋다며 감탄하신다. 괜히 기분이 좋아진다.

내가 성격이 예민하고, 타인에게 피해가 가는 행동이나 말을 병적일 정도로 싫어하는 이유의 하나도 내 목소리에 스며 있는 부드러움과 다정다감함 때문인지도 모르겠다. 내가 매력적인 목소리와 다정한 음성을 가져서인지 모르지만, 목소리가 좋은 사람에게는 왠지 끌림이 강하다.

이금희 아나운서의 목소리는 말할 것도 없고, 한석규를 좋아하는 이유가 그의 연기 못지않게 매력적인 목소리 때문이 아닌가 싶다. 이선균도 목소리가 아름답고, 유머의 달인인 유재석의 목소리도 편안하고 친근하다. 외모와 볼륨감 있는 몸매의 이효리의 매력적인 목소리와 나의 이상형인 고현정 씨의 목소리에도 가슴에 설렘이 인다. 아나운서 출신들이 국회 등에서 활발한 활동을 하는 중요한 이유 중의 하나가 그들의 목소리와 풍부하고 정감 있으며 때로는 호소력 짙은 음성에 있음을 부인하기 어렵다.

어렸을 적에 보았던 영화 〈타잔〉은 보고 또 봐도 질리지 않을 만큼 재미있었다. 그중 올림픽 수영 금메달리스트 조니 와이즈뮬러가 나오는 〈타잔〉이 단연 압권이었다. 타잔이 왜 밀림의 왕이 되었나. 그것은 잠자는 사자를 깨우고, 누에를 물어뜯으려는 악어가 놀라서 물속으로 도망가게 하는 천둥소리처럼 밀림에 쩌렁쩌렁 울리는 목소리 때문이다.

남자의 음성은 강한 울림과 강한 파장으로 사람들의 가슴을 뛰게 만들어야 한다. 이처럼 우렁차고 탁 트인 목소리도 아름답지만, "현자의 말도 부드럽게 말할 때만 받아들여진다."라는 솔로몬의 말처럼 부드러운 목소리 톤도 아름답다.

목소리가 작은 것보다는 큰 것이 좋다. 발음은 명확하고 또렷해야 한다. 가장 중요한 것은 목소리가 맑고 따뜻해야 한다는 것이다. 목소리에 따뜻함이 묻어나는 사람을 우리는 보통 '향기가 있는 사람'이라고 부른다.

목소리에 정답은 없다. 사람마다 개성이 다르듯, 목소리도 다르다. 따라서 작고 은은하고 부드럽고 낭랑한 목소리도, 내가 개인적으로 좋아하는 크고 우렁찬 목소리도 모두 저마다의 매력이 있다. 다만 고운 말, 따뜻한 말을 뱉어내는 사람은 얼굴과 마음에 그 고움과 따뜻함이 아름다운 무늬 결처럼 깊이 아로새겨져서 지울 수 없는 흔적으로 쌓이게 된다.

겉으로 긍정적인 것 같으면서도 보이지 않는 가시가 숨어 있거나 교묘한 위선의 그늘이 느껴지는 이중적이고 복잡한 말이 아닌, 단순하고 투명한 말씨, 뒤가 없는 깨끗한 말씨를 듣고 싶다.

열정적으로 춤추는
사람이 아름답다

　음악에는 우리와 세계를 하나로 묶는 묘한 힘이 있다. 음악 없이는 신바람이 나지 않고, 신바람이 불지 않으면 사람들이 하나가 되지 않는다.

　악기 중의 최고를 꼽자면, 단연 몸이다. 몸으로 악기를 연주할 때, 나는 나의 몸을 연주하고 있음을 느낀다. 악기를 연주할 때 나는 살아 있음을 느낀다. 희망은 음악이 없이도 춤추게 한다고 했지만, 삶에서 음악의 역할을 정말 크다. 음악이 없는 영화를 상상해 보라. 춤이 없는 음악을 상상해 보라. 공기 없이 살 수 없듯이, 춤 없이 음악 없이 사는 것은 이미 지옥이다.

　지금 나를 새롭게 일으켜 걷게 해 주고 있는 것은 춤이다. 나는 가능한 몸 전체를 발끝에서 손끝과 머리까지 움직이고 느끼고 즐겁게 몰입하며 춤춘다. 마치 지금 이 시간 말고는 삶이 없듯이.

　어설퍼서 아름다운 춤, 그것이 막춤의 매력이다. 막춤도 리듬을 탄다. 때론 부드럽고 우아하게, 때론 격하고 격렬한 움직임이 밀물과 썰물처럼 끊임없이 순환한다.

　나이트에 가면 나는 미친 듯이 머리를 흔들어 댔고, 바닥은 내가 흘린 땀과 열기로 뒤범벅이 된다. 나는 춤을 좋아한다. 함께 가는 것보다 나 홀로 나이트에 가는 것을 더 좋아한다. 나이트에 가면 가벼운 흥분과 설렘이 일어서 좋고, 누군가의 방해와 시선을 의식하지 않고 춤추고 즐길 수 있다.

　쉰 살이 넘은 지금도 나이트에 혼자 가고, 앞으로도 춤을 출 수 있는 열정과 힘이 있다면 그럴 것이다. 마라톤으로 단련된 지구력에 타고난 리듬감이 있어서, 나는 무대에서 나 홀로 춤출 수 있을 정도로 당당하고 자신감이 있다. 때로는 무대에서 느껴지는 타인의 끈적한 시선이 싫지 않다.

　워낙 격하게 흔들어 대고 열정적으로 춤을 추기에 내 주위의 플로어는 땀으로 젖는다. 같이 춤을 추러 간 일행들은 말한다. "너는 춤을 추는 게 아니라 에어로빅을 한다."고. 맞다, 나는 땀을 흘리면서 스트레스를 푸는 것 같다. 어쨌든 아무도 보지 않는 것처럼 막춤을 추고, 자유와 여유 속에서 허튼 춤을 추는 나를, 나는 사랑한다.

세상에 춤을 좋아하는 민족은 많다. 그중 우리나라 사람도 대표적인 민족의 하나다. 우리는 열정의 에너지를 가지고 태어났다. 신바람은 우리의 본능이다. 많은 벽화와 삼국지위지동이전의 부여, 영고, 무천, 동예의 기록을 보라. 우리 민족은 예로부터 춤과 노래가 일상의 생활로 뿌리내렸다.

역사적으로 보더라도 부족국가시대인 부여, 동맹시대부터 '영고'라는 이름으로 집단가무를 즐겼다. 일과 놀이가 생활에서 일체되었다. 이 정신을 그대로 계승한 증거가 붉은악마들과 함께 우리 국민이 보여 준 흥과 신바람이고, 이 정신을 지속적으로 계승·발전시키는 것이 문화선진대국으로 가는 원동력이다.

나는 우리나라에 어울리는 단 하나의 공화국을 들라고 하면, '춤 공화국', '댄스 공화국'이라고 생각한다. 가히 남녀를 불문하고 댄싱아이돌의 전성시대다. 가창력은 문제가 안 된다. 감각적이며 오감을 휘감는 멜로디에 온몸을 녹일 것 같은 선정적인 율동을 곁들여 사람들의 시선을 붙잡는다.

다음은 EBS 다큐프레임 〈춤 세상을 흔들다〉의 내용의 일부다. 춤추는 아이돌 그룹을 보면 왜 가슴이 떨릴까? 2005년 12월 영국의 세계적인 과학저널 〈네이처〉에 실린 춤의 매력에 대한 글이 실렸다. 여자는 잘생긴 남자보다는 춤 잘 추는 남자에게서 더 매력을 느끼는데, 그 이유는 균형 잡힌 몸매는 흡족함 외에도 예술을 감상할 때 뇌에서 도파민이 분비되어 황홀함을 느끼게 하듯이 뇌에서 도파민이 분비된다는 것이다.

아울러 춤은 놀라운 힘이 있는데, 성적을 올리고, 병의 치유효과가 있었다. 인천고교에서 매일 5분씩 하루 세 번 춤을 추게 하는 실험을 했는데, 그로부터 한 달 뒤 학습과 관련된 뇌기능 향상을 가져왔다는 것이다.

춤이 주는 마법의 효과는 말할 필요가 없다. 일부 일탈의 경우를 무시한다면, 나이트에서 추는 춤조차도 인간에게 놀라운 기쁨과 즐거움의 에너지를 준다. 나는 나이 들어 갈수록 춤추는 것이 좋다. 춤을 추면 기분이 날아갈 것 같다. 내 몸의 감정돌기가 살아남을 느낄 수 있다. 그 짜릿한 느낌이 좋다. 춤출 수 있는 인생이 나에게 더할 수 없는 기쁨과 즐거움을 가져다준다. 나에게 춤은 본능이다.

영화 〈맘마미아〉의 첫 대사다. "동화를 믿는 사람에게만 '기적'은 찾아온다. 기적을 믿는 사람에게만 '미래'는 찾아온다." 단, 어떤 경우에도 현실의 대지에 발을 굳건히 딛고서 춤추고 노래하는 것으로 하루를 시작하라. 그 어떤 고통도 춤추고 노래하면서 웃을 수 있다면 사라진다.

탄탄한 몸, 마음의
건강을 이어 주는 다리

같은 키의 같은 몸무게라고 비슷한 몸이 아니다. 겉으로도 다르지만, 목욕탕에서 벗은 몸은 확연히 구분되기도 한다. 문제는 몸이 늘어지고 탄력을 잃으면 몸이 늘어지는 것보다 더 심하게 마음이 탄력을 잃고 늘어진다는 것이다. 유연한 마음이 탄력 있는 몸을 강화한다고 말할 순 없지만, 신체적인 유연성이 심리적인 유연성을 강화하는 것만큼은 분명하다.

몸과 마음은 긴밀하게 연결되어 있다. 그것은 인간은 이성보다는 감정에 더 크게 영향을 받는 존재이기 때문이다. 몸이 무너지면 마음도 무너지고, 마음이 무너지면 몸은 더더욱 무너진다. 몸이 더 무너지면 마음은 더 무너져, 몸과 마음이 마치 도미노처럼 끊임없이 자기

파괴의 순환을 멈추지 않는다. 그 반대도 역시 마찬가지다.

몸이 살아나고 건강하면 마음도 건강하고 밝아진다. 마음이 건강하면 몸은 더 건강해지고, 몸이 더 건강해지면 마음은 더욱 밝고 건강해진다. 몸과 마음의 끊임없는 승화의 순환작용을 멈추지 않는다.

나이의 많고 적음을 떠나 사람들이 가장 신경을 쓰는 부분 중의 하나가 허리다. 사람마다 허리에 신경을 쓰는 이유는 다 다르겠지만, 내가 허리에 신경을 쓰는 이유는 허리가 인체의 중심이기 때문이다. 즉, 허리는 몸의 균형을 잡아 준다. 곧은 허리는 균형 잡힌 몸매를 유지하게 만들어주는 일등공신이며, 덤으로 멋진 옷맵시는 자신감을 배가시킨다.

나는 유연성은 뛰어나지만 유연성에 비해 생고무 같은 탄력은 떨어진다. 어찌 보면 몸이 좀 경직되어 있는 것처럼 보인다. 나이를 거꾸로 먹을 수 없기에, 스트레칭이나 음식, 올바른 앉는 자세를 통해 생고무 같은 탄력까지는 이르지 못하더라도 고무타이어 정도의 탄력을 꾸준히 유지하려 한다.

몸이 약해지니 잘 삐진다. 젊고 건강할 때는 비판을 받으면 그것을 받아들이고 고쳐야겠다는 의지를 갖게 되는데, 나이 들고 몸이 약해지니까 그런 것들이 피곤해지는 것이다. 게다가 이 나이 될 때까지 내 나름대로 생각 있게 살아왔다는 생각을 하면서 마음이 상하는 것 같다. 몸이 허약하면 강철 같아 보이던 의지도 쉽게 바스러지고 무너진다.

나이 들어도 젊은 사람과 비슷하게 몸은 만들 수 있다. 하지만 아무리 노력해도 한계에 부딪치는 것이 몸의 유연성, 탄력성이다. 그래서 모든 운동에서 빼놓지 않고 충실히 하는 것이 스트레칭이다. 유연성을 상실한 몸은 망가지기 쉽기 때문이다.

그 때문에 유연성 있는 몸을 만들기 위해 요가를 배운 적도 있다. 근육이 지나치게 딴딴한 것도 자랑할 일이 아니다. 부드러우면서도 강해야 한다. 수축성과 유연성이 필수적이다. 딴딴하다는 것은 '강한 남성'이 아니라 그저 근육이 뭉친 것이고, 풀어 주지 않으면 쉽게 파열되고 다치게 된다.

생고무 같은 허리가 특히 돋보이는 때는 자신의 영달을 위해 오로지 당선만이 지상 최대의 과제인 정치인이 선거유세 중에 유권자들 앞에서 비굴한 웃음과 함께 90도로 허리를 굽히면서 인사하고, 일일이 악수를 하는 모습을 볼 때다. 나 같은 사람은 도저히 따라갈 수 없는 엄청난 생고무 허리의 탄력과 포스 앞에 감탄만 나올 뿐이다.

인간의 몸의 아름다움에 대한 관심은 상상을 초월한다. 사람에 따라 다르지만 관심을 넘어 병적인 집착에 가깝다. 몸의 아름다움을 위한 성형, 미용, 운동 등으로 지불하는 돈과 시간을 생각해 보라. 멋진 몸매를 갖는 것은 자기관리의 징표다.

일부 극단적인 예외를 제외하고, 이를 백안시하기보다는 긍정적으로 볼 필요가 있다. '보기 좋은 떡이 맛도 좋다'는 말처럼 멋진 몸매는 스스로에 대한 당당함과 자신감을 높임은 물론, 타인에게 긍정적인 이미지와 즐거움을 주는 분위기를 만들어 준다.

튼튼하다는 것은 여러 가지 의미를 내포하고 있다. 일반적으로 '몸도 튼튼, 마음도 튼튼'이라는 얘기를 많이 한다. 또 좀 더 구체적으로 '심장이 튼튼하다', '넓은 어깨가 튼튼해 보이네.'라는 신체적인 튼튼함의 언급에서부터 인간관계에 있어 '튼튼한 믿음'을 주고 있다는 말을 하기도 한다.

나는 건강한 생활의 필수불가결한 요소가 신체의 건강이라고 생각한다. 건강함 역시 '있음'과 '없음'으로 나누어지고 있는 대표적인 경우라고 본다. 내 취미활동인 마라톤을 예로 들어 얘기한다면, 대부분 달리기를 처음 시작하는 경우를 보면 살을 빼기 위해서, 늘어져 가는 일상에 활력을 되찾기 위해서 등 소박하고 작은 이유다. 하지만 달리기를 하면서 몸이 변하고 생활에 활력도 생기면서 긍정이 긍정을 낳듯이 건강 달리기를 넘어 자신을 극복하고 넘어서기 위하여 마라톤에 몰입하는 경우를 많이 보았다.

일상에서 마라톤을 즐기는 대부분의 사람들은 몸과 마음의 건강과 삶에 대한 열정이 끊임없이 샘솟고 있다. 즉, 육체의 건강이 마음의 건강을 이어 주는 다리가 되어 일상의 삶과 일을 함께함에 있어 즐거움과 활기를 불어넣어 준다.

반대로 움직임, 즉 운동하기를 싫어하는 사람들도 급속도로 늘어나고 있다. 그들은 IT와 교통수단의 발달로 한번 빠지면 헤어나지 못하는 게임이나 도박, TV등을 끌어안고 살면서, 200미터만 넘으면 차를 타고 이동하는 사람들이 늘어나면서 몸을 움직이는 것을 끔찍이도 싫어하고, 소파에 누워 캔 맥주와 양념 치킨, 기름에 튀긴 포테이토를 신선한 야채로 착각하면서 프로야구과 골프채널, 미드와 한국드라마에 시선을 고정시킨다.

게으름은 게으름을 낳듯이 관성의 법칙에 의해 게으름으로 인해 더 커진 몸뚱이와 엉덩이는 자신을 더욱 꾸물이로 만듦으로써 일상의 짧은 쾌락과 즐거움에 몸을 맡긴 채, 자신도 인식하지 못하는 사이에 끝도 없이 빠져드는 몽환과 나른함의 세계로 빠져드는 것이다.

석 달 뒤에, 자기 자신이 우사인 볼트의 세계 기록을 깰 수 있는 가능성이 아주 높은 선수라고 상상해 보자. 육 개월 뒤에, 자기 자신이 수억 달러를 걸린 세기의 격투기에서 유력한 우승후보라고 상상해 보자. 당신은 자신을 어떻게 관리할 것인가.

끼니마다 술을 마시고, 하루에 2갑씩 담배를 피우고, 햄버거나 프라이드치킨 같은 정크푸드만을 탐식하고, 콜라와 아이스크림을 입에 달고 살면서, 저녁엔 여자와의 쾌락에 빠지고, 드라마와 영화를 탐닉하면서 까만 밤을 하얗게 보내지는 않을 것이다. 당신에게는 명확하고 구체적인 목표가 있기 때문이다.

인간은 누구나 천상천하유아독존이다. 자신과 같은 사람은 역사 이래 존재한 적도, 존재하지도 않은 유일한 존재이다. 슬프게도 단 한 번뿐인 삶을 살 수 밖에 없지만. 위의 경우처럼, 얼마나 자신의 몸을, 자신의 삶을 최선을 다해 관리하느냐는 한 번뿐인 삶의 목표가 얼마나 명확하고 구체적이며 절실한가에 달려 있는 것이다.

여자가 남자보다 오래 사는 이유는 술과 담배를 적게 하고, 잘 웃기 때문이다. 그리고 심장이 튼튼하고 잠을 잘 잔다. 결국 남자보다 즐겁게 살기 때문이다.

몸은 우리가 특별히 관심을 가져야 할 만큼 매우 중요하다. 몸의 정직함이 주는 쾌감이 나를 달리게 만들었다. 내 몸에게 진심을 가지고 말하고 성실하게 교감한다면, 그 진정성은 반드시 통하게 되어 있다. 몸은 절대로 진정성을 배반하지 않는다.

행복해지고 싶고, 즐거움을 풍성하게 하고 싶으면 우선 자기 몸매를 아름답게 가꾸고 만들어라. 어떤 투자보다도 효과적이고 효율적인 투자가 될 것이다. 사람들은 자신의 몸을 사랑하는 정도에 비례하여 자신의 인생과 삶을 사랑하게 된다. 사람들은 자신의 외모를 사랑하는 정도에 비례하여 타인을 사랑하게 된다.

아름다운 감정

Part 3.

함께 있을 때
기분 좋은 사랑

"배가 지나가면 물결이 흔들리고, 바람이 지나가면 꽃잎이 흔들리고, 당신이 지나가면 내 마음이 흔들린다."는 말처럼 내 마음을 격한 설렘에 휩싸이게 만들지라도 견딜 수 있고, 이루어질 수 있는 사랑을 해라.

사랑은 바라만 보는 것이 아니다. 서로 사랑의 눈맞춤을 하고 키스하고 안아 주고 뒹굴고 가슴 터지게 웃는 것이다. "삶을 사랑하라, 헉헉거리며 사랑하라."는 말처럼, 내가 뜨거울 때 뜨거운 사랑을 할 수 있는 것이다.

사랑은 신비하고 오묘하다. 분명한 것은 에로틱이나 플라토닉만 고집하는 사랑은 부서지기 쉽다는 것이다. 어차피 완전한 사랑은 없기에 에로틱과 플라토닉이 적절하게 버물려진 관계가 훨씬 단단하고 찰지다. 감정의 밀고 당김을 통해 사랑의 지속에 가장 중요한 요소인 즐거운 긴장감을 유지함으로써 흐르는 강물처럼 끊어지지 않은 사랑으로 나란히 함께 갈 수 있다.

누군가는 말한다. 감정은 자신의 의지대로 되지 않고, 변하기 때문에 지금 누군가를 진심으로 사랑한다고 해도 상대방에게 영원히 사랑하겠노라고 약속하지 말라고. 그 약속은 결국 나를 힘들게 하고, 상대방에게 상처만을 줄 것이기에.

개인적으로 나는 이 말에 공감하지 않는다. 감정은 변한다. 그럼에도 불구하고, 지금 당신이 누군가를 사랑한다면 영원히 사랑한다고 말하라. 그러나 덧붙여 사랑이 변하니까, 감정은 통제할 수 없기에 지금 이 순간은 당신을 사랑하지만, 이 순간이 지나면 내 마음을 나도 모르겠다고 말하지 말라. 그것이 아무리 사실이라도 그렇게 말하지 말라.

침묵 속에서도 어색하지 않은 사람과 함께라면 무얼 하든 편안하다. 그렇게 마음이 통하는 두 사람이 함께 갓 구운 빵을 앞에 두고 서로의 눈을 따뜻하게 바라보면서 커피를 마실 때, 그곳엔 행복이 지나간다. 같이 있어 행복하고 즐거운 사람과 같이 있는 곳, 그곳에 낙원이 있다. 같이 있어 행복하고 즐거운 사람이 없는 나라, 그곳이 잃어버린 낙원이다.

결혼을 다정한 사람하고도, 따뜻한 사람하고도, 좋아하는 사람하고도 할 수 있다면 좋아하는 사람하고 결혼하는 것이 가장 좋다고 생각한다. 내 개인적인 경험으로 좋아하는 감정, '괜찮다'라는 감정은 푸른 소나무처럼 변하지 않고 오래 간다.

어쨌든 사랑하는 사람과 결혼도, 다정한 사람과의 결혼도 다 좋다. 결혼은 사랑과 좋아하는 감정 후에 오는 또 다른 세상이기 때문이다. 결혼은 결혼 전의 감정과 결혼 후의 이성의 조화로움 속에서 꽃피는 인간관계의 종합예술이다.

소와 사자의 결혼이야기처럼 소에게 고기만, 사자에게 풀만 갖다주는 사랑은 나 위주로의 사랑, 내 방식만 고집하는 사랑으로, 그런 관계는 종국에는 비극으로 끝난다. 세상에 존재하는 많은 사랑이 머리로만 하는 관계, 자기중심의 사랑, 나뿐인 사랑, 나쁜 사랑의 관계 맺음으로 비극의 막을 내린다.

알고리즘의 사랑, 이성의 치밀한 계산에 의해 움직이는 사랑은, 사랑의 이름을 덮어쓴 일종의 게임에 불과하다. 기계적인 사랑, 알고리즘의 사랑이 보편화된 현실에서 백마 탄 왕자는 존재하지 않는다. 백마 탄 왕자나 평강공주가 이제는 영원히 잃어버린 로망이기에, 사람들은 드라마나 영화, 소설 속에서 그리워하는 것이다. 앞으로도 그런 판타지는 현실에서 계산적인 사랑, 거래적인 사랑이 더욱더 범람할수록 더욱 큰 인기를 끌 것이다.

계산적인 사랑과 로미오와 줄리엣의 사랑 중에 어느 것이 더 오래 갈까? 로미오와 줄리엣의 사랑은 뜨거운 만큼 빨리 식는다. 사랑해서 어렵게 결혼했다고 해도 결혼을 파탄 나게 만드는 안팎의 집중포화와 수많은 장애물 앞에 너무나도 무력하게 무너질 것이다.

그렇다면 계산적인 사랑은 어떨까? 워낙 꼼꼼하고 치밀하게 계산한 후에 결정하다 보니 자동차를 샀을 때보다 후회가 적을 수 있다. 하지만 그래도 네 쌍 중 한 쌍인 25%는 막심한 손해를 감수하고라도 반품한다. 하지만 스스로 자문해 본다. 계산적인 사랑으로 결혼생활을 지속한 나머지 75%는 행복했을까?

열정적인 사랑이 이른 이혼으로 끝나고 새로운 사랑을 찾아 떠날지라도, 그래도 나는 사랑 있는 결혼, 열정적인 사랑으로 결혼하는 사람이 조건을 따지는 결혼보다는 더 좋아 보이고, 멋있게 생각된다. 물론 그것보다는 좋아하는 사람, 괜찮은 사람과 정이 강물처럼 흐르는 '늘 푸른 사랑'을 더 좋아하지만 말이다.

모든 사랑은 지속되지 않듯이, 조건의 사랑 또한 영원할 수 없다. 조건의 사랑은 자본의 사랑인 탓에, 조건이 유지되는 한, 사랑도 유지된다. 견딜 수 없을 정도로 상대방이 싫지 않다면. 하지만 마지막 카드가 항상 준비되어 있다. 조건이 그 생명을 다하는 순간, 황혼 이혼이 기다리고 있는 것이다. 30년을 넘기기 어렵다.

그래서 사람들은 결혼은 조건이든, 불장난 같은 사랑이든, 미칠 것 같은 사랑이든 간에 사랑하는 사람보다는 침묵 속에서도 편안하고, 오래 이야기해도 질리지 않는 좋아하는 사람과 해야 한다고 말한다. 물론, 좋아하는 사람과의 사랑도 영원한 사랑을 보장하지 않는다. 하지만 내 경험에 의하면 가장 오래 지속되는 사랑이다.

인연은 따뜻하고 호감이 가는 접촉에 비례한다. 그것이 단순한 접촉, 일상적인 접촉일지라도. 임하나 님이 쓴 이야기에서 마음에 든 아가씨에게 쓴 600통 편지를 보낸 남자와 그 600통의 편지를 배달한 우체국 배달원 중에서 그 아가씨의 마음을 가져간 사람은 그 아가씨와 600번의 접촉을 가진 배달원이었다.

사랑은 맛있는 음식을 함께 먹는 것이라고 했다. 사랑은 즐거움과 웃음을 함께하는 것이다. 사랑은 살랑거리는 봄바람처럼 시원함이고 경쾌함이며 따뜻함이고 상쾌함이다. 사랑에 수식어를 붙여 지독한 사랑, 완벽한 사랑, 중독된 사랑, 미친 사랑, 영원한 사랑, 불멸의 사랑 등으로 표현된 사랑은 결국 과도한 집착과 욕망의 탈선으로 인해 파멸을 부를 뿐이다.

사랑은 그냥 사랑이다. 굳이 수식어를 붙이면 상쾌한 사랑, 유쾌한 사랑 정도면 충분하다.

내 아들 우철이

아들이 2015년 서울대 경제학부에 입학했다. 말할 수 없을 만큼 우리 아들이 자랑스럽다. 아울러 이젠 스스로 자신을 길을 찾아가면서 독립된 인격으로 주체적인 삶을 살아갈 수 있도록 떠나보내야 할 때라고 생각한다.

싱가포르 지사에서 근무하던 시절, 아들과의 추억이 떠올랐다. 내가 싱가포르 지사에 발령을 받고 가족과 싱가포르로 갔을 때, 아들은 초등학교 3학년이었다. 아들은 국제학교에서 다양한 문화권에서 온 아이들과 지내기를 힘들어했고, 특히 영어에 대한 스트레스는 아이가 감당하기 힘든 시간이었다. 아이는 이때부터 손톱을 물어뜯는 습관을 가지게 되었고, 지금은 고쳤지만 이러한 습관은 고등학교 시절까지도 이어졌다.

　나는 아빠랍시고 아이의 스트레스를 풀어 준다는 마음으로 아들과 둘이서 축구와 농구게임을 했는데, 아이의 기를 살려 주기 위해서 최선을 다해서 져 주면서 아이의 웃음을 찾아 주려고 노력했다. 아울러 사차원적 사고방식을 가진 나는 무한한 상상력을 발휘해 지금은 무슨 이야기를 했는지 다 잊어버린 〈크레이지 프로그〉에 대한 얘기를 시리즈로 해 주면서 아이가 좀 더 즐겁게 생활하고 잘 적응할 수 있도록 나름 애썼었다. 아들도 나를 닮아 조금은 엉뚱하고 사차원적인 면이 있어, 내가 꾸며낸 허황된 이야기 듣기를 좋아했던 기억이 새롭다.

　나는 아들에게 자주 사랑한다고 말하고, 같이 손잡고 걷고, 안아 주는 것을 좋아한다. 그리고 아들도 조금은 오글거릴 수 있는 나의 행동을 좋아한다. 내가 아들과의 스킨십과 이야기하기를 좋아하는 것은 돌아가신 아버지의 영향도 크다.

　나는 칠순을 넘기고 암으로 돌아가신 아버지와 편안한 관계는 아니었다. 착하지만 나에게는 나약하게 보였던 아버지는 나를 어려워했고, 나 역시 아버지와의 관계가 불편했다. 병원에서 입원 중에도 아버지는 나에게 대변이 묻은 기저귀를 갈아달라고 말하지 못하고, 다음 날 아침에 여동생이 왔을 때 기저귀를 갈아달라고 했다는 말을 나중에야 전해 들었다.

　그만큼 아버지는 나를 어려워했고, 죽을 때까지 나는 아버지와 화해하지 못했다. 전쟁고아로 힘들게 삶을 살아온 아버지를 편안하게 보내 드리지 못한 때늦은 후회가 가슴에 남아 있어, 나는 아들과는 가장 가깝고도 먼 불편한 관계를 반복하고 싶지 않았다. 그럼에도 불구하고 아들과 나와의 관계가 언제나 훈훈한 것은 아니었다.

아들이 고등학교 1학년 때의 일이다. 어느 여름날, 밖에서 좋지 않은 일로 기분이 상해 있던 나는 아들이 평소대로 양말을 신겨 달라고 하자, 썩 내키지는 않았지만 평소대로 양말을 신겨 주려고 했다. 하지만 그날따라 양말이 잘 신겨지지 않아 갑자기 짜증이 나서 "네 놈 발이 너무 커서 양말이 안 들어간다." 하고 양말을 집어던졌다.

그랬더니, 아들은 한쪽 발을 신기고 다른 쪽 발을 신기려는 내 손을 뿌리치고 그만두라고 하면서, "말하는 꼬라지 하고는."이라고 말하는 것이었다. 복잡한 마음상태에서 그 말은 불에 기름을 붓는 역할을 하여 내 감정이 일시에 폭발하였다. 스프링처럼 자리에서 일어난 나는 아들의 뺨을 때리고 욕을 내뱉으면서 나가라고 소리쳤다. 아들은 뛰쳐나오는 나를 뒤로하고 맨발로 엘리베이터를 타고 도망쳤다.

며칠이 지난 뒤에도 나는 아들 보기가 불편했고, 아들 역시 나 보기를 불편해했다. 아들이 던진 말은 나를 무시해서 한 말을 아닐 것이다. 평상시 친구들에게 하는 말이 부지불식간에 튀어나왔을 것이라 생각한다.

시간이 적지 않게 흐른 뒤에 아들과 마주 앉았다. 그때 상황을 설명하고 네가 던진 말에 상처를 받았다고 얘기하고, 경우야 어떻든 감정에 휩쓸려 욕설과 함께 폭력을 쓴 것에 대해 사과한다고 말했다.

아들은 나와 정반대로 생각하고 있었고, 아빠에 대해 큰 실망을 했다고 하면서 앞으로 욕설이나 거친 말을 하지 않도록 노력하겠다는 말하면서 울먹였다. 나는 아들을 안아 주었다. 우린 그렇게 화해했다.

이해하는 마음은 상황의 맥락 속에서 다르게 표출된다. 어지러운 마음 상태에서 나는 아들의 말과 행동을 이해할 수 없었고, 아들은 어지러운 아빠의 마음을 헤아리지 못한 상태에서 평소와 다르게 괴물처럼 돌변한 아빠의 행동을 이해할 수 없었던 것이다.

사람들은 잘못이나 갈등이 있을 경우 바로 사과하거나 대화를 통해 해결하는 것이 좋다고 얘기한다. 오랜 시간이 지난 지금 아들은 나에게 그전처럼 양말을 신겨 달라고 했다. 나는 기꺼이 양말을 신겨 주었다. 내가 아들에게 하는 행동이 아이의 장래에 어떤 결과를 가져올지는 모른다. 세상의 모든 아빠처럼, 그럼에도 불구하고 나는 아들이 예쁘다.

어렸을 때부터 가끔씩 아들이 나에게 말한다. 아빠 화났냐고, 아빠 얼굴이 무섭다고. 나도 인식하지 못하는 사이에 무표정하게 있는 모습은 아들에게 화난 표정으로 비치는 것 같다. 그 뒤로 엘리베이터 안에서나 화장실에서 가끔씩 '와이키키' 하면서 입꼬리를 치켜 올린다.

회사 동료나 음식점 아줌마에게도 웃는 얼굴로 인사하고 가능하면 기분 좋고 밝은 대화를 하려고 노력한다.

그런 노력이 누군가의 마음에 꽂혀 나에게 "참 인상 좋으시네요!" 하는 말을 들을 때는, 감격스러워서 가슴이 눈에 띌 정도로 벌렁거린다. 아들의 솔직한 표현 덕분에 나는 좀 더 부드러운 인상을 가지기 위해 노력을 한다. 요즘은 아들이 말한다. 아빠 인상이 조금 나아졌다고.

나의 아들, 우철아. 아빠는 엄마의 걱정과 우려와는 달리 우철이가 좋아하고 하고 싶다면 학교에서 학생회 일을 하든, 농활 등 봉사활동을 하든, 가슴 설레는 연애에 빠지든 다 괜찮다. 다만 아빠는 네가 사람과 세상에 대해 관심을 갖고 고민하고 생각하는 삶을 살고 있다고 믿고 있다. 네가 어떤 이유로든 네가 가고자 하는 길, 하고 싶은 일, 세상을 조금이라도 발전시키고자 하는 너의 꿈을 잃지 않길 바란다.

길들여진 삶이 아니라 야성의 삶, 삶에 대한 간절함으로 필사적인 노력을 쏟아붓지 않는다면 '욕하면서 닮는다'는 말처럼 네가 경멸했던 사람들이 걸어간 길과 삶의 가치를 자연스럽고 당연하게 받아들이게 될 것이다. 그렇게 되면 살아가는 것이 아니라, 살아지는 삶을 살 것이다. 그런 삶을 살지 않기 위해서는 너는 혼란의 소용돌이 속에서 빠져나와 세상을 낯선 시선으로 볼 필요가 있다.

아울러 딱딱하고 굳어진 삶이 아니라 빵처럼 말랑말랑하고 버들가

지처럼 유연한 삶을 살았으면 한다. 나는 네가 길들여진 고양이가 아니라 한 번의 울부짖음만으로도 세상을 얼게 만드는 세상의 중심, 네 삶의 주인공으로, 너만의 신화를 만들어 가는 삶을 살기를 바란다.

하지만 나의 바람과 상관없이 나는 우리 아들이 어떤 인생을 살든 지지하고, 응원하고, 격려하고 수호자처럼 한결같이 너의 곁에서 지켜 줄 것이며, 어떤 경우에도 네 꿈의 날개를 꺾는 일은 하지 않을 것이다. 그러니 아무것도 두려워하지 말고, 너만의 황금 독수리 날개를 마음껏 펼쳐라.

감정의 일곱 빛깔 무지개,
희로애락애오욕

예술이, 영화가, 소설이 단지 인생의 아름다운 것들만 주제로 삼았다면 재미와 감동이 덜했을 것이다. 재미와 의미를 통한 몰입의 감동을 위해서는 증오, 갈등, 배반, 고통, 추함 같은 다양한 감정의 버무림이 반드시 필요하다. 삶도 마찬가지다.

슬프다고 자기 심장을 갉아먹지는 말아야 한다. 그냥 슬픔을 꾸역꾸역 입으로 처넣어라. 배가 불러 더 이상 슬픔이 목까지 차서 더 이상 들어가지 않으면, 슬픔이 토해져 나올 것이다. 참다 보면 슬픔이 자연스럽게 흘러가고 지나갈 것이다.

감정순환은 일어나는 감정을 응시하는 것이며, 모든 감정의 어울림과 조화를 통한 감정의 자기정화과정이다. 감정의 자연스런 순환이란, 결국 모든 감정이 다 존재 이유가 있다는 말이다. 하지만 감정은 복잡해서 감정의 자연스런 순환은 쉽지 않아, 강물처럼 자연스럽게 흘러가지 않으면 실타래처럼 서로 뒤엉켜 감정의 올가미에 빠지게 된다.

〈입이 똥꼬에게〉란 동화책의 내용이다. 어느 날 입이 말했다. "난 입이라고 해. 난 아빠 엄마가 가장 좋아하는 뽀뽀도 하고, 노래도 부를 수 있어." 그러자 코가 말했다. "나는 몸에 신성한 공기를 불어넣어 줄 수 있어." 그다음에는 눈과 귀, 손, 발 등이 차례차례 자기 자랑을 늘어놓았다.

그때 어디선가 불쾌한 냄새와 함께 기분 나쁜 소리가 들렸다. 입이 삐죽거리며 똥꼬에게 외쳤다. "야, 너는 생긴 것도 더러운 게 하는 짓도 더럽구나?" 입은 몸에서 똥꼬가 없어졌으면 하고 바랐다.

날이 어두워지고 밤이 찾아오자 모두들 잠이 들었다. 어디선가 향긋한 냄새가 풍겨 왔다. "야, 다들 일어나 봐. 맛있는 음식이 산더미 같다." 갑자기 손과 발은 맛있는 음식이 놓인 곳을 찾아다니기에 바빠졌고, 입은 손이 주는 대로 쉴 새 없이 먹어댔다. 입에서 위장으로, 그리고 작은창자와 큰창자로 넘어가던 음식들은 갑자기 움직임을 멈췄다.

"어라, 똥꼬가 없어졌어!" 갈 곳을 잃은 음식들은 아우성을 치며 다시 큰창자, 작은창자, 위장, 입으로 올라왔고, 참을 수 없어진 입은 처참한 모습으로 외쳤다. "아악!"

정신을 차려 보니, 입은 축 늘어진 채 베개에 침을 흘리고 있었다. 꿈이었다. 그제야 입은 똥꼬에게 말한다. "미안해, 네가 얼마나 중요한지 잊고 있었어."

다섯 손가락에 우열이 있고, 필요 없는 손가락이 있는가. 모든 것은 존재의 이유가 있다. 나는 생각한다. 가장 우월한 맛은 없다고, 다만 자리나 상황, 분위기에 따라 나에게 가장 적합한 맛이 있을 뿐이기에 시고 달고 맵고 짠 맛이 모두 소중하고 꼭 필요한 맛이다.

문제는 너무 시게만, 너무 달고 맵게, 너무 짜게만 먹을 때 생긴다. 모든 맛이 골고루 균형을 이룰 때 우리 몸에 가장 적합하고 건강한 맛이 되는 것이다. 마찬가지로 희로애락애오욕 중 우월한 감정은 없다. 모든 감정이 상황에 따라 균형을 이룰 때 우리 마음이 가장 건강하게 아름다움을 꽃피울 수 있다.

사람들의 일상 속 삶의 양식에는 희로애락애오욕이란 인간의 모든 감정이 담겨 있다. 경조사를 챙기고, 일하고, 영화를 보고, 사랑하고, 대화하고, 여행하고 밥을 먹는 등의 일상 속에서 우리는 희로애락애오욕의 모든 감정이 파노라마처럼 표출되는 것이다.

삶이 더는 흐르지 않고 막혀 버리는 순간이 온다. 막혀 버린 하수구처럼 사람과의 관계가, 열정과 사랑이, 감정과 웃음이 막혀 버리고 멈춰 버린다. 죽어 버린 것이다. 물이 제대로 흐르지 않을 때, 물은 죽는다. 죽은 물은 시궁창이 되어 그 역겨움이 온 사방에 가득 찬다.

사랑이 제대로 흐르지 않을 때, 슬픔이 흐르지 않을 때, 정이 흐르지 않을 때 관계는 얼어붙고, 소통은 벌떡 일어서지 못하고 죽은 듯이 누워서 쿨쿨 잠을 잔다. 사람과 사람사이에 차디찬 공간에는 칼날과 핏빛 총알들만이 어지럽게 날아다닌다. 희로애락애오욕, 인간의 감정이 흐르지 않을 때, 핏빛 사회가 된다. 위험한 사회, 잔인한 사회, 좀비들의 세상이 된다.

고통과 즐거움은 롤러코스터처럼 끊임없이 반복되는 것이다. 롤러코스터를 타기 전은 누구나 두렵고 설렌다. 타고 나면 소수의 예외를 제외하면 누구나 가뿐하고 즐겁다. 이처럼 일상 속에서 희로애락애오욕의 감정이 잘 어울리고 자연스럽게 순환되고 발산되며 흘러갈수록 좋다.

10시간 춤출 수는 없듯이, 항상 웃으면서 즐거움만 계속되면 사람은 미친다. 매일매일 울면서 하루하루를 보내는 사람도 미쳐 버린다. 사람이 좋은 감정이나 부정적인 감정이니 구분할 필요 없이 어떤 감정도 하나의 감정에 매몰되면 미쳐 버리는 것이다.

그래서 일곱 빛깔 무지개처럼 희로애락애오욕의 감정이 아름답게 잘 어우러져야 하는데, 모든 감정이 잘 어울리기 위한 중요한 조건 중의 하나가 인간다운 삶을 위한 최소한의 물질적인 여유다.

희로애락애오욕, 모든 감정은 시시각각으로 변하는 무지개처럼 저마다 독특한 빛깔을 지니고 있다. 초대받지 못한 손님들까지 초대해서 그들을 까무라치게 환대하듯이, 초대받지 못하는 모든 감정을 환영하고 뜨겁게 안아 주자. 그들은 분명 웃으면서 선물을 남겨두고 떠날 것이며, 다음에 더 큰 선물을 안고 방문할 것이다.

　밝은 태양도 그림자를 가지고 있듯이, 모든 감정은 그림자를 가지고 있다. 사랑에는 증오, 신뢰에는 불신, 기쁨에는 슬픔, 칭찬에는 경멸과 조롱의 그림자가 따라 다닌다. 이는 다른 말로 사랑의 끝에는 증오가, 신뢰의 끝에는 불신이, 기쁨의 끝에는 슬픔이, 칭찬의 끝에는 경멸과 조롱의 끝없는 순환이 일어난다는 것이다. 이처럼 모든 감정의 끝에는 새로운 시작으로 통하는 비밀의 문이 있다.
　이처럼 모든 감정의 끝은 비밀의 문으로 연결되어 있어서 감정이 자연스럽게 순환되면 감정이 정화된다. 감정순환, 감정흐름은 혈액순환과 같다. 감정의 마비란 감정을 흘러가게 하지 않고 하나의 감정에 고착되고, 집착하는 상태로 감정과잉이 일어난다. 감정과잉은 감정결핍과 마찬가지로 감정순환 파이프가 끊어져 버린 것이다.
　이해할 수도, 용서할 수도, 참을 수도 없는 슬픔에 빠지는 것은 감정 낭비가 아니다. 감정에 빠지지 말고 감정의 밑바닥을 치고 올라와야 한다. 생각보다 감정의 밑바닥은 깊다. 하지만 나를 익사시킬 만큼 깊지는 않다. 밑바닥을 치고 올라온 감정의 종착역은 추억과 낭만이 되고, 새로운 길이 되고, 새로운 세상이 된다.

　모든 감정은 분리된 독립된 감정이 아니다. 모든 감정은 통합된 상태에서 그때그때 상황에 따라 밖으로 표현될 뿐이다. 따라서 모든 감정은 다 소중하고 의미 있는 것이다. 하나의 감정이라도 제대로 흘러가지 못하고 표현되지 못하며 작동되지 않으면, 다른 감정도 영향을 받는 것이다. 이것이 감정 유기체이론이며, 감정 순환이론이다.

감정이 흘러가지 않을 때, 쌓인 감정은 출구를 찾아 폭발하거나 감정이 쌓인 자리에서 화석처럼 굳어진다. 혈액 순환이 되지 않으면 죽는 것처럼, 감정 순환이 되지 않으면 결국 모든 감정이 죽게 되는 것이다.

여자는 술 없이 대화와 관계가 가능하다. 감성이 풍부하기 때문이다. 남성의 감성이 여성보다 더 빨리, 더 많이 메말라 간다. 이것이 남자가 여자보다 일찍 죽는 이유 중의 하나다. 감정을 잃어버릴 때, 인간의 마음은 말라 버린 우물이 된다.

오래된 감정들, 오래된 슬픔, 쌓인 증오, 감당할 수 없는 분노는 감정의 억압으로 생긴다. 이런 감정의 억압은 마음속에서 바위가 되고, 칼날이 되어 감정을 폭발시킨다. 폭발된 감정은 폭풍이 되고, 쓰나미가 된다. 그래서 모든 감정은 바람처럼 지나가고, 물처럼 흘러가게 해야 한다.

좋은 감정이라고 하는 사랑과 그리움조차도 오래되면 흐르지 않는 물과 같아서, 부패하고 썩거나 응어리로 바위처럼 단단해지고 커져서 자신의 의지와 상관없이 증오로 변질되거나 한없이 무기력하고 초라한 외로움으로 바뀐다. 응어리진 감정이 제어할 수 없는 순간에 괴물로 변해서 지뢰처럼 폭발할 때, 나와 만인을 파괴시킨다.

슬프냐? 더 슬퍼해라, 철저히 슬퍼해라, 슬픔이 너를 잡아먹기 전까지. 절망하라, 철저히 절망하라, 절망이 너를 천길 낭떠러지로 밀어버리지 전까지. 아프냐? 더 아파해라, 철저히 아파해라, 아픔이 너를 죽이기 전까지. 화가 치미느냐? 더 분노하라, 철저히 분노하라, 분노의 아가리가 너를 집어삼키기 전까지.

하지만 이것만은 분명하다. 슬픔이 너를 잡아먹고, 절망이 너를 천길 낭떠러지로 밀어 버리고, 아픔이 너를 죽이고, 분노가 너를 집어삼키는 경우는 감정이 물처럼 흘러가게 한다면, 현실에서는 거의 일어나지 않는다.

슬픔이 그대의 삶으로 밀려와 마음을 흔들고 소중한 것들을 쓸어가 버릴 때면, 그대 가슴에 대고 다만 말하라. "이것 또한 지나가리라." 행운이 그대에게 미소 짓고 기쁨과 환희로 가득할 때, 근심 없는 날들이 스쳐갈 때면, 세속적인 것들에만 의존하지 않도록 이 진실을 조용히 가슴에 새기라. "이것 또한 지나가리라."

나이를 먹는다는 것, 흐르는 세월을 막을 순 없듯이 인간의 오욕칠정의 감정이 썰물과 밀물처럼 들어오고 나가는 것을 막을 순 없다. 일어나는 감정을 더 깊고 강하게 증폭시키지 말고, 슬프면 슬픈 대로, 기쁘면 기쁜 대로, 즐거우면 즐거운 기분을, 치 떨리는 분노가 마음속에서 활화산처럼 뿜어져 나오면 나오는 대로 흘러가게 하고, 따뜻한 눈으로 들여다보면서 안아 주어야 한다.

이와 반대로 성냄과 슬픔, 증오심 등을 적으로 간주하여 마치 적과 전투하듯이 감정과의 맞짱을 시도한다면, 인간은 결코 감정으로부터 자유로워질 수 없다.

화를, 분노를, 짜증과 고통을, 괴로움을 가만히 들여다볼수록, 그대로 받아들이고 인정할수록 마치 눈사람이 아침 햇살을 받아 자연스럽게 녹아버리듯이 화도, 분노도, 괴로움도 자연스럽게 사라진다. 아울러 슬픔이나 화는 오히려 생각만큼 괴롭지 않다는 걸 알게 된다.

이와 같은 감정에 똑바로 응시하는 '감정과의 눈맞춤(Eye Contact)'을 통해 감정이 흘러가게 하거나 절제하여 표출할 때, 감정과의 화해와 받아들임의 마법이 일어난다. 화가 일어난다면, 화를 내는 나를 지긋이 응시하고 '아 내가 지금 화를 내고 있구나!' 하고 알아채면 그것으로 족하다.

비탄과 슬픔조차도 따뜻하게 바라보면, 물 위에 뜬 꽃잎이나 물안개보다 가벼워진다.

그리움과 기다림이 있는
삶이 아름답다

살과 살이 맞닿아 있는 곳에 삶과 삶이 맞닿아 있고, 사랑과 사랑이 싹튼다. 사이버상의 연결망이 대세인 시대는, 역설적으로 살과 살이 만나는 그리움이 더욱 간절한 시대다.

사실 그것이 자연스러운 것이다. 사이버시대 우리는 자연을 파괴하고 자연성을 잃어버리는 만큼 점점 자연의 모습과 멀어지고 있다. 자연을 닮은 여유로움과 포근함, 즐거움 대신에 벼랑 끝에 매달린 늑대처럼, 약이 떨어진 마약 중독자처럼 자극과 쾌락의 도취에 집착하고 있다.

그리워하면서 만날 수 없다면 삶에 그늘이 진다. 그리움이 따르지 않는 만남은 지극히 사무적인 마주침이거나 스치고 지나감이다. 스마트폰의 시대, 터치와 마주침만이 넘쳐나고, 그리움의 애잔함과 포옹이 따르는 따뜻한 만남이나 인연은 점점 사라진다.

철저히 외로워 봐야 외로움이 지나가고 즐거움이 찾아온다. 외로움과 같이 술잔을 기울이고, 대화하고, 위로하고 맞장구쳐 주고 끌어안아야 외로움이 사라진다. 외롭지 않은 척하거나, 외로움을 너무 오래 방치하면 마음에 지워지지 않는 얼룩진 상처가 남게 된다.

내가 당신을 사랑하고 있다고 확신하는 이유는 당신을 향해 달려가는 기다림의 시간이 길수록 그리움은 새 떼처럼 하늘로 날아오르고, 당신과 함께한 지난 추억을 떠올리면 그리움이 뭉게구름처럼 커져 가며, 당신과 함께할 푸르른 날들을 그려 보면 눈물 나게 고마운 당신을 꼭 끌어안고 싶기 때문이다.

사람은 경험한 것만큼, 그리워하는 만큼 공감한다. 가족과 멀리 떨어져 혼자서 지내고 있을 때, 저녁때를 놓쳐 늦은 시간에 라면을 끓여서 먹는데, 청승맞게 눈물이 난다.

돌아가신 아버지는 반바지를 입지 않으셨다. 새다리 같다고 비쩍 마른 허벅지와 정강이를 부끄러워 하셔서 공중목욕탕에도 가지 않으셨다. 지금 조금씩 말라가는 내 정강이를 보면서 아버지의 비쩍 마른 얇은 다리를 정성껏 씻겨 드리고 싶다.

상품은 상표로 발전했고, 상표는 브랜드로 진화했으며, 브랜드는 다시 장인이 한 땀 한 땀 정성으로 만들어 낸 명품이란 그리움과 선망의 심벌로, 견딜 수 없는 연정의 대상으로 소비자의 가슴 속에 자리 잡았다. 그것은 뿌리칠 수 없는 감성의 유혹이다.

지금은 신의 시대도 이성의 시대도 아니다. 나아가 이성과 감성의 조화의 시대도 아닌 감성의 시대다. 인터넷으로 인한 사이버 세상, 즉 디지털의 지배력이 확장될수록 보고, 만지고, 느끼고, 웃고, 공감하는 아날로그 삶의 가치는 더욱 중요하고 그리워질 것이다. 디지털 혁명으로 인한 합리와 숫자가 더 활개를 칠수록 역설적으로 인간의 가슴을 울리지 못하는 사업도, 관계도, 삶도 궁극적인 성취와 삶의 보람과 의미를 주는 데에는 실패할 가능성이 많은 것이다.

같이 있어도 그립고 얼굴을 떠올리기만 해도 행복하며, 함께라면 무얼 하든 즐겁고 미소 띤 얼굴을 말없이 바라봐도 어색하지 않은 편안함이 온몸에 퍼지는 사람과 같이 있는 곳, 그곳에 천사가 노래하는 낙원이 있다. 같이 있어 행복하고 즐거운 사람이 한 명도 없는 나라, 그곳은 잃어버린 낙원이다.

그리움의 한쪽 그림자는 외로움이다. 그래서 세상에 외롭지 않은 그리움은 없다. 하지만 외로움의 끝에는 외로움이 가져다주는 평안함과 안온함이란 또 다른 그림자가 있다.

기다림은 우리를 썩지 않게 만든다. 기다림은 인간의 삶에 있어 소금의 역할을 한다. 사랑이 식으면 가장 먼저 감지되는 신호가 '기다림'

의 사라짐이다. 그리운 사람을 애가 닳도록 기다리는 마음도, 최선을
다해 노력한 결과를 초조하게 기다리는 시간도 사라지고 만다.

설령 기다림의 결과가 기대를 배반하더라도, 기다리는 삶은 아무것
도 기대하지도, 그리워하지도 않는 삶보다는 분명 아름답다. 그것은
기다림이 가져다주는 그리움과 설렘 때문이리라.

더디 오더라도 기다리면서 살자. 맛있게 차려진 저녁밥상 앞에서
아내를 기다리고, 카페에서 애인이 문을 열고 들어오기를 기다리고,
공정하고 정의로운 세상의 도래를 기다리며, 통일국가로 세계 최강국
이 될 날을 기다리면서 살자.

견딜 수 있는 간절한 기다림과 외로움, 고통과 슬픔은 인간을 썩지
않게 만든다. 안락과 성공, 자기만족과 나태, 쾌락과 탐욕은 인간을
썩고 부패하게 만든다. 왜냐하면 이들에게는 기다림과 고통, 슬픔과
외로움이 가지고 있는 간절함, 절실함과 절박함이라는 방부제가 없기
때문이다.

기다린다는 것은 자유로운 자의 여유이고, 더 풍요롭고 즐거운 삶
을 즐길 수 있는 소중하고 유익한 경험이다. 오고 있는 아내에게 "천
천히 오라."는 말이나, 공부하고 있는 아들에게 "쉬어 가면서 하라."
는 말은 그립고 보고 싶고 소중한 사람에게 "끝까지 함께하자."는 사
랑의 고백이며, 끝까지 지켜 주겠다는 응원의 말이다.

기다림은 나를 끝까지 견디게 하는 힘이며, 기다림은 나를 깨어 있
게 하는 단단한 마음이며, 기다림은 지친 몸에 흔들리면서도 나를 쓰

러지지 않게 단단히 잡아 주는 손잡이다. 그리움이 크고 간절하면 기다림도 즐겁다. 그리운 사람을 그리워하면서 기다리는 사람과 짜증나는 사람, 싫은 사람을 기다리는 사람은 그 기다리는 마음의 상태가 극과 극이다. 지금 누군가를 기다리는 당신의 얼굴에 웃음이 가득 배어 나도록 하라.

그런데 감성의 교감, 사랑에도 일정 거리가 필요하다. 만남의 횟수보다 중요한 것은, 관계의 긴장감이 가져다주는 만남의 설렘이다. 자주 만나지 못하더라도 만나는 순간순간이 더 새롭고 소중하고 애틋하다면, 보고 있어도 옆에 있어도 그를 향한 그리움의 감정이 샘솟듯이 차오른다면 그것은 그리움이 가져다주는 애틋함이다. 밀당을 하려거든 이렇게 하라.

하지만 밀당의 그리움은 외줄 위의 광대처럼 긴장감 속에서 관계를 소중하게 다루어야 한다. 지나치거나 오래되면 유통기한이 지난 우유가 상하듯이 밀당의 고무줄이 끊어지고, 애틋함이 서운함으로 변질되기 쉽기 때문이다. 균형의 무너짐 때문이다.

'왼쪽으로 더 왼쪽으로'가 우월한 가치는 아니다. 다만 개인적인 생각으로 지금의 시대는 기울어진 운동장처럼 너무 오른쪽으로 치우쳐 있어서 왼쪽으로 더 왼쪽으로 이동해서 균형을 찾자는 것이다.

길들여진 시대에 왼쪽으로 달려감은 야성이다. 회칠한 무덤처럼 가식과 위선으로 덧칠해진 인간의 욕망, 길들여진 욕망으로 너무 치우

쳐 있기에 멸종된 동물의 화석처럼 역사 속으로 사라져 가는 인간의
야성을 회복하려는 노력이 더욱 절실하게 그리워진다는 말이다.

돌멩이와 날카로운 칼날을
빵과 떡으로 만드는 힘, 공감

괴롭고, 두렵기는 부와 권력을 가진 자들도 마찬가지다. 스트레스 받고, 화가 나며, 짜증나기는 가진 자도 마찬가지다. 인간의 모든 감정과 행동은 상대방에게 전염된다. 감정의 동일화 현상이다. 일진의 가해자와 피해자도 마찬가지다. 괴롭고, 힘들고, 화가 나고, 두려운 것은 피해자만큼이나 가해자도 마찬가지로 느끼는 것이다. 이럴 경우 갈등과 분쟁은 현저히 줄어들 것이다.

좋아해야 웃길 수 있고, 좋아해야 웃을 수 있다. 가장 아름다운 마음은 꽃을 좋아하고, 바람을 사랑하며, 강아지를 사랑하는 마음보다는 사람의 상처를 사랑하고, 타인의 아픔과 고통을 함께하며 슬픔에 공감하는 섬세한 감수성이다.

던져진 슬픈 삶의 뒤안길을 걸어 본 사람만이 슬픔 속에서 흐느껴우는 사람들의 마음을 안아 줄 수 있으며, 하루의 고단한 삶을 마치고 돌아와 몇 가지 반찬이 놓인 밥그릇을 앞에 놓고 수저 놓는 소리에 눈물겨운 외로움을 맛본 사람만이 가난과 배고픔이 가져다주는 깊은 절망에 공감할 수 있고, 기꺼이 자신의 지갑을 열어 빈자와 약자들의 손에 한 끼 식사를 내민다. 이처럼 사람들은 자신의 처지와 경험을 통해서만 세상을 볼 수 있고, 이해할 수 있을 뿐이다.

자극을 감성으로, 돌멩이와 날카로운 칼날을 빵과 떡으로 만드는 힘이 타인의 아픔에 대한 섬세한 감수성이자 공감력이다. "냉철하지만, 냉혹한 사람은 되지 않겠다."는 말은 머리는 차갑게, 가슴을 뜨겁게 라는 말이다. 하지만 현대인의 생각·지식·이해체력을 포함한 공감체력이 바닥을 모른 채 추락하는 것은 인간의 가치가 금값에서 헐값으로 떨어지는 것 같다.

〈개그콘서트〉의 코너 중 '나쁜 사람'이라는 코너가 있었다. 피고인인 이상구와 나쁜 사람을 연발하는 형사 역할의 이문재, 나쁜 사람인 형사 반장 유민상의 대화의 흐름은 이렇다. 피의자 이상구의 절절히 가슴을 울리는 사연을 듣고 "풀어 줘야 한다."를 연발하는 형사 앞에 유민상이 등장하면서 "풀어 주긴 누굴 풀어줘!" 하면서 넉살좋은 카리스마를 풍긴다. 그리고 말한다. "야! 이상구, 내말 똑똑히 들어, 나 피도 눈물도 아무 감정도 없는 놈이야."라고.

하지만 그 역시 사연을 듣고 결국에는 한없이 무너진다. 이문재 형사는 유민상 반장의 가슴을 때리면서 "나쁜 사람, 나쁜 사람"을 연발하면서 마지막 멘트를 날린다. "고기는 끝까지 먹으면서 이런 건 끝까지 안 읽어요. 네가 한 끼만 굶어도 입원비는 나오겠다고!" 결국 나쁜 사람은 좋은 사람이었다. 따뜻한 가슴, 공감할 줄 아는 마음을 지닌 나쁜 사람이기에 그들은 좋은 사람인 것이다.

세대 간의 공감, 남녀 간의 공감, 계층 간의 공감이 이루어지기 어려운 것은 양측이 경험하지 못한 것에 대한 공감, 즉 절대공감이 필요하기 때문이다. 하지만 열린 마음만 있다면 세대와의 공감은 어렵지만 시대와의 공감은 가능하고, 남녀 간의 공감은 어렵지만 인간으로서의 공감은 가능하며, 계층 간의 공감은 어렵지만 세상과의 공감은 이루어질 수 있다.

가진 자들은 못 가진 자들에게 대한 공감을 할 수 없다. 대신 그들은 감상을 한다. 영화나 명화 속의 가난한 자들의 모습은 그들에겐 하나의 풍경이듯이, 하루의 고단함을 견뎌 내고 얻은 찰나의 휴식과 웃음도 스냅사진처럼 보여 주면, 하나의 풍경이고 아름다운 광경이다. 그래서 가난한 자들의 모습을 아름답게 느낄 수는 있어도, 현실 속에서 가난한 자들의 아픔에 공감할 수는 없다.

그들은 이처럼 즐길 거리, 감상 거리에 마음의 눈높이를 맞추면 맞출수록 현실 속에서의 가난과 고통은 그들 눈에는 보이지 않는다. 예술과 문화는 가진 자들이 누리는 허영과 품위로의 은밀한 유혹이다. 고흐의 〈감자 캐는 여인들〉에서 사람들은 삶의 고단함보다는 풍요로움을 느낀다. 그 속에 담긴 가난한 자들에게는 아름답고 전원적인 풍경이 아닌 외면하고 싶은 고단한 삶이기에 감상할 여유도, 감상할 마음도 없다. 오로지 가진 자들만이 즐길 수 있는 감상 거리, 볼거리이다.

감상과 공감은 자신의 눈높이로 세상을 보는 점에서 같다. 다만 감상은 보고 싶은 것, 보이는 것만 보고서 자기 마음대로 해석하고 받아들이는 것이고, 공감은 보이지 않는 것, 타인의 아픔과 고통까지도 보고 느끼는 것이다. 이처럼 가진 자들은 힘과 권력을 마음껏 향유한 자신들의 경험을 통해 세상을 보기 때문에 가난한 사람들의 고통과 절망, 견딜 수 없는 힘겨움과 고단함에 공감하지 못하는 것이다. 이들은 공감이 아니라 감상을 하기 때문이며, 감상을 공감으로 착각한다. 이것은 유사공감이나 사이버공감, 즉 사이비공감일 뿐이다.

그들이 사이비공감을 하고 있다는 것을 자각할 때, 못 가진 자들에게 대한 상대공감의 확장이 가능한 것이다. 아프리카에서 죽어 가는 아이들에 대한 공감보다는 지금 내 옆에서 굶고 있는 이웃의 아이를 안아 주는 것이 진정한 공감이다. 그들이 내 옆에서 죽어 가는 이웃의 아픔은 보지 못하고, 먼 타국의 국가적 재난으로 고통받는 사람들에게 더 큰 연민을 느끼는 것은 사이비공감일 뿐이다.

공감은 경험의 공유에서 생긴다. 먼저 현재 자신의 사회적 위치나 비슷한 경험을 공유하는 계층 범위 내에서 일어나는데, 이것이 '공감

범위이론', '공감단계론'이다. 이차적으로는 자신의 과거 경험에 근거해 공감이 확산된다. 그래서 경제적 · 사회 문화적으로 다양한 경험을 겪은 사람은 공감의 영역이 넓고 깊다.

이처럼 공감은 자신의 경험을 토대로 공감을 한다는 것이 '상대공감가설'이고, 경험과 무관하게 타인에 대한 섬세한 감수성과 공감능력을 타고난 사람, 즉 돌연변이와 같은 극소수의 사람이 가진 절대적이고 무한한 공감능력을 '절대공감가설'이라고 한다. 그래서 역설적으로 공감을 통한 정의나 공정한 사회의 실현은 불가능하다는 것이다.

공감은 자신과 비슷한 경험과 위치, 나이와 성별, 같은 공간 안에서 자연스럽게 일어나는 감정이고, 생각과 인위적인 마음먹기만의 노력으로 되는 이성의 영역이 아니다. 결국 상대공감이론에 따라 부와 권력을 가진 자들은 그들의 사회적 지위와 누림으로 인하여 그들이 경험하지 못한 세계인 가난한 자들이나 사회적 약자들과의 소통이 불가능한 것이다.

더욱 무서운 것은 서민층이나 빈자와 약자 중 지배층에 새로 편입된 자들은 '제복이 사람을 만든다'는 표현대로 그들의 상승된 사회적 지위에 따라 공감능력이 공간이동을 하게 된다. 결국 그들은 자신들이 겪었던 빈자와 사회적 약자의 입장을 이해하고 옹호하고 대변하는 대신, 그들이 모욕하고 증오했던 지배층의 행태를 한 치의 오차도 없이 답습하게 되며, 오히려 개천에서 용이 되었다는 사실을 부끄럽게 생각해서 찌들게 살던 흔적을 망각하고 지우려 한다.

이처럼 혁명이든 부와 권력을 가진 자들의 전략적 편입이든 간에 새로 지배세력에 흡수된 자들은 자신의 과거와 단절한다. 자신이 원했든, 잊고 싶은 과거에 대한 망각의 작용이든 간에, 과거에 발목을 잡히는 것보다는 과거와 단절하고 천신만고 끝에 올라선 자리에 기존의 지배세력과 '우리가 남이가'라는 연대와 공감만이 자신의 생존을 유지하고 강화하는 길임을 알고 있기 때문이다.

그래서 밑바닥에서 위로 올라간 소수의 사람일수록 돈과 권력의 힘에 대한 탐욕과 집착은 강할 수밖에 없다. 다시 예전의 가난과 고통으로 점철된 삶으로 돌아가길 원하지 않기 때문이다. 이처럼 돈과 권력에 대한 달콤함은 특히 하방경직성이 강하게 작용하는 영역인 것이다.

결국 지금 부와 권력을 가진 세력은 가진 것을 잃지 않으려는 욕망과 생존 의지 때문에 서민들에 대한 상대공감의 망각과 빈자와 약자에 대한 공감의 하방경직 현상이 강화된다. 이는 혁명의 동력이었던 빈자와 약자에 대한 상대공감은 쓰레기통에 던져버리고 '욕하면서 닮는다'는 말처럼 지배세력에 동화되어 결국 빈자와 약자에 대한 유사공감이나 사이비공감만이 활개 친다는 의미다.

공감의 피라미드 구조를 보면, 가장 상층부의 절대공감과 그 아래 상대공감이, 가장 아래에 유사, 사이버공감이란 사이비공감 영역이 자리한다. 마치 중상층이 점점 줄고 있듯이, 공감도 상대공감은 점점 축소되고, 유사, 사이버 공감이라는 사이비 공감이 전염병처럼 확산되어 감정의 황폐화를 가속화시킨다.

가진 자는 가지지 못한 자를 위해 할 수 있는 일이 많지만 하기를 원하지도, 하지도 않는다. 자신들이 서민들을 위해 할 수 있는 일은 자신들의 이익과 배치되고, 무엇보다도 공감하지 않기 때문이다.

부처나 예수가 왕자나 왕의 지위에서 계속 강자의 자리에 있었다면, 그는 낮은 자, 약자들의 마음을 알지도, 얻지도 못했을 것이다. 강자의 자리에서 내려와 약자의 슬픔을 몸으로 경험했기에 약자의 믿음과 사랑을 얻을 수 있었다. 이처럼 역사 속의 돌연변이들에서 그 예를 찾아야 하듯, 강자가 빈자와 약자들의 아픔과 슬픔에 공감하기는 현실적으로 거의 불가능하다.

고통을 경험하지 못한 자들, 가난의 끝을 경험하지 못한 자들과 고통과 가난을 얘기해서는 안 된다. 고통을 느끼지 못하는 다리는 죽은 다리이듯이, 공감을 느끼지 못하는 마음은 죽은 마음이다.

공감하지 못하면 사람들은 자극과 쾌락에 의존하게 된다. 스스로에 대한 고통을 즐기는 자극 중독은 타인에 대한 고통을 즐기는 자극 중독으로, 나아가 타인에게 직접 고통을 가함으로써 희열을 느끼는 초자극 중독으로 병들어 간다. 극단의 지점이 사이코, 소시오 패스다.

남의 불행을 고소하게 여기는 감정인 샤덴프로이데는 고약한 심보일까, 아니면 인간의 본능일까? 만약 샤덴프로이데가 없다면 연예인에 대한 동경도 더욱 줄어들고, 세상이 더욱 삭막해질 것이다. 동경과 선망이 클수록 샤덴프로이데도 크다. 그것이 세상을 더욱 활기 있게 만드는 보이지 않는 손이다. 이것이 샤덴프로이데의 역설이자, 마법 같은 힘이다.

사람들에게 샤덴프로이데가 없다면 그 삶이 얼마나 삭막하고 황량하겠는가. 뒷담화가 없는 세상은 오히려 사막처럼 황량하고 삭막할 것이기에 뒷담화는 상대방에게 대놓고 당당하게 말하는 앞담화 못지않게 일상을 활기차게 만드는 역할을 한다. 이것이 뒷담화의 역설이다.

이와 같은 맥락에서 타인의 절망과 슬픔을 보고 기쁨과 카타르시스를 느낀다는 것은 소름끼치는 인간의 모습이면서도 인간의 이성으로 제어되는 부분이 아닌 가장 자연스러운 인간의 감정이자 본성이라는 것을 받아들일 때, 타인의 아픔과 고통에 대해 같이 공감하는 섬세한 감수성과 함께 샤덴프로이데의 마음도 사람들이 힘든 일상의 삶을 이겨 나가는 힘이 된다는 것을 이해할 수 있다.

문제는 샤덴프로이데가 아니다. 문제는 이런 자연스러운 감정의 한계를 벗어날 때다. 1단계는 가난하고 고통받는 자에 대한 둔감과 무감각, 무관심과 무시, 처절하고 절박한 사람들에게 비웃음과 조롱, 경멸을 보내는 것은 인간의 자연스러운 이기심과는 다르며, 사회를 썩게 만드는 어둠의 씨앗들이다.

2단계는 샤덴프로이데가 극단적인 사이코패스나 소시오패스 등 자기파괴·사회 파괴적 행동으로 타인의 아픔을 생산하고, 조장하고, 악용하며 조롱하면서 이를 즐기는 진짜 악마들이다.

남의 고통에 쾌감을 느끼고, 조롱하고 멸시하면서 우월감을 가지는 것은 자연스러운 만큼 잔인한 인간의 감정이다. 이것이 잔혹무비가 인기를 끄는 이유이다. 반면에 영화의 다른 면을 보아라. 우리가 순응하고 복종하는 사람에게 공감하고 열광하는가. 불의에 저항하고 분노하는 사람에게 열광하고 공감하는가.

답은 나와 있다. 우리의 갈 길은 정해져 있다. 샤덴프로이데를 넘어서야 진정한 분노의 발산이 가능하다. 진정한 분노의 연대를 통한 공분의 표출을 통해 우리사회는 건강하게 발전할 수 있고, 행동하는 소크라테스들이 주축이 되는 일상의 즐거움, 일상의 혁명이 가능한 세상이 되는 것이다. 분명한 것은 법과 규율의 이름으로, 분노할 자유를 허락하지 않고 억압하는 사회는 닫힌 사회다.

그가 이혼했다는 얘기를 할 때부터 친구들의 얼굴은 환해지기 시작했다. 공부 잘한다고 자랑하던 그의 아들이 대학에 떨어졌다는 얘기를 털어놓자, 사람들의 얼굴에 기쁨의 미소가 번졌다. 남의 불행은 나의 행복, 남의 고통은 나의 쾌감이라는 샤덴프로이데는 악마나 놀부의 심보가 아니라 인간의 본성에 기인한다.

특히 요즘처럼 청년 백수들이 바글바글한 현실에서 아무리 대한민국이 라면공화국이라지만, 청년 백수들이 삼시세끼 라면만 먹고, 매일 천 원짜리 김밥만 먹어 보라. 짜증이 나지 않겠는가, 분노가 생기지 않겠는가? 그들에게 샤덴프로이데는 짜증과 분노를 일시적으로나마 해소하고 숨 쉴 수 있는 공간이 된다.

자본권력을 향유하는 최상층부는 룸살롱에서 양주를 주고받으며, TV로 전해지는 참혹하고 처절하게 아픈 소식을 안주거리 삼으면서 그들끼리 자신들의 누림에 대한 은밀한 즐거움을 공유한다. 왜냐하면 공감은 같은 위치, 같은 공간, 같은 경험을 토대로 '우리가 남이가'란 감정의 공명에서 생겨나기 때문이다.

그들은 재미삼아 학교에서 친구를 때리고, 괴롭힌다. 부하직원을 골탕 먹이고, 아파트를 관리하는 주체들끼리 짜고서 아파트 관리비를 조작하고 착복한다. 그들은 앞에서는 챙겨 주고 도와주고 해결해 주고, 책임지고, 솔선수범하는 선한 모습과 화려하고 번지르르한 말발로 무장한 채, 뒤에서는 자신들의 이익과 쾌락을 위해 잔인하고 비열하며, 잔혹하고 무자비하게 정의를 가장한 폭력을 행사한다.

그들은 우리 주변에, 우리 이웃으로 버젓이 나와 관계 맺고 있다. 그들은 또 다른 이름의 사이코패스인 소시오패스다. 사이코패스, 소시오패스는 공감 능력을 잃어버린 사람, 울 줄 모르는 사람, 양심이 말라 버린 사람이다. 그들은 그래서 부끄러움도, 죄책감도 느끼지 않고 오히려 부끄러운 짓에, 악행을 저지르면서 쾌감과 희열을 느낀다.

우리는 눈앞의 불쾌한 장면, 폭력이 벌어지는 상황, 성추행이 발생하는 장면에 직면했을 때, 이에 대한 의로운 행동보다는 자신에게 신체적으로 위협이 되지 않는다면, 그 장면을 찍어서 인터넷에 올리고 만인의 관심을 끌고자 하는 목적에 더 열중한다.

IT 기술로 인해 관계망이 넓어지고 있다고 한다. 반은 맞고 반은 틀리다. 관계망이 형식적이고 익명적인 관계를 지칭한다면 이는 맞다. 하지만 관계가 공감이나 교감, 위로를 주고받는 진정한 소통을 지칭한다면, 이러한 감정적 교감의 관계는 급격히 줄어들고 있다고 해야 옳다.

사이버 관계망을 통한 유사 관계, 사이버 관계의 확장은 유사 공감과 사이버 공감의 확대를 가져오면서, 상대공감과 절대공감이 들어설 자리를 빼앗는다. 이 같은 관계망은 작은 충격에도 실타래처럼 엉키고 물안개처럼 사라지기에 진실한 관계를 통한 마음과 마음의 소통과는 거리가 멀다.

인간이 성장하고 성숙해지고, 만인에 대한 공감과 세상과의 화해를 위해서는 필히 강물을 이룰 만큼 많은 눈물이 필요하다는 것을 안다. 인간이 마음 깊은 곳에서 시작된 눈물을 흘릴 때, 공감이 쌓이고 사랑이 꽃피며 나눔이 열매 맺는다.

공감은 경험이다. 그래서 뜨거운 눈물을 흘려 본 사람만이 뜨거운 눈물을 흘리게 할 수 있는 것처럼, 심장이 뛰어 본 사람만이 다른 사람의 심장을 뛰게 할 수 있다. 환희를 경험한 사람만이 다른 사람을 절정의 환희에 빠지게 할 수 있다. 눈이 시리게 푸른 하늘이 가슴에 쏙 들어올 만큼 크게 웃어 본 사람만이 사람들의 가슴이 후련해지도록 웃게 만들 수 있고, 처절한 가난을 경험해 본 사람만이 가난한 사람의 절박하고 가슴이 찢어지는 듯한 아픔을 이해할 수 있는 것이다.

차디찬 바닥에 무릎을 꿇고 통곡을 해 본 사람만이 삶의 고단함에 쓰러져 주저앉은 사람의 고통과 절망을 이해할 수 있다. 그들을 보듬어 안기 위해 그들처럼 무릎을 꿇고 주저앉을 수 있는 것이다. 차디찬 절망의 밑바닥에서 주저앉기보다 다시 일어서 올라간 사람만이 깊이를 알 수 없는 밑바닥에서 주저앉은 사람에게 다가가 그들 앞에 무릎을 꿇고 그들을 안아 줄 수 있다. 그들에게 다시 일어설 힘과 용기를 줄 수 있다. 그것이 진정한 공감이다.

공감은 진실한 감정의 연결이요, 소통이다. 서로가 서로에게 흡수되는 것이 아니라 서로가 서로를 흡수하는 것이다. 공감은 일상 속에서 만나는 짜릿한 전율이다.

아무리 삶이 무겁고 의지는 강하고 열정은 강렬하더라도 마음만은 깃털처럼 가벼워야 한다. 그래야 다른 사람의 마음속으로 날아갈 수 있다. 마음과 마음 간에 즐거운 교감이 이루어질 수 있다. 무거운 마음의 오고감은 서로에게 무거운 짐이 될 수 있다. 새털처럼 가벼운 마음과 마음의 오고감에서 즐거움과 행복이 싹트는 것이다.

공감이 생겨나기 위해서는 사람들 사이의 공간을 따뜻함으로 채워야 한다. 숨 쉴 공간도 없는 만원버스나 지옥철 안에서는 공감이 일어날 수 없다. 공감은 공간의 여유에서 나온다. 열심히 일한 다음 휴식의 공간, 공부에 몰입하고 난 후 대화의 공간, 치열하게 운동하고 난 후 나른함의 공간 속에서 공감이 일어나는 것이다. 이처럼 같은 공간에서의 경험의 공유가 공감을 만든다. 공감은 공간, 즉 여유로움과 공간을 채우는 따뜻함의 대류와 환류로 피어나는 안개꽃이다.

공감을 이루기 위해서는 책임지고, 희생하고, 반성하며 부족한 모습도 정직하게 드러내야 한다. 공감은 진실함, 솔직함이라는 진정성에 뿌리를 둔다. 진정성이 없는 그 어떤 행동도 궁극적으로 사람들의 공감을 얻을 수 없다.

공감의 전 단계는 진정한 소통과 이해다. 나는 아들을 절대로 완벽하게 이해할 수 없다. 여자가 남자를, 남자가 여자를 이해할 수 없듯이 서로 다른 시대를 살아가는 사람들은 한 가족이라도 이해함에 있어서는 한계가 있다. 이해와 공감의 시작은 이런 한계점을 인정하는 데서 출발한다. 한계점을 인정하면 대화의 싹이 트고 편안함이 나와 상대방 사이에 채워진다.

편안함이 쌓여 따뜻함으로 나와 너 사이의 공간에 채워질 때, 공감의 꽃이 피어나는 것이다. 따라서 자신이 완벽하다고 생각하는 사람일수록, 무결점을 지향할수록, 자신의 부족함이나 잘못을 인정하지 않을수록, 소통보다는 지시와 훈계에 익숙한 사람일수록 공감의 꽃은 피어날 수 없는 것이다.

공감의 효과는 사람의 마음을 열게 만든다. 소금이 바다의 눈물이듯이, 공감은 세상의 눈물이다. 공감을 통해 세상은 덜 부패하고, 멋과 맛이 있는 세상이 되는 것이다. 그래서 공감은 세상을 매력적으로 만드는 세상의 소금이다.

같은 울림을 느끼는 공명의 단계를 거쳐 같은 감정을 공유하는 공감의 단계를 지나면 서로 부둥켜안고 함께 춤추며 사는 공생의 단계에 이른다. 공생은 아니더라도 서로의 차이를 인정하고 존중하면서 같이 살아가는 상생의 단계만이라도 이르면 좋겠다.

나쁜 남자와 나쁜 놈, 그 오묘한 차이

빛나는 이기심은 때론 까칠하고 오만하게 보일 수 있지만, 타인에 대한 책임과 배려를 바탕에 두고 있기에 그 뒷모습도 진면목도 아름답다는 것이다. 분명한 것은 어정쩡한 이타심이나 의례적인 말보다는 빛나는 이기심이 나와 너를, 나와 세상을 더욱 빛나게 만든다는 점이다.

내게 오는 비난과 원망, 저주를 웃음으로, 즐거움으로 재미 삼아 그대로 받아들이자. 당신이 맞다고, 당신이 옳다고, 당신 생각에 동의한다고, 나 또한 내가 그런 사람인 걸 알고 있다고……. 이는 방탄복을 입은 사람이 할 수 있는 경지다.

또 다른 방법은 누군가가 공을 던진다고 해도 그것을 꼭 받아야 할 필요는 없다. 그 공이 비난과 불평, 책임전가나 도움 요청이든 간에 받아들이고 싶지 않은 말이나 평가는 흐르는 물처럼 흘러가게 하면 그것만으로도 충분하다. 물론 이는 마음을 내려놓을 줄 아는 사람이 할 수 있는 경지다.

무능하고 무책임하며 무례한 사람들이 국민을 무시하고 무관심으로 일관하며 무가치하게 취급하는 것에 저항하고 분노하는 것은 너무도 자연스러운 행동이다.

가진 자들이 지배하는 세상에서 자본은 자유이고, 힘이다. 빈자와 약자, 서민들이 원하는 정의와 공정은 자본을 가진 자들에게는 적일 뿐이다. 돈과 권력을 가진 자들에게 어느 시대에나 그들이 가진 부와 권력을 대물림하게 해주는 미다스의 손들이 있다.

그중 하나는 분노한 자들이 자신들에게 직접적으로 저항하고 칼을 겨누지 못하도록 말하는 인형들을 대리인으로 내세워 가난한 자와 아주 가난한 자들 간의 생존싸움으로, 빈자와 약자, 서민들의 분노가 최상층부까지 올라가지 못한 채 사그라들고 혼란은 정리된다. 가진 자들은 자신들의 손에 피를 묻히지 않고서 원하는 목적을 달성한다. 냉혹하고 비열한 이기심의 승리다.

하얀 눈이 탐스럽게 내린 길이 햇빛을 받아 녹아내릴 때, 사람들의 발자국과 차들의 달림으로 인해 하얀 세상이 칙칙하고 지저분한 세상으로 순식간에 바뀐다. 왜 정치인들은 부패의 상징처럼 회자되는가? 현실의 한계 속에서 자신을 인정하지 않았기 때문이다.

정치인은 눈처럼 깨끗할 수도 없고, 눈처럼 깨끗해서도 안 된다. 하지만 그들은 '시거든 떫지나 말자'는 말처럼 어느 정도 권모술수와 교언영색으로 오염될 수밖에 없는 것을 스스로 인정하고 국민들의 이해와 협조를 구해야 하는데, 그들은 불가능한 꿈을 꾼다. '시고도 떫은 자'들이 '시지도 떫지도 않은' 희생과 정의의 화신처럼 거짓과 위선으로 온 몸뚱어리에 회칠을 하고 있는 것이다.

　'나쁜 남자는 멋진 남자다'라는 말은 은유적인 표현이다. 자진해서 나쁜 사람이 되고자 하는 마음은 상대방을 배려하는 마음이다. 나를 낮추면서 상대방을 높이는 마음이다. 정직한 마음이고 희생하려는 마음, 책임지려는 마음이다.

　자진해서 좋은 사람이 되려고 하는 마음에 이기심을 씌우면, 남을 짓밟고서 내가 올라서려는 마음이다. 동정과 연민의 마음에서 자신이 돋보이게 하려고, 상대방을 소인이나 난쟁이, 거렁뱅이로 만듦으로써 자신은 거인이 되고자 하는 마음이 앞선다면, 그것은 자진해서 좋은 사람이 되고자 하는 행동이 다른 사람들의 마음에 상처를 주고, 아픔을 주고, 슬픔을 주고 절망을 안겨다 주기에 결국 진짜 나쁜 놈인 것이다.

　반대로 자진해서 나쁜 사람이 되고자 하는 행동이 타인의 마음을 위로하고 슬픔을 날려 보내고 기쁨의 실타래가 풀려가게 한다면, 그것은 결국 좋은 사람이다. 이처럼 나쁜 남자는 구체적인 행동과 상황에 따라 다르게 해석되는 중의적인 의미가 있다.

나쁜 사람이 성공한다. 분명 흥부보다는 놀부가 더 성공한다. 착한 남자보다는 나쁜 남자의 대명사인 '차도남'이라는 차가운 도시남자가 더 사랑받는 이유는 이들에게 치명적인 반전 매력이 있기 때문이다.

하지만 나쁜 남자는 나쁜 놈이고, 차가운 남자는 그냥 차가운 놈, 냉혈한이다. 악마가 신사처럼 행사한다고 신사가 아니듯이 나쁜 남자에 유혹당하지 마라. 나쁜 남자는 미디어가 만들어 낸 환상일 경우가 많다. 따라서 진짜 놀부 같은 사람이 사랑받고, 진짜 나쁜 놈이 사랑받는 세상은 사회적 그레샴의 법칙이나 그루섬의 법칙처럼 악한 자가 선한 자를 몰아내는 병든 사회로 착한 남자가 비집고 들어설 틈이 없다.

나쁜 남자는 까칠한 남자다. 나쁜 남자는 강한 의지를 가진 사람, 적극적인 남자이고, 남자다운 남자다. 길들여진 남자가 아닌 야생의 남자다움을 잃지 않는 남자다. 나쁜 남자는 순종적이고, 복종적이며, 타인의 의견에 무조건 동의하는 예스맨이 아니다.

나쁜 남자는 자신의 생각과 다른 것에 저항하고, 자신의 스타일을 추구하며, 새로운 도전을 두려워하지 않는 자다. 하지만 진짜 나쁜 놈은 타인에 대한 배려보다는 자신의 쾌락과 즐거움과 이익을 먼저 생각한다.

특히 여자들은 착하고 성실한 남자보다는 매력적이고 자신만의 멋스러움을 추구하는 나쁜 남자를 좋아한다. 이런 남자는 미디어가 만들어 낸 허상일 수도 있으나, 현실에 살아 숨 쉬는 인물 유형이 분명하다.

　이런 나쁜 남자에도 급은 있다. 만약 남에게 피해나 혐오감을 불러일으키는 나쁜 남자는 그냥 나쁜 놈, 더러운 놈이다. 긍정적인 의미로서의 나쁜 남자는 남에게 피해를 주지 않으면서 자신만의 당당함과 뻔뻔함으로 까칠하고 도도한 삶을 사는 사람이며, 최상급의 나쁜 남자는 다른 사람을 위해 자신의 짊어져야 할 책임보다 더 크고 무거운 책임을 끌어안고, 자신을 희생함으로써 자발적으로 나쁜 남자가 되는 사람이다.

　"우리 집에 싸움이 없는 것은 모두 나쁜 사람들만 모여 있기 때문입니다. 내가 방 한가운데 놓여 있던 물그릇을 모르고 차서 엎질러졌다고 합시다. 나는 '내가 부주의해서 그랬으니 잘못했다.'고 합니다."

　이처럼 모두 자진해서 나쁜 사람이 되려고 하는 세상은 이미 천국이다.

　나쁜 남자란, 이처럼 역설적인 표현이다. 차도남이 차가운 도시남자를 뜻하는 쿨한 표현이듯이, 나쁜 남자 역시 당당한 남자, 자신감 넘치는 남자, 카리스마 있는 남자를 뜻하는 쿨한 표현으로 통한다.

　진정 멋스러움이 풍기는 나쁜 남자는 책임질 경우에 자기가 했다고 박박 우기는 남자이고, 술자리나 식사가 끝나고 다른 사람들의 마음을 짓밟고 무시하면서까지 먼저 계산하는 사람이고, 사랑하는 사람을 위해 그 사람의 죄까지도 자기가 끌어안는 사람이다.

　자신감은 '자신만만'의 준말이다. 자신만만은 천마를 타고 있는 영웅의 모습이 겹쳐진다. 자만감은 자기기만의 준말이다. 자만은 배에 바람을 넣어 배를 부풀리는 개구리의 모습이 겹쳐진다. 언젠가 터질 운명을 안고 있는 오만에 가득 찬 반푼이다. 반면에 자괴감은 바람 빠진 풍선처럼 쪼그라든 초라함이 겹쳐진다. 이기적인 욕망도 열정도 없고, 삶의 의지도 사라진 후에, 자신연민으로 살아가는 가여운 사람이다.

　냉혹한 현실에서 자신감은 '흔들리는 갈대'다 일이 잘 풀리면 자신감이 배가되지만, 내 의지와 열정대로 일이 이루어지지 않는 경우가 반복될 때 자신감은 급격히 줄어든다. 자신감은 환경의 아들이다.

　하지만 자존감이나 자긍심은 내가 스스로 만들어 낸 품 안의 자식이다. 상황이 나쁘다고 자존감이 사라지는 것도 아니고, 상황이 좋아진다고 없던 자존감이 갑자기 생기는 것도 아니다. 일관된 자신의 정체성을 유지한다는 점에서 자존감을 갖는 것이 더욱 중요하다. 하지만 새도 몸통만 있으면 날 수 없듯이, 자존감은 자신감이란 힘찬 날갯짓으로 더욱 빛날 수 있다.

　"닭다리를 아들에게, 아내에게, 후배에게 양보하지 말고, 자기 몫의 닭다리를 우선적으로 챙겨라."라는 말은 자신도 이기적인 사람이고, 욕망이 있는 사람이란 것을 인정하는 삶의 지혜다. 메시아 콤플

렉스를 버리고, 자기 닭다리를 챙기는 사람은 착한 이기심이고, 남의 닭다리까지 빼앗는 사람은 나쁜 이기심이다.

우리가 일상의 관계 속에서 가족을 챙기고, 친척들 대소사를 챙기고, 후배나 동료의 일을 내 일처럼 잘 챙겨 주었는데, 그 공에 대한 고마움을 잘 알아주지 않는다고 꽁해 있는 것은 성숙을 가장한 미성숙이며, 자신의 정신과 마음을 갉아먹는 좀이다.

이는 상대방에게 불편함과 거리감을 만들어, 결과적으로 안 하느니만 못한 결과를 초래할 수 있다. 따라서 오히려 처음부터 자신의 닭다리를 챙기면서, 서로를 편안하게 하는 관계를 조성하는 것이 좀 더 인간적이며 장기적으로는 갈등을 막는 첩경이다.

이기심이나 이기적인 사람이 되지 말자로 결심하면 100퍼센트 실패한다. 세상에 위선이든, 권위이든, 착함이든 인간은 어떤 식으로든 가면을 쓰고 세상을 살아간다. 가면을 벗은 인간은 이미 인간이 아닌 성인이나 신의 경지에 오른 경우뿐이다. 인간은 이기심의 굴레를 벗어날 수 없기에 가능하면 나와 세상이 같이 행복해 질 수 있는 바람직한 이기심, 좋은 이기심을 표출하고 실천하면서 사는 것이 인간의 영역이며, 착한 이기심이 결국 착한 자본주의로의 뿌리다.

우리가 자기 자신에 대한 절대적 사랑과 절대적 신뢰를 가진 삶을 살고자 하면, 방해가 되는 걸림돌, 드러내고 싶지 않은 약점들, 특히 수치심과 두려움, 취약점을 드러내 놓고 터놓고 이야기할 수 있어야 한다. 스스로 믿는 진실성과 타인이 공감하는 진실성이 일치하는 경우는 그리 많지 않다.

특히 부유층이나 지배층일 경우, 이 둘의 차이는 도저히 건너뛸 수 없을 만큼 넓다. 착각의 착시현상 때문이다. 그래서 지배세력이 사회적 약자나 빈자의 진심어린 공감을 얻기는 칼날 위를 걸어가는 것만큼 힘들고 어렵다. 그들은 착한 이기심으로 움직이는 것이 아니라 나쁜인 이기심, 나쁜 이기심으로 움직이기 때문이다.

인간의 본성은 이기적이다. 예를 하나 들어 보자. 사람들은 들이나 산에서 뱀을 보면 끔찍해하며 놀라서 달아난다. 또 뽕나무 벌레를 보면 징그러워 온몸의 털이 쭈뼛 서곤 한다. 하지만 어부는 뱀과 아주 비슷하게 생긴 뱀장어를 좋아하고, 여자들은 뽕나무 벌레처럼 징그럽게 생긴 누에를 아무렇지도 않게 손으로 만지며 뽕잎을 주고 똥을 치워 준다. 만일 똥통 속에 금덩이가 빠졌다면, 앞 다투어 똥통으로 들어갈 것이다. 왜 그럴까?

바로 이익이 있기 때문이다. 인간은 자신에게 이익이 되는 일이라면 누구나 두려움을 잊고 용감해진다. 결국 이기심이 사회를 역동적으로 만들고, 사람을 움직이게 만든다. 활기차게 만드는 것이다. 하지만 이런 이기심이 변형되고 왜곡되어 나의 이익만을 극대화하기 위해 타인의 권리와 이익과 자유를 침범하고 짓밟는 것은 나만 생각하는 나쁜 삶이며, 나쁜 이기심이다.

의원이 환자의 상처를 빨아 그 고름을 입에 담는 것은, 환자에게 혈

육의 정을 느껴서가 아니라 이익을 보고 하는 일이다. 정치인도 마찬가지다. '이왕이면 다홍치마'라고 도둑이 될 바에는 통 큰 도둑이나 의적이 되는 것이 낫듯이, 부와 권력을 가진 자들이 자신들의 이익을 최우선할지라도 사적인 이익과 공공의 이익을 일치시키는 방향으로 일을 한다면 통 큰 도둑이라 할 수 있을 것이다. 이럴 경우, 겉으로 드러나는 모습은 서민들을 위한 이타주의로 보일 것이다.

애덤 스미스가 경쟁 시장에서 보이지 않는 손을 발견했듯, 통큰 도둑이 자신의 이익을 밝히는 과정에서 만인에게 좋은 일을 하게 되는 것은 분명 좋은 이기심이라 부를 수 있을 것이다. 하지만 현실은 통 큰 도둑 대신에 좀스런 좀도둑들로 넘쳐나고 있다. 공동체 전체의 이익은 뒤로 한 채, 자신의 개인적 이익만을 추구하는 정치와 경제, 사회 지도자만 오리처럼 '국민을 위하여'를 꽥꽥거리며 외쳐대고 있다.

세상의 모든 위인은 자신을 가장 사랑한 사람들이었다. 이들이 위인의 삶을 산 것은 스스로에 대한 사랑에서 시작한 사랑을 타인과 세상으로 확장시키는 것이 가장 자신을 사랑하는 길임을 깨달았기 때문이다. 김구, 이순신, 안중근, 간디처럼 자신을 가장 격하고 치열하게 사랑한 사람은 위인이 되었다. 반면에 자신을 가장 고독하고 비참하게 사랑한 사람은 악인이 되었다.

위인의 길을 간 사람도, 악인의 길을 간 사람도 자신을 가장 사랑한 사람이라는 점에서는 같다. 자신을 치열하고 소중하고 열렬하게 사랑한 사람은 스스로를 승화시키는 삶을 산 것이고, 자신을 치졸하고 비열하며, 비참하고 추하게 사랑한 사람은 스스로를 파멸시키는 삶을 산 것이다. 자기사랑은 그 방향이 중요한 것이다.

사람 냄새가
아름답다

    사람의 향기가 나는 사람은 감정을 웃음이든, 감정의 솔직한 드러냄이든 멋지게 표현할 줄 아는 사람에게서 난다. 이것이 사람과 세상에 대한 배려와 존중이며, 인간에 대한 예의다.

    사람은 가족이든 친구든 연인이든 간에 자신의 결함과 고민, 슬픔과 억울하고 아픈 상처를 감추지 않고 보여 주는 사람에게 끌린다. 사람의 상처를 핥아 주고, 슬픔을 안아 줄 수 있고, 기꺼이 당신의 아픔과 슬픔도 드러낼 수 있기 때문이다. 약점은 남에게 감출 때 작아지는 것이 아니라 남에게 보여 줄 때, 한낮의 눈사람처럼 사라지고 작아지는 것이다.

사람이 입이 있는 이유는 음식을 삼키는 것이 아니라 음식을 음미함에 있고, 말을 내뱉는 것이 아니라 말로 솔직하게 진실된 감정과 의견을 표현하라고 있는 것이다. 사람이 음식을 꾸역꾸역 삼키고, 말을 생각 없이 내뱉거나 말해야 할 때조차 침묵으로 일관하는 것은 살기 위해 사냥하고, 울부짖는 짐승과 다를 바가 없다.

슬픔과 분노는 극복하는 것이 아니고 그 슬픔의 터널, 분노의 터널을 지나가면 된다. 쉽게 생각하자. 모든 감정은 가만히 지켜보면 지나가는 터널 속 기차와 같고, 바람과 같아서 내 마음을 스치면서 지나가며, 물과 같아서 내 마음을 따라 흘러가고, 시간의 흐름을 따라 안개처럼 사라진다.

감정의 터널은 반드시 지나야 한다. 터널을 피하려 할 때 감정은 덫에 걸리고, 늪에 빠지고 감옥에 갇힌다. 늑대를 피하려다 호랑이를 만나는 격이다. 열등감도 분노도, 비교하는 마음도 피할 수는 없다. 이런 감정의 터널은 그냥 지나가야 한다. 그래야 빠지지 않을 수 있다. 있는 그대로, 오는 그대로, 일어나는 그대로 받아들임이 먼저다.

단단한 강철을 녹이는 것은 태양을 녹일 것 같은 뜨거운 열이다. 겨울 산의 눈을, 달콤한 아이스크림을 녹이는 것은 따뜻한 햇살이듯이, 분노를 녹이는 것은 마음속에서 솟아 올라오는 햇살 한 조각과 미소 한 조각을 띄운 따뜻한 커피 한 잔이면 충분하다. 분노를 지배하고 싶으면 따뜻하고 뜨거워져라.

남자의 눈물이 아름다운 이유는 남자의 눈물이 흔하지 않기 때문이다. 남자가 여자만큼 눈물을 많이 흘린다면 남자의 눈물도 희소성의 원리에 의해 그 가치가 떨어질 것이다. 남자의 눈물은 사막화의 진행보다 빠르게 메말라 가고 있다.

동시에 여자의 눈물도 메말라 가고 있다. 나무심기 등을 통해 사막화의 진행을 더디게 해야 하듯이, 용불용설 이론처럼 사용하지 않아 말라 버린 눈물샘을 다시 찾아야 한다. 남성의 감성이 회복될 때 가족과 세상은 훨씬 더 따뜻해질 것이다.

비록 공감을 주지 못하는 눈물이라도 눈물을 흘리는 사람에게 마음이 더 간다. 바늘로 찔러도 피 한 방울, 눈물 한 방울 나오지 않을 것 같은 사람, 냉혹하고 무표정한 얼굴, 얼음처럼 차가운 얼굴은 싫다.

종로 파고다 공원의 노인처럼 얼굴에 표정이 거의 없는 사람들, 마음은 말로도 전해지지만 표정으로 더 많은 것이 전해진다. 감정이 메마른 사람, 각박하고 이기적인 사람, 특히 생존에 목매는 사람은 표정이 없다.

표정이 없는 사람들은 대개 다른 사람들의 고통에 공감하지 않는다. 나아가 스스로의 고통에도 극도로 둔감하거나 예민하다. 그래서 그들은 처절한 밑바닥 생활을 믿을 수 없을 만큼 견뎌 내기도 하지만, 일순간 자신의 삶을 강물에 던져 버리기도 한다.

심리학자이자 철학자인 에이브러험 매슬로우의 말처럼 "마음속 지옥을 피하려고 하면 마음속 천국에서도 멀어진다". 부정적이든 긍정적이든 희로애락애오욕이라는 인간의 모든 감정은 사계절의 바뀜처럼 끊임없이 움직이면서 순환한다.

특히 가족에게 화가 나고, 내 자존심을 짓밟은 자에 대한 미움이 커지며, 사회 비리에 분노하고 무책임한 자들을 증오하며, 자신의 무기력함에 대한 슬픔 등 부정적 감정의 흐름을 억압하거나 폭발시키면 오히려 기쁨과 사랑 같은 긍정적인 감정의 흐름까지 막히게 한다.

상처 없이 나는 새가 없듯이, 슬픔과 분노의 감정을 겪지 않고 성장하고 발전하고 성공한 사람도 없다. 슬픔이 밀려오면 온 마음으로 느끼고, 환희가 폭포처럼 쏟아지면 온 마음으로 웃음꽃을 피워라.

감정의 물병법칙이 있다. 물병 안에 물이 조금씩 흘러들어 가다가 마침내 물병의 가느다란 목까지 물이 담긴다. 이때 물 한 방울이 물병에 똑 하고 떨어지는 순간, 그 속에 들어 있던 물이 순식간에 밖으로 넘쳐흐른다. 딱 한 방울의 물이 떨어졌을 뿐인데 말이다.

평소 감정을 억지로 꾹꾹 눌러왔던 사람들은 물 한 방울과 같은 사소한 일에도 감정을 폭발시키고 길길이 뛴다. 참고 참았던 감정이 한계를 넘어선 것이다. 갑작스런 감정폭발에 주위 사람들은 영문도 모른 채 당황할 뿐이다.

이처럼 감정 폭발의 임계점은 미리 알기가 어렵다. 물이 끓는 온도는 어느 정도 예측이 가능하지만, 감정 폭발은 순식간에 예측할 수 없는 시기에 방법과 방향으로 폭발한다. 그래서 감정표현을 통한 감정관리가 더욱 중요한 것이다.

내가 힘들 때 같이 울어 줄 수 있는 친구가 진짜 친구라는 말에 나는 동의할 수 없다. 딱한 처지에 놓인 사람이 울 때 같이 울어 주는 일은 생각보다 어렵지 않다. 오히려 같이 울어 주는 것보다 같이 웃어 주는 것, 같이 슬퍼하는 것보다 같이 기뻐하는 것이 더 어렵다. 진심인 경우는 물론이거니와 가식적으로도 그렇다.

사촌이 땅을 사면 배가 아프다. 하지만 대부분의 경우, 박지성이 건물을 사면 배가 아프지 않다. 왜 그럴까? 근접성, 유사성 효과다. 사촌은 나의 비교범위 안에 있고, 유사성이 강하고 가깝게 있다. 쉽게 말하면 일상 속에서 끊임없이 비교되고, 의식해야 하는 나의 경쟁상대다.

그래서 직장동료가, 친구가 나아가 극단적으로는 친동생이 나보다 더 잘살고 높은 지위에 있다는 사실은 나를 기쁘게 하기보다는 나를 더 슬프고 위축되고 우울하게 만든다. 이것은 인간의 본성이고 자연스런 감정이다.

이런 자연스런 감정을 무시하고 이런 감정을 죄악시하고 무시하거나 마음먹기만을 통해 이를 극복하려 하는 것은 어리석다. 분명한 사실은 상대방의 성취에 진심으로 기뻐하는 마음을 갖기 위해서는 많은 연습과 노력이 필요하다는 것이다.

함께 기뻐할 줄 알고, 함께 슬퍼할 줄 아는 사람에게 사람의 향기가 느껴지는 것은 당연하다. 살면서 흔들리고 덜컹거리면서 크고 작은 소리도 내고 때로는 여름 바다의 파도 같은 웃음을 터뜨리고, 자신의 꿈을 놓지 않고 자기의 중심을 잃지 않으면서 걸어가는 사람, 사람을 울게 만들기 보다는 웃게 만드는 사람이라면 사람 냄새가 나는 사람 아닌가.

나는 아프리카에서 굶주려 죽는 사람들을 사랑하고, 전쟁으로 죽어가는 팔레스타인 아이들도 사랑할 수 있다. 그들 모두를 나는 사랑한다. 그것은 분명 어려운 일이 아니다.

그러나 내 앞에 서 있는 냄새나고 더러운 장애인을 사랑할 수 없고, 때에 찌든 시커먼 손을 내미는 노숙자를 사랑할 수 없다. 나아가 달동네의 가난한 사람들의 악다구니와 사회적 약자의 무식함과 무례함을 사랑할 수는 없다. 내가 아무리 그들을 이해하고 사랑하려 해도 그들을 사랑하는 마음으로 포용하고 안아 주는 것은 죽어도 못하겠다면, 나에게는 인간의 향기가 아닌 악취만 풍길 뿐이다.

일반적으로 사람에게서 나는 모든 냄새는 역겹다. 술과 온갖 음식을 먹고 난 후 입 냄새는 말할 것도 없고, 열심히 운동을 하거나 일하면서 흘리는 땀에서 나는 냄새조차도 향기롭지 않다. 술독에 빠진 사람의 술 냄새, 매일 값비싸고 기름진 음식 속에 빠져 사는 사람에게 나는 기름 냄새는 역겹기까지 하다.

맑고 아름다운 생각과 마음을 실천하면서 사는 사람에게서 풍기는 향기가 제대로 전해지는 위해서는 우선 입 냄새 등 몸에서 나는 냄새부터 제거해야 한다. 하지만 냉혹하고 잔인하며, 오만하고 탐욕적인 사람에게서 나는 비린내와 견딜 수 없을 정도로 풍겨오는 썩은 하수구 냄새는 아무리 씻어도 제거할 수 없다.

사람에게서 나는 향기는 사람 냄새다. 사람 냄새가 풍기는 사람이란 다른 말로 인간의 향기를 내뿜는 사람을 말한다. 사람 냄새, 인간의 향기가 없는 사람은 냉혹하고, 잔인하고, 이기적인 사람일 것이다. 사람 냄새는 따뜻한 사랑과 배려, 관심과 칭찬, 긍정적인 마인드가 몸에 배인 사람에게서 자연스럽게 풍기는 향기인 것이다.

나무도 오래 말려야 뒤틀림이 없고 포도주도 오래 숙성해야 짙은 향기를 낸다. 오래된 사랑, 오래된 우정은 오랜 세월이 아니면 빚어낼 수 없는 소중한 것이다. 분명한 것은 사람도 숙성된 포도주처럼 오랫동안 성숙한 삶을 살았다면 나이 들어감에 따라 더욱 짙고 아름다운 사람 냄새를 풍길 것이다.

기억하라. 좋은 것을 봐라. 좋은 소리를 들어라. 좋은 것을 먹어라. 좋은 사람을 사귀어라. 좋은 곳을 가라. 그것이 너의 냄새다.

유쾌 · 상쾌 · 통쾌 한
기 분 으 로 사 는 삶

    유쾌 · 상쾌 · 통쾌한 기분으로 살아가는 사람은 분명 행복하다. 매일 일상의 삶 속에서 떠오르는 태양, 푸른 하늘, 하늘거리는 바람, 어린아이의 웃음, 햇살에 미소 짓는 들꽃들, 활기차게 인사하는 옆집 아이의 반짝이는 맑은 눈의 기적을 경험하면서 사는 사람처럼 행복한 사람이 있을까?

    사람들은 생선이 싱싱하게 보이는 것은 생선을 파는 사람의 생기 때문이라고 말한다. 활기 있게 살고, 멋지고 당당하게 걷기 위해서는 첫걸음을 씩씩하게 내딛어야 하듯이, 활력이 넘치고 생기발랄한 사람으로 유쾌하게 살기 위해서는 말할 때 첫 마디를 생기 있고 힘차게 내뱉어야 한다.

따뜻한 사람은 상쾌하고 시원한 사람이며, 화기애애한 기운이 넘치는 사람으로 유쾌 · 통쾌 · 상쾌한 삶을 전염시키는 동력이다. 그래서 많은 사람들이 열정적이고 뜨거운 삶을 사는 사회는 그래서 유쾌 · 통쾌 · 상쾌하고 밝고 즐거운 사회다.

우리 삶에서 정말 소중한 것, 인간에게 없어서는 안 될 것은 다 공짜다. 시간도, 한 번 뿐인 삶도, 숨을 쉴 수 있는 공기와 바람과 햇볕도.

하지만 불행하게도 이런 생각에 금이 가기 시작했다. 외모의 자본결정론, 수명의 자본결정론은 호감 가는 외모와 공평하게 타고났다고 믿었던 수명조차도 자본에 따라 결정된다는 인식이 확산되고 있다. 그래서 자본으로 외모를 바꾸고, 수명을 늘릴 수 없는 빈자와 약자, 서민들에게는 일상의 즐거움을 만끽하면서 살아가는 소박한 삶의 혁명만이 가능한 것이다.

그러나 "감옥과 수도원의 차이는 불평을 하느냐 감사를 하느냐에 달려 있다."는 말처럼, 오늘 감옥에서 생활하고 있느냐, 오늘 생애 가장 즐거운 축제의 한가운데 있느냐의 차이는 내가 불평과 불만으로 우울한 하루를 보내느냐, 웃음과 즐거움으로 하루를 만끽하면서 보내느냐에 달려 있다.

여행하듯이 생활하고, 생활하듯이 여행하라는 말처럼, 내가 즐겁지 않으면 그것이 곧 감옥이고, 내가 즐겁다면 그것은 곧 자유다. 설사 내가 겉으로 보기에 노예와 같은 삶을 살고 있다 해도 그 삶 속에서 내가 즐거움을 느낀다면, 그것은 자유로움이다. 그리고 일이 고통스럽다면, 하루하루가 지옥일 것이다. '재미있는 기록'이라는 어원을 가진 캘린더의 뜻 그대로, 올해 달력을 매일매일 흥미 넘치고 즐거운 기록으로 만든다면 분명 하루하루가 천국일 것이다.

"아이들에겐 하루하루가 잔치다. 그 매일의 잔치가 끝나는 걸 아는 순간, 그도 어른이 되겠지."라는 말은 가슴을 아리게 한다. 아이처럼 어른이 되어서도 하루하루가 순간순간이 축제이고 잔치일 수 있다면 얼마나 좋을까?

행복한 사람이란 눈에 비치는 모든 것, 부딪치는 모든 순간이 새롭게 느껴지는 사람이다. 그는 아침마다 눈을 뜨면서 떠오르는 태양의 햇살과 바람과 구름과 숨 쉬는 산과 물비늘이 반짝이는 강을 볼 때마다 이것은 기적이라며 찬탄을 쏟아 낸다. 지혜로운 사람이란 모든 것에 경탄하는 자이다. 일상의 모든 새로움과 다름에 경탄하고, 자신의 열정과 의지에 감탄하고, 타인의 열정과 친절함에 찬탄한다. 살아가면서 모든 것을 의심하는 사람에게 삶은 비탄과 통탄, 지탄이 실타래처럼 뒤엉킨 뒤죽박죽 삶이 된다. 창의력이 있는 사람이란 모든 것에 감탄과 찬탄, 경탄하는 자이며, 그들은 창조의 주체가 된다.

우울증은 뭐든 어둡고 칙칙하게 물들이는 잉크이고, 무엇이든 삼켜 버리는 블랙홀이다. 우울증은 의존증이다. 우울증은 감정의 억압 외에 자녀와 배우자, 친구에 대한 지나친 의존, 완벽해지려는 자기 자신에 대한 지나친 의존에서 비롯된다. 의존이 나쁜 것이 아니다. 모든 의존은 결국 배반을 하기에 의존에 대한 배반을 견디지 못하는 마음이 문제인 것이다.

누군가 나에게 "운명보다 더욱 강력하게 나를 묶어두는 힘이 숙명이라고, 운명은 앞에서 오기에 피할 수 있지만, 숙명은 뒤에서 덮치기에 피할 수 없는 것"이라고 말한다면, 나는 다르게 답하겠다.

운명도 숙명도 부딪힘의 문제다. 넘어지고 깨질지라도 부딪치면서 살아가는 매일 매일의 예측불허의 삶, 내 마음대로 되는 것보다, 마음먹은 대로, 계획대로 되지 않는 롤러코스터 같은 삶이 오히려 더 유쾌하고 통쾌하며, 상쾌하고 신나며 즐겁다고.

길들여지는 게 개의 운명이지만 '시키는 일만 하면 개도 미친다'는 말이 있다. 즐거움은 적극성, 자유로움에서 나온다. 시키는 일만 하는 수동성은 있던 즐거움도 사라지게 한다. 삶을 즐겁게 만들고 성숙한 인간으로 진화시키는 '삼탄'은 감탄·경탄·찬탄하는 삶이고, 삶을 우울하게 하고 한없이 오그라들게 만드는 '오발탄'은 한탄·통탄·비탄·지탄·자탄이다.

자본만이 활개를 칠수록 '조아(좋아하는 일, 하고 싶은 일)'의 삶을 살기가 점점 힘들어지면서 사람들은 헛헛함과 공허감을 달래기 위해서 자신의 처한 상황에서 가장 손쉽게 접근할 수 있는 중독이라는 안식처로 숨어든다. 빈자와 서민들에게 마약, 섹스, 자동차, 극한 스포츠

중독 같은 돈이 많이 드는 자본형 · 쾌락형 중독은 그림의 떡이기에, 그들은 값싼 술에 의지하는 알코올 중독, 드라마 중독, 탄수화물 중독, 포르노 중독, 경마나 경륜 같은 생계형 중독에 빠져들고 있는 것이다. 생계형 · 도피형 중독은 그 종류도 다양할 뿐만 아니라 그 중독에서 빠져나올 수 없다. 생계형 · 도피형 중독은 진행되면 될수록 경제적 · 정신적으로 더욱더 피폐해져서 중독에서 벗어나고자 하는 의지를 수수깡처럼 꺾어 버린다. 모든 국민의 중독자화다. '조아'시대는 유쾌 · 상쾌 · 통쾌함이 강물처럼 흐르는 시대이고, 중독시대는 안락 · 나태 · 무기력이 손쓸 틈도 없이 눈사태처럼 밀려오는 시대다.

삶이 신기루로 인해 허망함과 절망감이 더 깊어질 수도 있고, 신기루는 인간을 한 발 더 전진하게 하고, 한 번 더 웃게 만들고, 한 번 더 해 보자는 의지를 생기게 하는 강력한 마법의 힘을 가지고 있기도 하다.

이처럼 신기루 같은 착각이 유쾌 · 상쾌 · 통쾌한 삶에 도움이 될 때, 이를 신기루(중국 상상의 동물인 이무기가 숨을 내쉴 때 보이는 누각, 멀리 있는 물체가 거짓으로 보이는 현상) 효과, 오아시스 효과라 할 수 있다.

'아하'나 '와우' 할 만한 경험을 많이 해라. '와우'가 다이돌핀이다. 좋은 것, 좋은 사람, 좋은 일을 가까이 해서 '아하' 모멘트, '매직' 모멘트, 다른 말로 감탄 · 찬탄 · 경탄하는 삶을 사는 것이 건강하게 오래 사는 방법이다.

일반적으로 쾌락이라 이름 붙은 모든 것은 즐거움의 아래 단계에 있는 저급한 탐닉인가? 나는 그렇게 생각하지 않는다. 어떤 것이든 타인의 자유를 침해하지 않고 누군가의 마음에 상처를 주지 않은 유쾌함·상쾌함·통쾌함은 그것이 쾌락이든 탐닉이든 인생을 풍부하게 채워주는 즐거움이다. 아울러 내가 느낀 감동과 공감의 즐거움이 다른 사람들의 마음에도 공감과 감동을 번지게 할 수 있다면 그것은 더 할 수 없는 즐거움이다.

　타인의 시선을 의식하지 않는다면 과연 고급문화나 예술이 제공하는 고상한 즐거움에 많은 비용과 시간을 들일 사람이 지금처럼 많을까? 개인적인 생각이지만, 로얄석에 수십만 원을 써야 하는 음악회나 오페라, 뮤지컬 좌석을 채우는 사람들이 타인의 시선으로부터 자유로울 수 있다면, 썩 즐겁지 않은 고급문화를 누리기 위해 지불하는 수십 분의 일의 비용만으로도 훨씬 기분 좋은 즐거움을 느낄 수 있다고 생각한다. 결국 가진 자들 역시 타인의 시선에 대한 비용, 즉 고급문화의 껍데기라는 허위의식이나 허영의 대가로 값비싼 비용을 지불하는 것이다.

　"직업에 귀천이 없다"는 말처럼 고급, 저급보다는 좋은 문화와 나쁜 문화, 좋은 쾌락과 나쁜 쾌락으로의 구별이 더 유용하다. 어떤 문화활동이나 쾌락에 대해서 내가 즐겁고, 나아가 타인도 즐겁게 할 수 있다면, 그것은 좋은 쾌락이요, 좋은 문화일 것이다.

사람들은 최근에 발생한 사실을 좀 더 뚜렷하게 기억한다. 근시성 원리(Recency Principle)원리이다. 비슷한 원리로 사람들은 자신에게 닥친 좋은 일이나 행운은 그 가치를 평가절하하고, 빨리 잊어버릴 뿐만 아니라, 행운보다는 자신의 능력 때문이라고 착각한다. 이와 반대로 자신에게 닥친 나쁜 일이나 불이익, 불운은 그 짜증남과 불만을 증폭하여 과장하며, 자신의 능력이나 게으름 때문에 발생한 것까지 운이 나빴다고 생각한다.

따라서 머피의 법칙과 샐리의 법칙이 같은 횟수와 동일한 임팩트로 발생했어도 감정상 느끼기에는 자신에게 머피의 법칙이 훨씬 더 자주 발생하고, 샐리의 법칙은 적게 일어난다고 생각하는 것이다. 인간의 이기적인 마음이자, 자연스런 마음이다.

몸의 방향을 틀어서 시선을 달리하고, 관점을 달리하라. 말처럼 쉽진 않지만, 증오심과 적대감, 미움과 성냄의 방향을 살짝 틀어만 주어도 분명 기분의 방향이 바뀐다.

이처럼 방향을 살짝 틀어 주는 방법은 마음먹기를 새로 하는 것이다. '그래 다시 해 보자.' '내게도 문제가 있었어.' 등 다시 시작할 열정의 불씨를 지필 수 있도록 하는 것이다. 이것이 감정의 넛지다.

짜릿한 감동을 '전율'이라고 한다. 목이 견딜 수 없을 만큼 타들어갈 때 시원한 콜라 한 잔이나 맥주 한 잔은 온 몸에 소름이 돋게 만든다. 짧은 전율을 느낄 수 있다. 감동과 공감은 이처럼 기분 좋은 전율을 지속시키는 원동력이다. 따라서 감동과 공감이 없다면 개인이든, 조직이든 삶의 활력과 즐거움은 없다.

내 몸의 세포 하나하나가 푸른 이슬을 머금은 새파란 잔디처럼 기지개를 켜면서 일어나도록 살아 있는 감정을 만끽해라. 환상이라는 죽은 감정에 의존하지 말고, 지금 내 몸과 마음의 근육 하나하나가 용수철처럼 튀어 오르는 살아 있는 열정을 느껴라.

감정표현의
황금률

민낯으로 살 수 없는 인간사회에서 가면을 쓰고 고단한 하루를 보낸 사람들은 저녁 어둠 속을 뚫고 집으로 들어간다. 집으로 들어온 그들은 가면을 벗고 민낯의 감정을 쏟아 낸다. 가족이 있는 집은 휴식과 사랑의 공간이 아니라 불화와 혼돈의 공간으로 변한다.

박경리 시인은 〈차디찬 가슴〉에서 "가면들도 외로울 것이다. 집으로 돌아가는 길이 얼마나 외로웠을까. 전봇대에 머리 짓찧지도 못하고. 울타리에 매달려 통곡하지도 못하고. 소리, 소리 지르며 대로를 누비지도 못하고"라고 했다. 적막하고 삭막하고 쓸쓸하며 치열한 도시에서 사랑을 들이부어 주어야 할 가족에서 억압 속에서 쌓였던 차디찬 감정의 응어리를 폭포처럼 쏟아붓는 것은 잔인한 폭력이다.

솔직한 감정표현이란 민낯으로 표출된 감정의 무정부상태가 아니라 감정의 절제된 표출이다. 어떤 경우에도 감정은 예의의 갑옷을 벗어서는 안 된다.

일부 과학자들은, 감정을 잘 드러내지 않는 영국인보다 욱하는 성미가 있는 스페인과 이탈리아 사람들이 2년을 더 산다고 주장한다. 분명 감정을 솔직히 표현하는 사람이 오래 산다. 그래서 돈과 권력을 가진 사람은 타인의 눈치를 보지 않고 자신의 감정을 자연스럽게 표출하기에 타인의 수명은 줄이면서 자신의 수명은 늘린다. 악마다.

가장 불행한 사람은 감정, 특히 부정적인 감정을 자연스럽게 표현하지 못하는 사람이다. 아울러 타인이 쏟아 내는 감정의 배출구나 쓰레기통 역할을 할 경우에는 답이 없다.

대부분 생계를 위해서 일하는 감정 노동자들은 자기의 감정은 억제하고, 타인의 격하고 부정적인 감정의 쏟아 냄을 무방비로 받아 내야 하는 이중충격으로 극심한 심리적 트라우마를 겪게 될 수 있다. 이것이 가난한 사람들의 평균수명이 짧은 이유다.

이에 반해 자신의 감정을 들여다보면서 감정을 객관적으로 관조하는 사람, 자기감정의 끝을 응시할 줄 아는 사람은 타인의 불행이나 고통에 대한 남다른 섬세한 감수성을 가진 사람이기 때문이다.

모든 감정의 꽃이라는 환희조차도 깨어나지 못하고 과잉감정에 도취될 때에는, 그림자처럼 수치스러움이 스며든다. 이처럼 즐거움조차도 도취되면 감정에 익사당할 수 있기에 만끽해야 한다. 감정에 도취되지 말고 만끽해라. 이것이 감정표현의 황금률이다.

현실의 삶 속에서 가장 치사율이 높은 폭탄은 전쟁 때 묻힌 대인지뢰, 테러리스트에 의해 폭탄테러나 자살폭탄, 차량이나 화약의 폭발이 아니라, 풍선처럼 부풀어 오른 감정 폭탄이다. 이것은 예측이 불가능하고, 장소와 시간을 가리지 않고 그림자처럼 달라붙기 때문이다.

이런 감정 폭발이 쌓이고 쌓이면 핵폭발이 일어난다는 것이 감정의 하인리히 법칙이다. 폭발하기 전에 감정 발산을 통한 감정 다이어트 효과로 폭발을 막아야 한다.

감정은 그 끝자락까지 이르러서야 감정에서 벗어날 수도, 그 감정의 진정한 환희를 느낄 수도 있다. 하지만 현실에서 희로애락애오욕 어느 감정도 그 깊은 감정의 끝자락에 이르지 못하고, 감정의 밑바닥을 경험하기 두려워 감정끼리의 도토리 키 재기식 싸움과 질투로 어중간한 중간 지점에서 타협하고 멈춘다.

따라서 감정이 해소된 상태에 이르지 않은 어정쩡한 상태에서 슬픔이, 분노와 증오가 기쁨이 멈춘다. 이처럼 감정의 불완전한 표출과 흐름은 마치 화장실 가서 밑을 닦지 않는 것처럼 찜찜함과 거북함의 찌꺼기를 남긴다. 이와 같이 감정이란 고무공이 밑바닥을 치지 않으면, 다시 튀어 오를 수도, 부정적인 감정의 진정한 극복도 할 수 없을 뿐만 아니라, 기쁜 감정이 가져다주는 즐거움도 맛보지 못한다. 이것이 감정의 고무공이론이고, 감정의 시계추이론이다. 인간의 감정이란 것이 원래 그렇게 생겨먹은 것이다.

그렇다면 감정의 밑바닥을 경험하라는 말은 어떤 의미인가? 운동할 때 최대 운동부하의 70~80%까지 끌어올려야 효과가 크다. 운동한다고 운동강도의 20~30%로 가볍게 운동하면 생각보다 운동효과가 나타나지 않고, 운동부하를 100%까지 끌어올리려고 무리를 하면 몸이 부러지고 뒤틀리고 부서지고 망가지게 된다.

감정 역시 어떤 감정이든 70~80%를 표출해야 한다. 이것이 감정을 자연스럽게 흘러가게 하고 순환하게 하는 것이다. 감정의 밑바닥을 경험한다고 일어나는 감정을 100% 느끼려 하거나 발산하려고 하면 감정이 임계점을 넘어 폭발하게 되는 것이다.

물의 공포를 이기기 위해서는 물에 뛰어들어야 하듯이 슬픔을 이기기 위해서는 슬픔 속으로 뛰어들어야 하고, 기쁨을 만끽하기 위해서는 기쁨 속으로 뛰어들어야 한다.

슬픔 속으로 뛰어든다는 것은 슬픔의 감정이 시키는 대로 하는 것이다. 속이 후련해지도록 슬퍼하는 것이고, 사랑 속으로 뛰어든다는 것은 사랑의 감정이 시키는 대로 하는 것이고, 후회 없이 사랑하라는 것이다. 사랑한다고 절규하면서 사랑을 하든, 아무도 모르게 둘 만의 설레는 사랑을 하든 간에.

역설적으로 감정이 시키는 대로 하는 것, 그것이 슬픔과 기쁨의 절제이며, 슬픔과 기쁨의 자연스런 흘러감이다.

　나는 살아오면서 가슴이 터질 듯 격하거나 한없이 우울한 감정과잉에 휩싸인 경우가 많다. 깊은 새벽, 서브쓰리 기록달성을 목표로 거친 숨을 몰아대며 운동장 60바퀴 아침 달리기의 마지막 바퀴를 뛰고 난 뒤에, 아직도 어둠이 가시지 않은 새벽하늘의 달빛에 마음이 젖고, 별빛에 가슴이 젖었다.

　환하고 따스하게 깜박이는 달빛과 별빛을 바라봄에 마음이 따뜻해지기보다는 찌릿한 감정 사이로 처량함과 슬픔이 밀려왔다. 어떤 날은 뚜렷한 이유 없이 집으로 곧장 들어가기 싫어 느린 발걸음으로 터벅터벅 걸어가다 보니 눈물이 났다.

　떨어지는 석양의 뒤안길로 깊은 어둠이 내리고 허기가 폭풍처럼 밀려오면, 하루의 고단함을 내려놓고 소처럼 퀭하고 깊은 눈을 비비다가 아린 눈시울에 어린 나의 그림자가 한없이 깊고 무겁다. "오득아! 너 많이 힘들었구나."

　감정을 절제해서 표현한다는 것은 어떤 것인가? 이는 감정의 주인이 되는 것을 의미한다. 적어도 일어나는 감정에 압도되어 지배당하지 않는 것이다. 부정적인 감정일수록 일어나는 순간에 짧게 표현해야 한다.

　따라서 화는 짧게 내야 한다. 화를 표현하는 아주 부드러운 방법 중의 하나가 안성기 씨의 "이러시면 곤란합니다."와 같은 완곡한 표현이다. 그리고 분노를 건강하게 표출하는 또 하나의 방법은 감정과 자신의 생각을 명확하게 표현하는 것이다. "당신이 나에게 반말을 해서 내 감정이 상했다. 내가 당신에게 경어로 말하듯이, 당신도 나에게 경어를 사용했으면 좋겠다." 이런 경지에 오르려면, 어렸을 때부터 일상 속에서 훈련되고 담금질되어야만 한다.

마음속에서 일어나는 감정의 솔직한 표출은 아이스크림이나 모래성 같아서 즉시 먹지 않으면 녹아 버리거나 파도에 부서져 버린다. 타이밍을 놓친 감정의 표출은 그 효과가 반감되고, 표출하려는 의지가 꺾인 채 공허함과 허탈함만 남긴다.

이처럼 감정표현에는 물론 용기가 따라야 하지만 타이밍을 맞춘 감정표현은 절제와 냉정함을 유지할 수 있기에 기대 이상의 좋은 결과를 보여 준다.

사람들이 가장 후회하는 것은 감정에 휘둘려 한 행동이다. 대표적인 것이 폭력이다. 폭력은 참지 못해서 발생한 것이라기보다는 감정이 자연스럽게 흘러가고, 지나가게 하지 못하고 너무 참거나, 어설프게 참아서 발생한 경우가 더 많다. 그래서 감정을 자연스럽게 표출하지 못하고 지나치게 억압하고 참기만 하는 것이 더 위험하다.

이렇게 흘러가지 못하고 남아 있는 감정의 앙금은 밟으면 터지는 지뢰이고, 불만 붙이면 언제든 터지는 화약이다. '참고 참고 또 참지 울긴 왜 울어'는 만화 〈캔디〉 속에서만 존재한다. 참고 참고 또 참다

가는 반드시 폭발할 때가 있다. 그때는 이성은 마비되고 감성의 광란만이 춤을 추기에 과격하고 폭력적이며 광기어린 행동이 폭발하는 것이다.

하지만 감정 폭발의 첫 번째 희생자는 항상 자기 자신이다. 그래서 감정이 폭발하면 자신이 먼저 파괴된다. 이것이 어떤 감정일지라도 감정의 절제와 승화라는 필터링 과정을 통해서 감정이 폭발점에 이르지 않고 건강하게 발산되도록 항시 관리해야 하는 이유다.

이것을 '감정의 Venting 효과'라 한다. 이런 감정의 Venting 효과가 작동하지 않을 때, 감정의 하인리히 법칙에 따라 감정은 폭발하게 된다. 감정 폭발의 가장 큰 문제는 물의 비등점과 달리 폭발점은 예측할 없다는 점이다.

독일에서 발표한 최근 보고서를 보면, 작업상 항상 미소를 지어야 하는 사람들이 우울증, 스트레스, 심혈관 질환, 고혈압에 걸릴 확률이 높다.

감정노동자들은 수명이 단축될 수밖에 없다. 자신의 감정을 자연스럽게 표출하지 못하는 사람은 자연스럽게 때로는 격렬하게 자신의 감정을 표현하는 사람보다 일찍 죽을 수도 있다. 아울러 타인의 부정적인 감정을 그대로 받아들여야 하는 경우가 많기 때문에 더블 임팩트, 즉 이중충격을 받는다.

화가 치밀면 청양고추가 들어간 얼큰한 김치 칼국수를 먹는 것도 하나의 방법이듯이, 사람은 저마다 불같이 일어나는 화남과 화해할 수 있는 필살기를 가지고 있어야 한다. 땀 흘리며 운동을 하거나 노래 부르기, 산 높은 곳에 올라가 소리 지르기, 실컷 웃거나 우는 등의 행동은 감정 표현의 좋은 방법이다.

이처럼 어떠한 방식으로든 분노를 표출해야 한다. 약자와 소외된 자들의 분노의 연대가 기득권층의 간담을 서늘하게 할 것이라는 생각은 착각이다. 다만 기득권층의 주의와 관심만 끌어도 그만한 가치가 있는 것이다.

삼성의 백혈병 보상 해결약속도 〈또 하나의 약속〉이라는 영화의 영향이 크다. '분노하라', '일어서라'는 말은 분노를 폭발시키라는 말이 아니다. 어떤 상황에서도 분노의 폭발이나 분노의 억압은 지배세력에게 백드래프트라는 역풍을 맞게 되어 있다.

분노를 절제하여 표출할 때 분노를 지속할 수 있고, 분노를 의분으로, 집단의 저항으로, 일상의 즐거운 혁명으로 승화시킬 수 있다. 그래야 가진 자들과의 팽팽한 긴장감을 유지할 수 있고, 보이지 않는 균형의 시스템 속에서 함께 어울리고, 함께 일어서서 전진할 수 있는 것이다.

일상 속에서 우리의 위치는 수시로 변한다. 소비자에서 판매자로, 판매자에서 소비자로, 강자에서 약자로, 약자에서 강자로 끊임없이 자리바꿈한다. 감정을 자연스럽게 표출하지 못하고 간과 쓸개도 다

빼고 상대의 비위와 기분을 맞춰야 하는 을의 입장에서 때때로 오히려 내가 큰소리 칠 수 있는 위치, 부탁 대신 요구할 수 있는 유리한 갑의 처지에 있다 하여 호텔에서, 식당에서, 아줌마에게, 웨이터에게, 감정노동자들에게 함부로 말하고, 경멸과 조롱을, 모욕과 무시를, 지적질과 삿대질을 하면서 타인의 감정에 깊은 상처를 입히는 사람이 있다. 그는 매일매일 자신의 큰 바위 얼굴을 조각하는 삶이 아니라, 큰 바위 얼굴을 망치로 부수는 삶을 사는 것이다.

감정관리가 원천적으로 어려운 직업이 깡패다. 주먹으로 흥한 자 주먹으로 망한다는 말처럼 주먹은 또 다른 주먹을, 감정의 폭발은 또 다른 감정의 보복을 불러일으키기에 주먹으로 망하든, 법의 이름으로 인생이 끝장나든 그들의 알량한 자존심과 한두 번의 비틀린 감정의 폭발로 인생이 몰락하는 것이다.

화를 낼 때에는 화난 이유를 격한 말로 말하고, 화를 내라. 적어도 남에게 피해를 주지 않는 공간에서 목젖이 울리고 내장이 뒤틀리도록 욕을 하고 분노를 쏟아 내라. 역설적으로 그것이 주먹질과 살인으로 가는 것을 피할 수 있는 현명한 선택이다.

톨스토이는 "깊은 강물은 돌을 던져도 흐려지지 않는다. 모욕을 받고 이내 발칵 하는 인간은 조그마한 웅덩이에 불과하다."고 했다. 그것이 인간이다.

모욕을 받고도 발칵 하지 않는 인간은 이미 인간이 아니다. 모욕을 받으면 발칵 하고 화를 내되, 감정을 자연스럽게 표출해야 모욕감이나 치욕스런 느낌에서 벗어날 수 있다. 이처럼 감정을 때론 부드럽게, 때론 격렬하게 표출하면서 자연스럽게 흘러가도록 해야 한다.

맑은 날 세상이 열리는 듯 저녁하늘을 물들이는 저녁노을의 물듦처럼 나의 기쁨과 행복이 만인의 기쁨과 행복으로 번지고, 나의 슬픔과 고통은 전염병처럼 만인의 슬픔과 고통으로 전염될 수 있기에, 우리는 있는 힘을 다해 우리 마음속에 있는 행복과 즐거움의 불씨가 활활 타게 만들어 더욱더 행복하고 즐거운 삶을 살아야 한다.

열린 마음이
아름답다

열린 마음은 감싸는 마음이고 너그러운 마음이며 한없이 사랑하는 마음에서 자연스럽게 생성되는 것이다. 열린 마음으로 눈높이를 맞추는 것은 시선이 아니라 눈길을 맞추는 것이다. 눈길에서 따뜻한 눈빛을 주고받는 것이다. 차가운 시선이 내 온몸을 스캔할 때, 시선에 닿은 몸과 마음은 본능적으로 오그라든다. 그래서 따뜻한 눈빛으로 이어진 눈길의 포근함이 더욱 그립다.

신을, 사람을 제대로 보는 눈이 있어야 세상을 보는 눈도 생기는 법이다. 나는 오만한 자도, 신도 좋아하지 않는다. 오만한 자는 신처럼 행동하기 때문이고, 신은 오만하기 때문이다.

자신감은 자만감으로, 자만감은 자기만의 독선과 독단으로 흘러가기 쉽다. 물이 위에서 아래로 흐르듯이, 우리가 할 일은 이 자연의 흐름을 거스르는 일이다. 따라서 성격의 자연스런 흐름을 따라갈 때 나이 들수록, 지위가 높아질수록 옹고집과 오만의 아집에 벗어나지 못하여 옹졸해지고, 돌멩이처럼 단단해지는 옹고집과 오만의 아집을 허리춤에서 뱀을 집어던지듯이 벗어던질 때 비로소 위대한 소통주의자가 된다.

우리가 다름을, 특히 내 의견이나 생각과 다름을 받아들이기 어려운 것은 다름의 인정은 이성의 차원이 아니라 감정의 차원이기 때문이다. 아들과 아내와 동료와 생각이 다를 때, 아들과 아내, 동료의 생각을 받아들이는 것은 그냥 논리적이고 상식적인 이성의 차원을 넘어 내 감정과 나의 모든 것을 내려놓아야 하는 것이다. 그래서 다름을 받아들이기 위해서는 타인에 대한 공감과 이해가 절대적으로 선행되어야 한다.

토론과 대화의 전제는 사람은 자신만의 경험과 지식, 감성과 성격을 바탕으로 사고하고 판단하며, 결정하고 행동하는 불완전한 존재라는 것을 인정하는 것에서부터 출발한다. 이런 불완전함과 자신의 약점을 당당히 인정하고 드러내는 것을 넘어 자신의 옹고집을 꺾을 수 있는 유연함에서 좀 더 나은 대안과 해결책이 도출된다.

생각의 틀, 이익의 틀, 오만의 틀, 독선의 틀에 갇힌 사람들에게 국민을 위한 유연한 원칙주의의 기대는 백년하청이다. 아울러 지배권력이나 가진 자의 탐욕과 마주할 때만큼 오만과 독선에 빠진 진보를 마주할 때도 견딜 수 없는 분노가 솟구친다.

"나는 다른 생각을 가지고 있다고 말했습니다. 죽었습니다. 나는 너의 생각에 반대한다고 했습니다. 죽었습니다. 다른 얘기, 다른 행동을 하는 사람을 '마녀'처럼 사냥하고, 제단에 바치는 희생양처럼 잔인하게 죽이는 세상은 없어져야 하고, 사라져야 하고, 바꿔야 합니다."

세상엔 서로 다른 종류의 사람만 있을 뿐이다. 극단적으로는 살인자일지라도 누군가에겐 좋은 사람일 것이다. '삼인행(三人行)이면 필유아사언(必有我師焉)'이란 말이 진리다. 나에게 맞는 사람과 맞지 않는 사람이 있을 뿐이고, 나에게 편한 사람과 불편한 사람이 있을 뿐이다.

타인 의견과 판단을 무시하고 존중하지 않는 사람은 인간이라기보다는 자신의 완벽성, 자신의 무오류성을 믿고 살아가는 걸어 다니는 시한폭탄이다. 오히려 허약하고 후회하고 불안에 떨며 겁에 질려 있는 존재가 인간다운 인간에 가깝다. 뭉크의 자화상에 사람들이 공감하는 이유다.

성공경험에 대한 자랑이야말로 자기 자신을 옭아매는 일이다. "내가 해 보았는데"라는 말은 가장 강력하면서도 가장 위험한 말이다. 한 번의 특수한 성공경험의 잣대를 모든 경우에 모든 사람에게 적용하려는 것은 독선과 자만을 넘어 타인의 생각을 무시하고 파괴하는 폭력 행위이다.

아집에 대한 일화가 있다. 미국 워싱턴의 국회의사당에서 펜실바니아로 향하는 중앙보도에 계단이 놓여 있다. 한번은 층계에서 넘어져 부상을 당한 시민이 옴스테드에게 강력히 항의했다. 옴스테드는 여유 있게 웃으며 해명했다.

"계단을 설계하고 건축하는 데 많은 시간이 걸렸습니다. 저는 집에다 나무 계단을 만들어놓고 계속 오르내렸습니다. 완전함을 느꼈을 때 비로소 그 모형으로 계단을 만들었습니다. 하자가 있을 수 없어요. 앞으로는 좀 조심하세요."

그러자 옴스테드를 눈여겨보고 있던 그 시민이 말했다.

"옴스테드 씨, 당신의 한쪽 다리가 유난히 짧군요."

그 말에 옴스테드도 깜짝 놀랐다. 부상자의 지적은 사실이었다. 그는 자신의 보폭과 보행을 기준으로 계단을 만든 것이었다.

옹고집아버지는 자식들이 자신의 진심을 알아주지 못한다고 괴로움에 몸부림친다. 확신에 찬 아집과 독선과 자기주장은 맹목적 집착이며, 이는 자신은 완벽하게 완전한 인간, 성숙한 인간이라는 착각에서 비롯된다.

하지만 분명히 알아야 한다. 완벽한 인간은 완벽함에 질식되어 죽을 수밖에 없다. 따라서 살아 있는 모든 인간은 완벽하게 불완전한 미완의 존재다. 그래서 인간이다.

돌틈과 바위틈, 모래사이 틈, 스펀지의 틈, 방의 틈과 창문 틈이 없다면 생명이 없다. 숨을 쉴 수가 없다. 생명체는 비집고 들어갈 틈이 있어야 한다. 나무도 비집고 들어간 틈으로 뿌리를 내리듯이, 사람도 비집고 들어간 틈으로 관계의 뿌리를 내리는 것이다. 그래서 사람들은 틈이 있는 사람, 조금 빈 구석이 있는 사람에게서 편안함과 동질감을 느낀다.

빈틈이란 열린 공간이고, 열린 마음이며 삶의 여백이고 치열한 삶을 살아가면서 편안하고 즐겁게 쉴 수 있는 쉼터이다. 닫힌 공간이나 닫힌 마음으로는 들어가고 싶어도 들어갈 수가 없다. 그래서 닫힌 공간보다는 열린 공간이 좋은 것이고, 닫힌 사회보다는 열린 사회가 더 건강한 사회다.

아이는 또 하나의 선생님이 아닌, 엄마와 아빠를 원한다. 자기 편을 들어줄 내 편을 원한다. 어른은 착각한다. 아이 편을 들어준다고 하면서, 사실은 또 하나의 선생님이 되어서 아이의 마음을 구속하고 등 돌리게 만든다. 사랑은 기분과 마음을, 감정의 맺힘과 스트레스를 풀어 주는 것이다.

우리는 대부분 사랑이라는 이름으로 옥죈다. 올가미를 더욱더 조인다. 자신을 돌아보라. 인간은 신이 아니다. 가는 말에 채찍질을 하면 달리던 말도 화가 나서 멈춰 선다. 우리는 사랑이라는 이름의 채찍질을 끊임없이 휘두르고, 사랑이라는 이름의 올가미로 내 자녀를, 사랑하는 사람의 숨통을 옥죄고 있는 것이다.

아이와 함께한다는 것은 아이의 눈을 보고 대화하는 것이다. 아이가 몸으로 하는 얘기에, 마음을 열고 관심을 기울일 줄 알아야 한다. 사랑은 아껴 둔 삶의 이벤트가 아니라, 관심과 공감이며, 좋아하고 하고 싶은 일을 하는 삶과 소중한 사람과의 소통을 통해 소소한 일상의 즐거움을 만끽하는 것이 더 소중하기 때문이다.

이처럼 사랑하는 사람에게서는 달콤한 소리와 무조건적인 응원이 들려야 한다. 그러나 사랑하는 사람이 아닌 주위의 모든 사람들로부터 달콤한 소리만 들리면 뭔가 잘못된 것이다. 이것은 선택적 주의로, 자신에게 달콤한 말만 하는 사람에게만 마음을 열고 있는 것이며, 사실은 닫힌 마음인데 마음을 열고 있다고 착각하고 있는 것이다.

듣기 싫은 소리를 듣고, 듣기 싫은 소리가 싫지 않게 될 때가 마음이 열린 것이고, 열린 마음은 포용하는 마음이며, 부패하지 않는다. 언젠가부터 달콤한 소리, 듣고 싶은 소리만 들린다 싶으면 이미 부패가 시작된 것이며 몰락이 가까이 있다는 신호다. 정신을 차리고 벌떡 일어나야 한다.

친절의 힘

　어렸을 때부터 자녀에게 수학이나 영어에 대한 선행학습을 시키는 것의 반만큼이라도 먼저 도와주고, 인사하며, 타인에게 친절하고, 배려할 줄 아는 선행을 학습시킨다면 그 결과는 놀라울 것이다.

　아래는 김철웅 논설위원의 글에서 가져온 내용이다. 한 시골학교에서 성탄절 연극공연이 있었다. 선생님은 머리가 조금 모자라는 빌리에게도 역할 하나를 맡기기로 했다. 그래서 요셉이 "빈 방 있습니까?"라고 물을 때 "없어요."라고 딱 한마디만 하면 되는 여관 주인 역을 맡겼다.

　막이 올라 만삭의 마리아를 데리고 온 요셉이 방이 있냐고 묻자, 빌리는 뜻밖에 아무 말도 하지 않았다. 마을 사람들과 선생님까지 나서 작은 목소리로 "없어요."라고 대답하길 재촉했다. 그래도 한참 서 있던 빌리가 마침내 따뜻한 목소리로 꺼낸 말은 "내 방 쓰세요."였다.

　나는 종종 하지 않으려 했는데 날카로운 말을 내뱉음으로써 타인의 마음에 지울 수 없는 아픔을 남기고, 따뜻한 말 한마디를 내뱉지 않고 꿀꺽 삼킴으로써 타인의 마음에 남아 있는 아픔의 흔적을 지우지 못했다.

　어른이 될수록 마음이 어린아이처럼 부드럽고 말랑해져야 한다. 사람은 고통이라는 강, 두려움이라는 바다, 슬픔으로 뒤덮인 산을 지나야 말랑말랑한 가슴과 따뜻한 가슴을 가진 어린 왕자와 행복한 왕자가 된다.

　접근하기 어렵고 무뚝뚝하고 거칠고 대가 세게 보이는 사람이라 거리를 두고 말도 조심했는데, 어느 날 부드럽게 말을 건네고 진짜 힘들 때 격려와 위로를 해 주면 감동은 배가된다.

　평상시, 잘못하고 실수한 것에 대해 심하게 질책하여 '정말 무서운 사람이다.', '잘못 건들면 엄청 당하겠다.'고 생각하며 조심스럽게 지내다가, 어느 날 내가 한 일에 대해 칭찬 한마디를 건넬 때 감동이 밀려온다. 이것은 사람이 이성보다는 감정의 지배력이 더 강한 감정의 동물이기 때문이다.

　어쨌든 이런 사람이 카리스마가 있다는 얘기를 많이 듣고 역설적으로 능력을 인정받고 존경받는 경우도 많다. 왜 그럴까? 사람들의 행동은 비합리적인 부분이 훨씬 크게 작동하기 때문이다. 이는 다른 말로 사람들의 행동은 이성보다는 감성에 더 크게 움직인다는 얘기와 같다.

특히 마음이 여린 사람들, 소심한 사람들, 내성적인 사람들, 겁이 많고, 소극적이며, 사회적 약자라서 자신의 목소리를 내지 못하고, 자신의 감정을 억압하면서 살아온 사람들은 특히 까칠하고 불편하며, 거칠고 폭력적이고 오만한 스타일의 자본과 권력을 가진 자가 기대 밖의 따뜻함을 보여 주었을 때 무척 감동한다. 아마 기대를 넘어선 행동이 주는 놀라움 때문일 것이다. 이것을 그들이 알고 이를 악용했다면 그들은 진짜 나쁜 놈이다.

어린 왕자는 "아주 간단한 거야. 잘 보려면, 마음으로 보아야 해."라고 말한다. 세상에는 인간의 선한 마음을 악용하고 조종하려는 사람들이 많다. 까칠하고 불편하다고 생각했는데 어느 순간 인간적인 모습, 다정한 모습을 보일 때 까칠함이란 나쁜 면이 급격히 희석되고 좋은 면이 부풀려져 보인다. 하지만 이는 위험한 착각으로, 위험한 관계 속으로 빠져들 수 있음을 직시해야 한다.

외눈박이 세상에 두 눈을 가진 사람이 이상하게 취급되듯이 나쁜 사람들이 대세인 세상에는 착하고 정직한 사람이 조롱당하고 무시되며, 인정받지 못한다. 특히 부와 권력을 가진 자들의 세상에서는 착하고 정직한 사람들은 자신들이 가진 재력과 권력과 학력을 대물림하는 데 있어서 튀어나온 못처럼 방해물이자 훼방꾼처럼 생각될 뿐이다.

그래서 착한 사람들은 지배권력층에서 자연스럽게 배척되어 나쁜 사람들로 변질되고, '우리가 남이가'에서 배제되며, 교화가 안 되는 소수의 이단으로 취급되어 그들의 세계에서 추방된다. 그래서 착하고 정직한 사람들은 쉽게 볼 수 없는 것이다.

가족 간에도 개인의 자유공간을 침해하지 않는 것이 바람직하다. 집단의 자유나 공동의 자유보다는 개인의 자유가 점점 중요해지는 사회이다. 친절은 놀라울 정도로 힘이 세다. 분노의 복수심을 녹일 수 있고, 견딜 수 없는 배반을, 실타래처럼 엉킨 문제를 풀어주는 마법을 부린다. 깊은 마음의 상처와 조롱당하고 짓밟힌 자존심을 한 조각 웃음과 함께 치유하게 만드는 만병통치약이 되기도 한다. 친절은 나를 무시하고 경멸한 자를 향해 내리치려던 병을 내려놓고 내 자신과 만인을 더욱 사랑하게 만든다.

착함은 본성이면서 중독이다. 착한 커피를 마시고, 길거리에서 휴지를 줍고, 횡단보도에서 몸이 불편한 사람을 도와주고, 환경운동을 실천하고, 패스트푸드로부터 아이들의 몸과 마음을 해방시키려 한다. 이들의 이해할 수 없는 친절함과 선한 행동은 석양보다 더 눈부시게 붉다.

배우 황정민의 말이 가슴을 울린다.

"난 어찌됐건 누군가에게 산타클로스 같은 기쁨을 주고 싶어. 배우는 착해야 해. 사람은 착해야 해. 배우가 진심이 없으면 어떻게 관객을 울릴 수 있겠어. 그런데 뮤지컬이나 연극은 막이 올라간 뒤 두 시간은 내 시간이야. 누가 뭐래도 두 시간은 내 세상이거든, 그 안에서 노는 거지."

푸른 감성으로 주위를 푸르게
물들이는 사람

　우리는 푸른 감성을 놓쳐선 안 된다. 이재무 시인은 〈보리〉에서 "보리밭 속에 들어가 보리와 함께 흔들리며 인생을 살아가는 사람은 정확히 알리라. 세상 옳게 이기는 길. 그것은 바로 바르게 서서 푸르게 생을 사는 자세에 있다는 것을"이라고 노래했다. 우리는 이 말을 푸른 가슴에 담고서 살아야 할 것이다.

　마음은 모든 것의 중심이다. 마음 없이는 아무것도 존재할 수 없다. 가장 신비로운 감정인 사랑도, 슬픔을 기쁨으로 만드는 따뜻한 말 한마디도 마음에서 싹튼다. 온 산을 불태우듯이 타들어 가는 가을 단풍의 아름다움처럼, 가을의 정감이 온몸을 물들이고, 단풍이 온 산을 붉게 물들이듯이, 푸른 감성으로 주위를 푸르게 물들이는 사람이 눈부시다.

늙는다는 것은 녹슬고 무거운 갑옷을 입고 전쟁터에 나가는 것이다. 현실에서는 몸이 늙으면 마음도 늙기 때문이며, 몸이 늙는 속도보다 마음이 늙는 속도가 더 빠르기 때문이다. 몸은 해가 바뀔 때마다 예전 같지 않다는 말을 하기도 하지만, 시계의 시침이 움직이는 것처럼 잘 느껴지지도, 보이지도 않는다. 반면에 마음의 노화현상은 사막으로 가는 108계단을 내려가는 것처럼 눈에 띄게 진행된다. 그래서 마음이 늙는 것이 가장 두려운 것이다.

돈키호테처럼 녹슨 갑옷에 늙은 말 로시난테를 타고 전쟁터에 나가더라도 열정을 가지고 좋아하고, 하고 싶은 일을 향한 삶을 살 때에는 그것은 빛나는 삶이다. 세상에 대한 따뜻함과 관계에 대한 애정을 잃지 않을 때 그것은 푸르른 삶이다. 푸르고 따뜻한 정이 강물처럼 흐를 때, 그것은 찬란한 삶이다. 그런 삶을 사는 사람은 영원히 푸른 마음을 가진 사람이다.

푸른 감성은 설렘이고 두려움 없는 감정이다. 이별이 올 것을 미리 두려워하지 않듯이, 사랑할 때는 죽을힘을 다해서 오는 사랑을 끌어안아라. 낯선 여자와의 만남이 좋은 이유는 처음은 늘 설레기 때문이란 말처럼, 오래되어 익숙한 연인 사이에 어느 순간 블랙커피처럼 자극적이고 격렬한 사랑의 감정이 일어나거나, 하루 종일 몇 마디의 말로 대화하는 가족 간에 꿈틀꿈틀 살아 있는 따끈따끈한 대화와 포용이 이루어진다면, 그것은 분명 푸른 감성의 회복이다.

"벗어나기에 너무 늦은 감정도 없고, 깨어나기에 너무 늦은 나이도 없다."고 한다. 나이 듦이 저주나 전염병처럼 취급받지 않고, 나이 듦의 도전이 주책스러움과 불편함으로 인식되지 않고, 나이 듦이 성숙이나 편안함으로 존중받고, 나이 듦의 도전이 신선함과 빛남으로 인식되기 위해서는 그것은 먼저 스스로에 대한 칭찬과 인정해서 시작되어야 한다.

나이 들어 스트레스로 머리가 아프고 의욕이 떨어지고 두려움에 휩싸이고 목소리가 기어 들어가면 다시 회복하기 어렵다. 나이 들어갈수록 회복탄력성이 현저히 줄어드는 것이다. 자신감과 활력을 불어넣어 주는 자신만의 비장의 무기, 필살기가 있어야 한다.

술 먹기, 떡 먹기, 밥 먹기, 마음먹기 등 수많은 먹기 중에서 가장 가치 있고 돈이 들지 않고, 빠른 시간 안에 쉽게 할 수 있는 먹기는 바로 마음먹기다. 법정스님은 "모든 일은 마음먹기 탓, 굳게 닫힌 마음에서 활짝 열린 마음으로 전환하지 않는 한, 새로운 문은 열리지 않는다."고 했다.

어느덧 늙은 얼굴과 늘어진 몸을 가지고 척박한 감성의 황무지의 한 가운데에 서 있다. 젊은 시절 삶의 치열한 전쟁이 끝나자마자 푸른 갑옷을 벗어 버리고, 이제는 되돌릴 수 없는 젊은 육체를 그리워하고 자신의 처지에만 얽매어 시종일관 넋두리를 늘어놓으면서 질척거리는 모습으로 순간의 자극과 쾌락에만 매달리다가, 어느새 저급한 이기의 녹슨 갑옷 속에 자신을 안주시킨 채 가급적이면 타인의 아픔과 고통과 슬픔을 외면한다.

인생의 엔트로피 법칙에 따라, 질서에서 무질서로 나이 들어 감에 따라 몸도 무너지고, 마음도 무너지고, 의지도 무너진다. 마치 꼭 조인 나사도 오랜 시간의 흐름에 따른 녹슬음에 풀리는 것처럼. 그래서 나이 들수록 스스로 규율하고 구속하면서 풀어져 가는 나사를 다시 꼭 조이는 뼈를 깎는 노력이 필요하다. 이런 담금질을 통해 푸른 마음과 열정을 재점화 함으로써 진정한 자기만의 역사와 신화를 만들어 가는 자유로운 인간으로 진화해야 한다.

내가 가고 싶은 곳을 향하여 치열하고 격렬하게 내 모든 것을 다 태우고 난 뒤에 쓰러져 있는 나를, 온 밤을 하얗게 밝히면서 밤새도록 달리고 난 후에 온몸이 땀과 소금으로 뒤범벅되어 있는 나를, 마지막 남은 온 힘을 다해 일어나려 안간힘을 쓰다가 다시 쓰러져 주저앉아 두 눈에 그렁그렁한 눈물을 떨구고 있는 나를 두 팔로 꼭 끌어안자.

그리고 잘하고 있다고, 조금만 쉬었다 가자고 하면서 하늘을 향해 대(大)자로 누워서 가장 편안하고 고요하며 허허롭게 웃자. 어떤 경우에도 자신을 안아 주는 사람, 자신을 사랑하는 사람에게는 푸른 감성의 빛이 감돈다.

"녹아서 흔적도 없이 사라져 버리는 것이 겨울의 눈사람만이 아니다. 우리들도 녹고 있는 것이다."는 말처럼, 우리의 푸른 감성, 애정도, 열정도, 의지도, 따뜻한 마음도 세월의 흐름에 비례해서 녹슬고 흔적도 없이 사라져 버리는 것이다.

가을날 바싹 마른 나뭇잎처럼 감성이 말라 버렸을 때 빛나는 눈에 가득 찬 열정과 의지가 사라져 수명을 다한 전구처럼 먹물보다 깊은 어둠이 열정의 눈빛을 삼켜 버렸을 때, 우리의 삶은 녹아 버린 삶, 녹슨 삶이 되는 것이다.

자주 사용하는 열쇠는 녹이 슬지 않는다. '다 쓰고 가라'는 지상명령에 따라 나의 몸과 마음에서 끊임없이 생성되는 열정과 사랑, 웃음과 즐거움이 부패하고 부식되어 사라지지 전에 전부 다 쓰고 가는 것이 반짝반짝 빛나는 삶이다. 녹슨 삶은 게으른 삶이다. 지금이 아닌 후일의 삶이며, 행복과 즐거움을 유예하는 삶이며, 지금 해야 할 일을 나중으로 미루는 삶이다.

사람이 일생 동안 사용할 즐거움과 웃음의 양이 정해져 있다면, 나중을 위해서 저축을 하고 그 즐거움과 웃음의 일부만을 쓰고 죽는 것은 너무 억울하지 않겠는가. 백번 양보하여 나중에 사용하기 위해 저축해둔 즐거움, 웃음, 행복을 다행히 100살까지 사는 바람에 마지막 죽을 때는 허용된 것을 다 쓰고 죽는다 해서 누가 현명한 인간이었다고 박수를 쳐 주겠는가.

분명한 것은 한 살이라도 젊었을 때 발산하는 즐거움과 웃음은 100

살이 다 되어 발산되는 즐거움과 웃음보다 더욱 가치롭다는 사실이다. 그래서 웃음과 행복과 즐거움은 생기는 대로 느끼는 대로 마음껏 누리는 것이 최선이다.

〈세얼간이(3 Idiots)〉라는 인도영화에서 주인공은 머리보다 가슴이 인도하는 방향을 따라야 한다고 하면서, 곤경에 처하거나 어려운 결정을 내릴 때마다 그는 가슴을 두드리며 주문처럼 외운다. "알리즈 웰('all is well'의 인도식 발음)!" 영화 〈라이온 킹〉의 "하쿠나마타타"처럼 "괜찮아, 다 잘될 거야!"라고 자기 확신을 하는 것이다. 공감한다.

하지만 가슴은 생각보다 겁쟁이라 말한 대로 '다 잘되는' 경우는 많지 않다. 특히 나는 새가슴이라서 조금 큰소리만 나도 가슴이 벌렁벌렁해진다. 식은땀이 나고 잘 때 악몽에 시달리고 꿈속에서까지 놀란 가슴이 진정되지 않는다. 하지만 파편적인 경험을 통해 나를 둘러싼 세상의 모든 사람들은 정도의 차이는 있지만, 철의 심장이 아닌 유리심장을 지녔다고 확신한다.

그럼에도 불구하고 타잔처럼 가슴을 두드리면서 "알리지 웰" 혹은 "하쿠나마타타"라고 외쳐라. 적어도 그런 마음과 행동을 통해 마음먹은 대로, 원하는 대로 되지는 않겠지만, 너와 나의 심장을 조금은 더 말랑말랑하게 만들어 줄 수는 있다. 물론 어떤 사람은 경험과 노력과 타고남의 차이에 따라 웬만한 높이에서 떨어뜨려도 깨지지 않는 강한 유리심장, 고무심장을 가진 경우도 있지만 말이다.

작더라도 내 의지를 굳게 하고 열정을 불태울 수 있는 자신의 꿈을 꾸어라. 마약처럼 의지를 꺾어 버리고, 정신을 마취시키며, 눈을 현혹시키는 망상과 도취를 가져오는 그릇된 희망이나 열정의 날개를 꺾어 버리는 헛된 희망을 버려라.

대부분의 사람들은 그 감정의 밑바닥에까지 이르지 못하고 깊은 심연의 어두움 속에서 두려움에 떨면서 중간에 타협하고, 포기하고, 좌절하기에 밑바닥에서 영롱하게 빛나는 자기 사랑을 찾지 못한 채, 어중간한 중간 지점에서 끊임없이 방황할 수밖에 없다. 푸른 감성을 지닌 사람은 감정의 밑바닥과 만나는 것을 두려워하지 않는다.

막상 부닥쳐 보면 별것 아니었다. 남들의 시선에 대한 당당한 도전은 나를 더 단단하고, 더 멋지고 더 가치 있고, 더 특별한 사람이 되게 만든다.

인생은 달이다. "달은 천만 번 이지러지지만 그대로이다."라는 시구가 있듯이 인생도 단풍이 들듯이 여러 무늬와 색깔로 변화하지만 그 변하지 않는 색은 푸르름이다.

구름에 가려진 달이, 해에 가려진 달이 이지러진 모습을 보이지만 그 본디 모양은 둥근달이듯, 지금 내가 어디에 있든, 내 나이의 숫자가 무엇이든 내 인생의 무늬와 색깔은 푸르름이다. 가장 푸른 시절은 섬세한 감수성이 한없이 민감할 때이며, 공감이 가장 깊고 활발하게 일어나는 때이다.